KB017882

녹차

진런순 소설집
녹차 綠茶

초판 1쇄 발행 2014년 8월 20일

지 은 이 진런순(金仁順)
옮 긴 이 김태성
펴 낸 이 최종숙
펴 낸 곳 글누림출판사

책임편집 이태곤
편　　집 권분옥 이소희 박선주 박주희
디 자 인 안혜진 이홍주
마 케 팅 박태훈 안현진

주　소 서울시 서초구 동광로46길 6-6(반포4동 577-25) 문창빌딩 2층(137-807)
전　화 02-3409-2055(대표), 2058(영업), 2060(편집)
팩　스 02-3409-2059
전자메일 nurim3888@hanmail.net
홈페이지 www.geulnurim.co.kr
등록번호 제303-2005-000038호(2005.10.5)

정　가 14,000원
ISBN 978-89-6327-265-8 03820

출력/인쇄 · 성환C&P 제책 · 동신제책사 용지 · 에스에이치페이퍼

* 이 도서의 국립중앙도서관 출판시도서목록(CIP)은 서지정보유통지원시스템 홈페이지(http://seoji.nl.go.kr)와 국가자료공동목록시스템(http://www.nl.go.kr/kolisnet)에서 이용하실 수 있습니다.(CIP제어번호: CIP2014023191)

綠茶
金仁順 小說集

이 책은 소정의 심사과정을 거쳐 中國作家協會의 번역비 지원을 받아 출판되었음.

녹 綠茶 차

진런순 金仁順 소설집

김태성 옮김

부모님의 타향과 나의 고향

1938년, 두 살이 된 나의 아버지는 부모님을 따라 조선을 떠나 중국으로 오셨다. 2년 뒤 두 살이 된 우리 엄마도 가족을 따라 조선을 따라 중국으로 오셨다. 두 분은 각각 단둥(丹東)에서 그리 멀지 않은 환런(桓仁)이라는 작은 도시에 정착했다. 이곳에는 수많은 조선인들과 일본 이주민들이 거주하고 있었다. 오늘날 전 세계에 흩어져 있는 '차이나타운'과 유사한 공간이었다. 그들은 일상생활 속에서 자신들의 언어를 사용했지만 이민 생활은 망망한 바다 가운데 떠 있는 작은 섬과 같아 주위 환경과 서로 관계를 맺으면서 스스로 하나의 체제를 이루어 갔다.

1940년대와 50년대, 60년대, 70년대를 거치면서 급변하는 정치 환경이 우리 부모님들 일생의 절반을 관통했다. 그리고 1970년에 집안의 네 번째 아이로 내가 태어났다. 1976년에 나는 초등학교에 들어갔다. 오빠 언니와 마찬가지로 중국어로 수업하는 학교였다. 그해에 문화대혁명이 끝나고 중국은 점차 경제가 빠른 속도로 발전하는 시기로 접어들었다.

나는 줄곧 두 가지 언어 속에서 생활해야 했다. 집에서는 할머니와 부모님들이 조선어를 쓰셨지만 집 밖에 나가면 온통 중국어였다. 초등학교 시절부터 나는 문학작품을 접할 수 있었고 수많은 소설들을 읽으면서 이야기에 매료되어 갔다. 재미있는 이야기를 읽을 때면 주변의 친구나 학우들에게 들려주곤 했지만 언젠가 나도 이야기를 지어내는 사람이 되리라고는 상상도 하지 못했다. 우리 엄마 아빠도 당신들의 자식 중에 누군가 작가가 되리라고는 전혀 생각지 못하셨다.

하지만 일단 작가가 되고나서부터 나는 소설을 쓰고 시나리오를 쓰고 수필을 쓰기 시작했다. 먼지에 덮여 있던 이야기들이 마치 문자가 그 먼지를 떨어내기라도 한 것처럼 원래의 형태와 색깔, 질감과 무늬를 드러내기 시작했다. 글쓰기를 통해 나는 나의 핏줄과 가족의 정에 관심을 갖게 되었고 내가 어디에서 와서 어디로 가는지를 생각하게 되었다. 엄마와 아빠의 타향이 나의 고향이긴 하지만 당신들의 고향은 나의 고향이기도 하다. 부모님들의 조선어는 어떤 위안과 어루만짐처럼 일상생활의 모든 부분에 젖어 있었다. 그리고 나의 글쓰기는 일종의 추억이자 탄식이었다. 나는 나의 작품이 우리 엄마 아빠를 기쁘게 하고 내 친구들을 즐겁게 할 수 있기를 기대한다. 솔직히 말해서 그리 많지 않은 가족과 친구들이 내 세계의 주요 부분을 구성하고 있기 때문이다.

한국에서 나의 작품집이 출간되게 되어 너무나 기쁘다. 우리 엄마 아빠에게 드릴 수 있는 이보다 더 적당한 선물은 없을 것이다. 이에 대해 번역가 김태성 선생과 글누림출판사에 심심한 감사의 뜻을 전하고 싶다. 이 책이 창문이 되어 한국의 독자들이 중국인들 삶의 재미있고 의미 있는 부분들을 구경할 수 있기를 바란다.

2014년 7월 12일

중국 창춘(長春)에서 진런순

차례

복숭아꽃

복숭아꽃

샤후이(夏蕙)는 식어버린 아궁이처럼 차가운 내면을 가지고 있어요.

지롄신(季蓮心)이 샤후이의 외할머니에게 말했다. 샤후이가 열두 살이 되기 전에 지롄신은 가끔씩 샤후이를 데리고 외할머니 댁에 가서 설을 보내곤 했다. 그때만 해도 외할머니 댁에서는 밥을 할 때 장작불을 사용했다. 커다란 솥뚜껑을 열어젖히면 부엌이 온통 하얀 김으로 가득했고 두 사람은 샤후이를 등지고 서 있었다. 지롄신이 아궁이에 땔감을 더 넣는 사이에 외할머니는 하얀 면포를 씌운 대나무발 위에 만터우(饅頭)를 하나하나 올려놓았다.

외할머니가 뭐라고 한마디 했지만 샤후이는 듣지 못했다.

샤후이는 줄곧 엄마가 외할머니에게 했던 이 한마디를 기억하고 있었다. 뭔가를 미워했던 기억은 아니었다. 지롄신은 열두 살 때부터 전통극을 하기 시작하여 전통극의 이야기와 함께 성장하다 보니 봄이면 세상이 한스러웠고 가을이면 공연히 우울했다. 모든 것에 대해 조금씩 원망과 불만을 갖게 되었다. 어릴 적부터 다 자랄 때까지 지렌신은 샤후이에 대해 말이 많았다. 이것저것 모든 것이 남편 라오샤(老夏)를 닮은 것이 마음에 들지 않았다. 키가 큰 데다 골격이 너무 다부졌고 몸이 항상 뻣뻣하여 펴지도 못하고 구부리지도 못하는 굳은 모습이었다. 성격은 또 몹시 까칠해서 말도 잘 안 하고 잘 웃지도 않았다. 문발은 이따금씩 떼어내 닦기라도 할 수 있지만 그녀의 얼굴을 일 년 삼백육십오일 내내 그 자리에 똑같은 모습으로 걸려 있었다. 한번은 지렌신이 샤후이가 집에 없는 줄 알고 라오샤에게 화를 내다가 금세 별 상관이 없는 화제로 말을 확대하면서 딸아이가 자신과 그렇게 서먹서먹한 데는 다 이유가 있다고 말했다. 딸아이가 애당초 음모의 산물로서 라오샤가 강제로 뿌린 씨앗이라는 것이다. 지렌신의 몸에서 싹을 틔우고 성장하긴 했지만 샤후이 몸의 세포 하나하나가 다 엄마의 사무치는 원망과 회한을 체감했기 때문에 지렌신의 마음과는 전혀 반대되는 방향으로 자라났다는 것이 그녀의 생각이었다. 그래서 항상 남들과 똑같이 열 달을 품어서 딸을 낳았지만 남들은 아주 온순하고 엄마아빠를 끔찍이 생각하는 아이를 낳은 데 반해 자신은 돌덩이를 하나 낳았다고 툴툴대곤 했다.

"돌덩이라고 해도 나쁠 건 없지."

지렌신이 샤후이에 대한 험담을 늘어놓을 때마다 라오샤는 껄껄 웃으면서 말을 가로채 너스레를 떨었다.

"『홍루몽』(청대 조설근曹雪芹이 쓴 장회소설로 중국인의 비극의식을 가장 잘 표현한 작품으로 평가되고 있다.)도 돌덩이 하나로 얘기가 시작되잖아. 그래서 『석두기』라고 불리기도 하지."

샤후이는 생김새가 아버지를 꼭 닮은 데다 성격도 아버지랑 너무나 똑같았다. 이 때문에 지렌신은 매일같이 푸념을 늘어놓았다. 샤후이와 라오샤 둘 다 집에 함께 있을 때면 짜증이 나서 미칠 지경이었다. 틈만 나면 재미삼아 험담을 해댔다. 욕을 해도 샤후이를 빌미로 욕을 했고 소란을 피워도 샤후이를 탓하며 피웠다. 바로 옆에서 한바탕 연극이 펼쳐질 때면 아주 요란하고 격렬하게 법석을 떠는 일은 항상 지렌신의 몫이었다.

샤후이가 고등학교에 들어간 뒤로 딸에 대한 지렌신의 불만은 고스란히 입에서 눈으로 옮겨갔다. 첫 번째 이유는 딸이 다 크긴 했지만 원래부터 살갑지 않은 데다 지금은 한술 더 떠서 말 한마디 순순히 받아들이지 않았고 아예 벙어리에 귀머거리 흉내를 내면서 열흘이 아니라 보름이 지나도록 입 한 번 열지 않았기 때문이다. 두 번째 이유는 사회적으로 갈수록 각종 사업과 장사의 기회가 늘어나 지렌신이 집에 붙어있는 시간이 줄었기 때문이다. 샤후이는 아침 일찍 학교에 가서 야간자율학습이 끝나서야 돌아오다 보니 이틀에 하루는 지렌신의 그림자도 보지 못했다. 반대로 라오샤는 매일 집에 들어 앉아 담배를 피우면서 축구 경기를 보거나 부엌에 들어가 자기 냄비 두 개를 지키고 있었다. 하나는 지렌신을 위한 것이고 다른 하나는 샤후이를 위한 것이었다.

"대입시험은 만만한 일이 아니야. 천군만마가 외나무다리를 건너는 것만큼 힘든 일이지."

라오샤는 샤후이가 들어오는 것을 보자마자 곧장 몸을 일으켜 식탁을 정리했다. 그러고는 자기 냄비를 마치 보물이라도 되는 듯이 받쳐 들고 샤후이 앞으로 가져갔다.

"많이 먹어. 체력이 있어야 남들을 밀치고 나갈 수 있는 법이야."

라오샤가 끓인 국을 먹고 라오샤가 만든 요리를 먹으면서 샤후이는 늘 마음속으로 지렌신이 입버릇처럼 내뱉던 '식어버린 아궁이'라는 말을 되뇌곤 했다. 공허한 말이었다. 지렌신이 그녀에게 '식어버린 아궁이'니 '냉담한 마음'이니 하고 말할 수는 있겠지만 이 두 가지 비유를 하나로 합쳐서 말하는 것은 왠지 어색하고 익숙지 않았다.

샤후이가 대학교에서의 마지막 일 년을 보내고 있을 때 라오샤가 교통사고를 당했다. 그녀는 졸업한 뒤에도 그대로 학교에 남아 교편을 잡게 되면서 교직원 독신자 숙소에 입주했다. 숙소의 조건은 보통 수준이었고 화장실과 욕실은 공용이었다. 그녀는 지렌신에게 강의를 하면서 석사과정 공부도 해야 하다 보니 집에서 통학하게 되면 시간이 너무 부족하기 때문이라고 둘러댔다. 한 가지 샤후이가 말하지 않은 것은 라오샤가 세상을 떠난 뒤로 따스했던 집 안의 열렬한 분위기도 함께 사라져버렸기 때문이라는 것이었다. 이젠 정말로 차갑게 식어버린 솥과 아궁이 같았다. 여기에 모녀 두 사람이 말도 안 하면서 서로를 바라보는 차가운 눈길은 '한겨울에 냉수를 마신다'는 말 그대로였다.

샤후이가 학교에서 지내는 것에 대해 지렌신은 감히 "나도 늙으니까 버림을 받는구나."라는 비아냥거리는 듯한 말 한마디조차 내뱉지 못했다. 샤후이 역시 아무 생각 없이 던진 말에 엄마가 선뜻 계속 학교에 남아 있으라고 권하고 나올 줄은 꿈에도 생각지 못했다. 라오샤가 죽고 석 달이 채 되지 않아 지렌신은 원래 살고 있던 방 세 칸에 거실이 하나인 집을 팔고 시내 황금지역에서도 가장 좋은 구역에 방 한 칸에 거실이 하나이긴 하지만 오성급 호텔의 스위트룸 같은 인테리어를 갖춘 집을 샀다. 이 집은 오성급 호텔에는 없는 여성적인 분위기와 문화적 정취를 함께 갖추고 있었다. 전에 살던 집에 있는 물건은 하나도 가져오지 않았다. 옷도 전부 새로 장만했다. 집 안에서 바깥까지 전부 새로 산 것 같았다. 헤어스타일도 바꿔버렸다. 뒷머리는 파마를 해서 물결 모양을 만들고 이마에는 앞머리를 조금 남겼다. 영화 <로마의 휴일>에 나오는 오드리 헵번 같았다. 이런 스타일이 다른 일반 중년여성들의 몸에 구현되었다면 정말 보아주기 힘든 꼴불견이었을 것이 뻔하지만 지렌신에게는 문제가 되지 않았다. 고상하면서도 우아했고 부드러우면서도 고전적인 모습이었다.

샤후이는 매주 금요일마다 지렌신을 보러 집에 왔다. 지렌신은 지난 반평생 라오샤의 보살핌을 받으며 살아온 터라 밥하는 것을 싫어해서 두 사람은 항상 밖에 나가 식사를 했다. 나중에는 아예 음식점에서 만나 함께 식사를 하면서 날씨나 건강 등을 화제로 얘기를 나누곤 했다.

식사를 마친 두 사람에게는 또 다른 오락 프로그램이 있었다. 무대공연을 좋아하는 지렌신은 매일 신문에서 공연 소식을 물색했다. 그녀는 현대연극과 오페라, 무용극, 경극 그리고 다른 극종 모두를 좋아했다. 두 사람은 서커스와 마술경연도 구경했다. 샤후이의 입장에서는 지렌신과 함께 약간의 시간을 보내는 것이 특정한 법률을 준수하는 것처럼 꼭 필요하고 중요한 일이었다. 구체적으로 어떤 방법으로 이를 준수해야 하는지는 그다지 중요하지 않았다. 지렌신과 극장에서 시간을 보내면서 샤후이는 마음속으로 '기왕에 왔으니 편안히 즐기다 가야겠다'는 자세를 가졌지만 시간이 지나면서 점차 공연의 갖가지 묘미를 체득하게 되었다. 게다가 지렌신이 자주 그녀에게 몇 마디 품평과 감탄을 늘어놓곤 했다. 이런 감상과 평론은 샤후이가 친구나 직장동료, 학생들과 자리를 함께할 때 좋은 이야깃거리가 되었다. 줄곧 말이 없던 샤후이가 가끔씩 "무너진 집과 깨진 기와들이 마치 온갖 꽃들이 활짝 피어난 것 같네."라는 가사도 너무 좋고 스타니슬라프스키(Constantin Stanislavski)의 무대미학도 아주 훌륭하다는 감상을 늘어놓을 때면 마치 푸른 비단 이불을 들추니 그 안에 있던 붉은 안감이 드러나는 것처럼 놀라울 따름이었다. 샤후이가 교편을 잡고 있는 외국어대학에서 그녀의 교양과 품격은 추앙의 대상이 되었고 어머니에 대한 효심도 많은 사람들로부터 칭송을 받았다.

공연이 없는 날이면 지렌신은 샤후이를 데리고 커피를 마시러 가곤 했다. 그녀에게는 언제나 새로 문을 연 커피숍을 찾는 재주가 있었다. 그중에는 오성급 커피숍도 있고 회원클럽도 있었다. 몇 번은 작은 골목에 있는 커피숍을 찾아 차를 몰고 이리저리 반나절을 고생하다가 결국 어둠속에서 반짝이는 네온사인을 한 줄 발견한 적도 있었다. 싸구려 색채들이 진주처럼 밤의 풍경 속에서 즐겁게 뛰어오르고 있었다.

커피숍 안도 별다를 것이 없었다. 코 안으로 달라붙는 향기는 진하고 그윽한 커피향이 아니라 공기청정제 냄새였다. 불빛은 몹시 어두컴컴하고 테이블마다 물에 띄운 촛불이 켜져 있어 시력이 특별히 좋아야만 다른 손님들의 얼굴을 알아볼 수 있었다.

샤후이는 지렌신이 어떻게 이런 곳을 찾아내는지, 누가 그녀를 이런 곳에 데려와 함께 커피를 마셨던 것인지 도무지 상상이 되지 않았다.

하지만 의문은 의문이고, 그녀는 항상 적응을 잘 하고 쉽게 만족하는 평소의 모습으로 지렌신과 함께 자리를 잡고 앉았다.

"이 집에 가수가 하나 있는데 차이친(蔡琴 : 타이완의 유명 대중가수)의 노래를 아주 잘 불러."

그러고는 한마디 덧붙였다.

"이 집은 소파도 참 편하지."

소파는 정말 편했다. 누군가의 품에 안긴 것 같았다. 소파가 사람들에게 미련을 갖게 하는 것은 언제든지 떠나고 싶을 때 떠날 수 있고 결국엔 어김없이 떠날 것이기 때문이었다.

노래를 잘 한다는 여자는 정말 솜씨가 괜찮았지만 차이친을 그대로 따라하지 않고 새로운 창법을 구사하면서 어떤 부분은 재치있게 바꿔 부르기도 했다. 낮은 부분을 높게 부르고, 높은 부분을 부를 때는 일부러 흐릿하게 불렀다. 때문에 중년의 창상을 담은 듯한 맛이 청춘의 적막감으로 변했다.

순간 샤후이는 라오샤가 끓여주던 국물이 생각나 속눈썹이 젖어들었다. 그때 위장을 타고 흘러 내려가던 국물은 물보라의 손 같기도 하고 어떤 부드러움 같기도 했다.

커피를 마시면서 지렌신은 남자에 관해 몇 가지 질문을 던졌다.

"최근에 너한테 남자 친구 소개해주는 사람 없니?"

"없어요."

"너한테 관심 보이는 사람은?"

"없는 것 같아요."

"새로 사귀었거나 사귈 가능성이 있는 사람은?"

샤후이가 웃었다.

"웃어?"

지렌신은 샤후이의 얼굴을 뚫어져라 쳐다보면서 담담한 어투로 말했다.

"벌써 눈가에 주름이 생겼어. 게다가 저 피부 좀 봐. 최근에 밤새는 날이 많았구나? 얼굴이 왜 그렇게 어두워? 유지 분비가 너무 많은 데다 피부에 수분이 부족한 것 같구나. 눈도 튀어나오고 말이야. 이런 꼴을 하고 다니는데 어떤 남자가 너한테 관심을 갖겠니?"

그녀는 말하면서 핸드백에서 손거울을 꺼내 샤후이에게 직접 비춰보게 했다. 거울을 본 샤후이는 놀라움을 금치 못했다. 거울에 돋보기 기능이 있어 피부의 모공이 해부도처럼 선명하게 드러났다. 얼굴에 문제가 있는 것이 확실했다.

"그럼 관심 갖지 말라고 해요. 어차피 제가 얼굴에 의지해서 먹고 사는 건 아니잖아요."

지렌신은 콧구멍 깊숙한 곳에서 웃음이 터져 나왔다.

"무엇에 의지해서 먹고 사는지는 네가 알아서 할 일이고, 남자들은 얼굴을 보고 여자들의 유형을 구분한단 말이야. 유형이 다르면 차이가 엄청나다고."

"그럼 몸을 옥처럼 다듬고 관리해야겠네요."

"옥처럼 다듬고 유지할 수 있으면 좋겠지."

지렌신은 느긋한 어투로 말을 이었다.

"걱정만 하고 몸을 옥처럼 가꾸지 않으면 금세 고목으로 변한단 말이다."

"모양이 좋은 고목은 예술품이 될 수도 있잖아요. 사랑하지 않는 사람과 함께 사는 것보다는 열악한 환경 속에서 외롭더라도 혼자 자유롭게 사는 게 훨씬 나아요."

샤후이가 말했다.

"그렇게 빈한함 속에서 혼자 자유롭게 사는 것도 나름대로 의미도 있고 장점이 있겠지. 삶에는 항상 어려움과 외로움이 따라다니는 법이니까."

샤후이는 라오샤가 생각났다. 그가 대학을 졸업할 때만 해도 대학생은 금처럼 귀했다. 학생회 회장이었던 그는 졸업과 동시에 순조롭게 기관에 들어갔다. 앞길이 창창한 데다 하늘에서 내려온 선녀처럼 아름다운 연기자를 아내로 맞았다. 하지만 누가 알았으랴, 너무 빨리 타는 곳은 금세 재가 되기 마련이었다. 라오샤의 생활은 정해진 격식이 있었고 기관 내에서는 대단히 순종적인 초급 공무원이었다. 집에 오면 땀 냄새와 기름 냄새, 연기 냄새, 술 냄새와 발 냄새, 담배 냄새에 절어 있는 머슴이었다. 샤후이의 기억이 시작될 무렵부터 집 안의 큰 침실은 지렌신이 독차지하고 있었다. 라오샤는 겨울에는 거실 소파 위에서 잠을 잤고 여름이면 바닥에 차가운 돗자리를 깔고 배에는 수건 한 장을 덮고 잤다.

"엄마는 결혼생활에 만족하셨어요?"

샤후이가 물었다.

"만족했다고는 할 수 없지만 큰 불만도 없는 편이었지."

지렌신이 대답했다.

"너희 아빠는 참 좋은 사람이었어."

지렌신이 '너희 아빠'라고 말하는 것을 들으니 라오샤가 샤후이와는 어떤 관계가 있지만 지렌신과는 아무런 관계도 없는 것 같다는 느낌이 들었다. 혈연으로 따지자면 확실히 그랬다. 하지만 샤후이는 지렌신의 마음을 알 수가 없었다. 그녀는 어떻게 청춘의 모습을 그대로 간직할 수 있었던 것일까? 라오샤가 정성껏 끓여준 국물 덕분이 아닐까? 삼십 년이면 일만 천 일이니 그동안 라오샤가 끓인 국물을 전부 합치면 강을 이루고도 남았을 것이다. 하지만 이렇게 많은 국물도 그녀의 위장을 따스하게 하지 못한 것 같았다. 샤후이는 또 서글퍼지면서 화가 났다. 이러면서 내가 식은 구들처럼 차가운 내면을 가지고 있다고? 지렌신 당신이야말로 식은 구들장이야. 마음과 피, 뼛속까지 아주 철저하게 얼어 있단 말이야.

"연애는 꼭 해야 돼."

지렌신이 말했다.

"사람의 한평생도 춘하추동으로 나뉘지. 연애는 따스한 바람이 부는 춘사월이라고 할 수 있어. 인생의 가장 아름다운 구간이지. 이렇게 아름다운 세월을 헛되이 보냈다간 틀림없이 후회하게 돼."

샤후이가 석사과정을 밟고 있을 때, 그녀를 담당한 지도교수는 여러 명의 석사과정 학생과 박사과정 학생을 동시에 지도하고 있었고 박사과정 학생들 중에는 장화이헝(章懷恒)이라는 남학생이 있었다. 과묵하여 말이 적고 자신을 즐기는 타입이었다. 석사과정과 박사과정은 수업이 일치하지 않았고 어쩌다 외래교수의 강연이 있을 때에만 한자리에 모일 수 있었다. 장화이형은 고독하면서도 자존심이 강했고 샤후이는 청아하면서 고상했다. 서로 안지 반년이 지났지만 한 번도 말을 주고받지 않았다. 두 번째 학기가 시작되고 얼마 지나지 않은 어느 주말, 오후부터 비가 내리기 시작했다. 처음에는 아주 가늘게 내리더니 점점 빗줄기가 굵어져 샤후이가 차를 타기 위해 교문 입구로 나왔을 때는 빗방울이 콩알만큼이나 커져 있었다. 교문 입구에 대기하고 있던 택시는 사람들이 다 타고 가버려 샤후이는 어느 꽃가게 앞에 서 있었다. 옷이 비에 거의 절반쯤 젖은 채 손을 이마에 대고 사방을 두리번거리고 있는 차에, 장화이형이 차를 몰고 와 그녀 옆에 멈춰 섰다.

그가 차 문을 열어주면서 말했다.

"어디 가세요? 내가 데려다줄게요."

샤후이는 장화이형이 어느 정도 배경이 있는 집안의 자제라는 얘기를 들은 적이 있었지만 자가용을 몰고 다닐 정도인 줄은 몰랐다. 게다가 차는 아우디 에이식스였다.

샤후이는 장화이형의 차에 올라탔다. 차 안의 공간은 무척 넓었지만 장화이형 역시 키가 크고 다리가 길어 두 사람이 나란히 앉으니 꽉 차는 느낌이었다. 게다가 방금 전까지 밖에서 차를 기다리느라 머리와 몸이 비에 젖어 꽉 차는 공간에 가볍게 비린내가 풍기면서 샤후이를 더욱더 갑갑하게 했다. 차가 한참을 달린 후에야 이번에도 장화이형이 먼저 웃으면서 입을 열었다.

"나도 말이 적은 편인데, 나보다도 말이 없으시군요."

샤후이도 빙긋이 웃으며 말했다.

"그녀들도 전부 내 차를 탄 적이 있어요."

장화이형이 말을 이었다.

"타자마자 참새들처럼 떠들어대더군요. 이것저것 쉴 새 없이 물으면서 정신을 쏙 빼놓더라고요."

그녀들이라고? 샤후이는 속으로 생각했다. 그녀들이란 대체 누구를 말하는 걸까?

그날의 비는 성질이 급했다. 나중에는 정말로 세숫대야로 물을 퍼붓는 것 같았다. 시야가 대단히 좋지 않았지만 다행히 차는 무사히 샤후이를 지롄신과 만나기로 약속한 음식점으로 데려다주었다. 샤후이가 장화이형에게 말했다.

"들어가서 좀 앉았다 가지 않을래요? 비가 이렇게 많이 오는데 차를 모는 건 좀 위험할 것 같네요."

장화이형은 잠시 주저하는 듯 하더니 이내 그러겠다고 말했다.

지롄신은 이미 도착하여 이층 맨 안쪽 창가에 자리를 잡고 앉아 있었다. 머리는 뒤로 말아 올려 핀을 꽂았고 깃이 없는 채색 줄무늬 치파오를 입고 있었다. 흐린 날, 비까지 와서 그런지 지롄신의 얼굴은 유난히 희고 깔끔해 보였다. 턱을 괴고 창밖을 내다보고 있는 모습이 그대로 살아 있는 한 폭의 유화 같았다. 음식점 안에 울려 퍼지고 있는 광둥(廣東) 음악은 그녀의 이런 모습을 위해 연출된 것 같았다.

장화이형이 샤후이에게 두 번이나 물었다.

"저분이 어머니세요?"

지렌신은 정말 젊어 보였다. 피부가 도자기처럼 흰 것이 서른이 채 안됐다고 해도 지나치지 않을 것 같았다. 장화이형이 놀란 것은 물론이요, 샤후이에게도 그 순간만큼은 지렌신이 낯설게 느껴졌다.

세 사람은 함께 식사를 했다. 샤후이는 그 자리가 그렇게 열띤 분위기가 되리라고는 생각지 못했다. 지렌신은 말을 많이 하진 않았지만 끊임없이 장화이형의 말을 유도해냈다. 샤후이가 생각지 못한 또 다른 사실은 장화이형의 유머 감각이 뛰어나다는 것이었다. 특별한 내용은 없고 왠지 엄숙한 말들이었지만 두 사람은 웃음을 멈출 수 없었다. 샤후이는 문득 라오샤가 생각났다. 그는 매일 웃기는 이야기로 아내를 즐겁게 해줬었다. 하지만 그의 이야기는 유머 감각이 떨어져 참지 못한 지렌신이 종종 화를 내곤 했다.

이런 지렌신이 장화이형에게는 매우 인내심 있는 태도를 보이고 있었다. 성의껏 들어주면서 많이 웃었다. 꽃봉오리 같은 모습이었다. 처음에는 어루만지다가 나중에는 꼭 움켜쥐어 결국에는 풋 하고 웃음을 터뜨리면서 찬란한 봄빛처럼 웃었다. 그녀의 웃음은 천박하고 멍청한 웃음이 아니라 깊이 있고 여운이 있는, 마음으로만 느낄 수 있는 그런 웃음이었다. 그녀와 마주하고 앉으니 웃기지 않은 것도 웃겼고 깊이가 없는 것도 깊이가 있는 것처럼 느껴졌다. 술도 마시지 않았는데 취하는 듯한 기분이었다.

그때 이후로 장화이형은 주말마다 샤후이를 데리고 시내에 나갔다. 때로는 두 모녀와 함께 식사를 하기도 했다. 두 사람을 위해 호쾌하게 돈을 쓰고도 전혀 생색을 내지 않았다. 화장실에 간다는 핑계로 슬그머니 계산을 하기 일쑤였다. 때로는 샤후이만 가려고 하는 곳에 데려다 놓고 "안녕."이란 한 마디와 함께 가버리기도 했다. 샤후이는 세심하게 관찰했지만 좀처럼 장화이형의 속마음을 알 수 없었다. 그가 그녀 때문에 그녀의 엄마와 시간을 함께 하는 것인지 아니면 지렌신 때문에 자신에게 가까이 다가오는 것인지 알 수 없었다. 어쩌면 둘 다 아니라 그저 기분 내키는 대로 움직이는 것인지도 몰랐다. 아니면 두 여인을 놓고 마음을 정하지 못한 것일 수도 있었다.

학교 안에서는 일찌감치 이들에 대한 한가한 소문이 돌기 시작했다. 여학생들이 샤후이를 바라보는 눈길이 야릇해졌다. 그녀에게 장화이형의 발을 걸어 자신의 품 안으로 떨어지게 만드는 남다른 수단이 있기라고 한 것 같았다. 이 점에 대해 지렌신은 뭐라고 말은 하지 않았지만 장화이형이 두 모녀와 함께 식사하는 일이 뜸해지면 샤후이에게 왜 그가 오지 않는 거냐고 한마디씩 묻곤 했다.

자신과 장화이형이 어떤 사이인지 때로는 샤후이 자신도 혼란스러울 때가 있었다.

몇 달이 지나 장화이형은 영화제작소의 내부 상영실로 지렌신을 초대하여 영화를 한 편 보여주었다. 그 뒤에 샤후이에게 영화가 아주 고전적이라 지렌신에게 보여주기에 안성맞춤인 영화였다고 해명했다. 지렌신은 장화이형이 자신을 부른 것이 샤후이에 관해 상의하기 위한 것이었다고 말했다. 두 사람의 해명은 아주 간단명료했고 두 사람의 태도 역시 당당했지만 샤후이는 의심을 떨칠 수가 없었다. 그녀의 머릿속에는 영사실에서 영화를 상영할 때의 미심쩍은 분위기가 가득했다. 그리고 그 애매한 빛 속에서 장화이형은 계속 심각한 표정이었고 지렌신은 젊고 우아하기만 했다. 애매한 빛이 두 사람 사이의 나이 차이를 덮어주었을 지도 모른다. 두 사람은 영사실 안에서 서로 어깨를 나란히 하고 앉아 있었다. 가끔씩 팔이 부딪치기도 했을 것이다. 단속적인 피부의 접촉이 두 사람의 마음속에 어떤 전율을 가져다주었을까? 두 사람이 서로 얘기를 주고받으면서 입을 귀에 대로 말하는 수밖에 없었을 것이다. 지렌신의 고급 향수는 은은하게 여성적인 향기를 발산했을 것이고 한순간에 장화이형의 마음을 뒤흔들었을 것이다. 사실 두 사람은 얘기를 주고받을 필요도 없었다. '말을 안 해도 눈빛으로 상대의 마음을 알 수 있는' 그런 사이라 모든 것을 표현할 수 있었다. 샤후이는 두 사람 모두 자기에게 영사실에 가서 영화를 본 사실을 밝혔지만 언제 어떤 영화를 보았는지는 말해주지 않았다는 점에 주목했다. 이 외에도 샤후이가 듣지 못한 것은 또 있었다. 두 사람이 언제 전화번호를 교환했고 처음 연락한 것은 언제인가, 지금까지 서로 몇 번이나 연락을 주고받았는가 하는 것들이었다. 그러다가 이번에는 공교롭게도 샤후이의 학교 친구에게 들키고 말았다.

몇 주 동안 연이어 샤후이는 장화이헝을 피했다. 그의 차를 타지도 않았고 전화도 받지 않았다. 실제로 장화이헝이 그녀에게 전화를 건 것도 겨우 두 번뿐이었다. 그는 그렇게 죽도록 매달리는 유형이 아니었다. 어쩌면 샤후이에게 그렇게 매달릴 만한 가치가 없는 것인지도 몰랐다. 겨울 방학이 끝나고 다시 개학했을 때, 샤후이는 장화이헝이 광저우(廣州)로 가서 어느 회사의 부사장으로 일하게 되었다는 소문을 들었다.

샤후이는 평소와 다름없이 지롄신과 종종 만났다. 만나지 않을 수가 없었다. 두 사람은 모녀 사이였다. 탯줄은 잘라버릴 수 있었지만 핏줄 속을 돌고 있는 피를 깨끗이 지워버릴 수는 없었다. DNA는 말할 것도 없었다.

두 사람 모두 장화이헝을 거론하지 않았다. 어느 시에서 말한 것처럼 장화이헝은 하늘을 떠다니는 구름처럼 우연히 두 여자의 주말생활에 그림자를 던져 작은 파문을 일으키고는 금세 떠나갔을 뿐이었다.

샤후이가 스물여덟 살이 되어 이 년째 박사과정을 밟고 있을 때쯤 지롄신은 딸의 연애생활에 대해 정말로 조바심이 나기 시작했다. 그녀는 딸이 식사를 할 때 젓가락을 잡는 자세와 차를 마실 때 찻잔을 드는 동작, 커피를 마실 때 설탕과 크림을 넣는 손동작

등을 고쳐주는 것부터 시작하여 길을 걸을 때는 가슴을 앞으로 쭉 내밀고 배를 안으로 집어넣는 방법을 가르쳐주었다. 눈은 똑바로 전방을 주시하고 발을 앞으로 내디딜 때는 대체로 직선을 그리도록 하라고 가르쳤다. 길을 걷다가 멈춰 설 때는 나무가 되라고 했다. 그것도 소나무가 아니라 자신을 꽃이 활짝 핀 나무로 상상하라고 했다. 자리에 앉을 때는 허리를 펴고 얼굴을 조금 들라고도 했다. 기분이 좋을 때도 웃음소리가 너무 크게 울리지 않게 하고 화났을 때도 눈가에 주름이 잡히지 않게 하라고 했다. 이런 잡다한 주문들이 한 무더기나 됐다. 주말이 대여섯 번이나 지나는 동안 지렌신은 극장에도 가지 않고 커피숍에도 가지 않았다. 대신 샤후이를 데리고 쇼핑을 했다. 요즘 쇼핑몰들은 대부분 늦게 문을 열어 밤 아홉 시나 열 시가 되어서야 문을 닫았다. 두 모녀는 식사를 마치고 두세 시간 쇼핑을 했다.

옷을 골라주는 지렌신의 안목은 대단히 정확했다. 샤후이가 보기에는 지나치게 화려하고 요란한 수많은 옷들 가운데서 지렌신은 아주 정확하게 딸에게 잘 맞는 옷들을 찾아냈다. 샤후이가 옷을 입어보고 나면 지렌신이 종업원과 가격을 흥정했다. 상품권으로 옷값을 계산하고 난 뒤에도 다른 옷들을 하나하나 살펴보고 나서야 자신의 선택한 것이 낫다는 생각을 굳혔다.

지렌신은 샤후이에게 열 벌이 넘는 옷을 골라준 데 이어 여기에 어울리는 구두와 몇 가지 색상의 속옷, 수십 켤레의 스타킹 등을 함께 골라주었다. 샤후이의 신용카드 한도가 거의 다 찬 사이에 옷장은 전에 없이 풍성해졌다. 가득한 춘색을 막을 방법이 없었다.

지렌신은 샤후이를 데리고 미용실로 가서 특별히 샤오딩(小丁)이라는 미용사를 찾았다.

샤오딩은 이전에 가장 유명했던 '란우(藍屋)' 뷰티살롱의 수석 미용사로 나중에 따로 가게를 차려 사장이 되어 있었다. 그녀의 가게는 그다지 크지 않았지만 모든 것이 아주 편안하고 정갈했다. 지렌신을 보자 종업원들은 친절하게 인사를 건네면서 그녀를 언니라고 불렀다.

서른이 조금 넘은 샤오딩은 크지도 작지도 않은 키에 물뱀처럼 가는 허리를 갖고 있었다. 뒤로 빗어 넘겨 가볍게 묶은 머리를 한 그가 지렌신을 향해 찬란한 미소를 보냈다.

"지금 하고 있는 것만 끝내고 곧 해드릴게요."

긴 소파에 앉아 순서를 기다리고 있는 다른 여인들은 얼굴 가득 화가 난 표정이었다.

"이 집은 순서도 없나요?"

샤오딩이 고개를 돌려 웃는 낯으로 말을 받았다.

"렌신 누나는 어제 와서 예약을 하고 가셨거든요."

그가 다른 여인들에게 보이는 웃음은 지렌신을 향한 것과 사뭇 달랐다. 어찌 보면 위협하는 것 같기도 했다. 다른 손님들의 눈빛에는 여전히 분노가 남아 있었지만 입은 조용해졌다. 샤오딩이 여인들에게 말했다.

"렌신 누나는 이전에 전통극의 황후였지요. 팔십년대에는 저희 엄마도 이 누나의 팬이셨거든요."

긴 소파에 앉은 모든 여인들의 눈길이 지렌신에게로 향했다.

팔십년대 전통극의 황후였다고? 게다가 누나라니?

샤후이는 그런 눈길들을 훑으면서 웃음이 터질 것만 같았다.

"그런 옛날 얘기는 해서 뭐해?"

지렌신이 샤오딩을 나무라며 말을 끊었다.

"오늘은 우리 샤후이 헤어스타일을 좀 디자인해줬으면 좋겠어."

샤오딩은 샤후이를 한 번 위아래로 훑어보고는 나이 어린 여종업원 하나를 불러 지시했다.

"우선 머리부터 감겨드려."

샤후이가 머리를 감고 나자 샤오딩이 이미 자리를 비워놓고 대기하고 있었다. 방금 머리손질을 끝낸 여자는 서둘러 쫓겨나는 듯한 기분이 들었는지 거울에 이리저리 자신의 모습을 비춰보면서 샤오딩에게 물었다.

"이게 다 된 거예요?"

"네, 아주 잘 나왔네요. 혹시 어디 마음에 안 드시는 데라도 있으세요?"

샤오딩이 능글맞게 말을 받았다. 말은 부드러웠지만 듣기에는 무척이나 강경했다. 샤후이를 의자에 앉힌 그는 마른 수건 두 장으로 그녀의 어깨를 단단히 감쌌다. 그런 다음 몸에 덮개를 씌우고 집게로 잘 고정시켰다. 이어서 한 손을 그녀의 머리 속에 집어 넣어 비비고 헤집어 부드럽게 풀어주었다. 그의 손가락은 여인들의 그것처럼 길고 가늘었다. 샤후이는 얼굴이 빨개졌다. 샤오딩은 샤후이의 머리에 헤어드라이로 차가운 바람을 불어주면서 담담한 어투로 설명했다.

"이런 바람은 머릿결을 손상시키지 않아요."

그 여인은 거울을 한참 들여다보았지만 잘못된 곳을 찾아내지 못했다. 여인이 자리를 뜨면서 샤오딩에게 인사를 건넸지만 그는 한참이 지나서야 간단히 반응해주었다.

샤오딩은 샤후이의 머리를 칠 할 정도 말린 다음 두 손으로 그녀의 얼굴을 문지르면서 안경 너머로 유심히 살펴보았다. 샤오딩은 쌍꺼풀이 없었고 눈이 가늘고 긴 편이었다. 사람을 응시할 때면 두 눈이 마치 두 개의 갈고리 같았다. 그의 눈빛에 샤후이는 온몸의 솜털이 곤두서는 것 같았다. 그렇게 일분만 더 있다가는 발작을 일으켜 모든 것을 엉망으로 만들어버릴 것만 같았다. 그렇게 호된 봉변은 당하고 싶지 않았다.

이내 손을 풀고 가위를 집어 든 샤오딩은 지롄신과 얘기를 주고받으면서 샤후이의 머리를 다듬기 시작했다. 두 사람은 옌셴(烟仙)이라는 여자 점쟁이에 관해 얘기하고 있었다. 그녀는 점을 칠 때 담배를 입에 물고서 사람들이 문제를 털어놓으면 연기의 모양을 보고서 과거와 미래를 알아맞힌다고 했다. 샤오딩은 며칠 전에도 가서 점을 봤는데 아주 정확했다고 힘주어 말했다.

긴 소파에 앉아 있던 여인들은 잡지를 보면서 문자메시지를 보내고 있었다. 그러면서 지렌신의 헤어스타일을 유심히 살피며 두 사람의 대화를 듣고는 본격적으로 귀를 기울이게 되었다. 두 사람의 대화가 잠시 멈추자 수많은 질문들이 쏟아졌다. 그 여인이 어디에 사느냐, 무슨 일이든지 다 알아맞히느냐, 정말로 그렇게 용하냐, 그 여인은 비용은 어떻게 받느냐…… 하는 것들이었다.

"정말 기인이네요. 낯선 사람들에게는 점을 쳐주지 않다니요."

샤오딩이 웃으면서 말했다.

"렌신 언니가 이끌어주지 않았다면 저는 그 집 문지방도 넘지 못했을 거예요."

"함부로 말하지 마."

지렌신이 말했다.

"그 여자가 너랑 인연이 있다고 생각했던 거야. 그렇지 않았다면 네게 담배에 불을 붙이라고 하지도 않았겠지."

머리 손질을 마치고 미용실을 나오면서 샤후이가 지렌신에게 물었다.

"점을 본다는 그 여자가 정말 그렇게 용해요?"

"그걸 누가 알겠니? 나는 한 번도 자신의 운명을 점괘에 맡겨 본 적이 없어."

지렌신이 말했다.

샤후이에 대한 지렌신의 개조는 상당히 성공적이었다. 매일 누군가가 샤후이에게 최근에 무척 예뻐졌다고 말하면서 옷을 어디에서 샀는지, 머리는 또 어디에서 했는지 물어댔다. 교수들도 그녀의 변화에 주목하기 시작하면서 갈수록 맑고 새로운 모습이라고 칭찬했다. 구월이 되자 지도교수가 학술대회를 위해 어느 해변 도시에 가게 되었다. 원래는 다른 두 명의 박사과정 학생들을 데리고 갈 작정이었으나 그 가운데 한 명이 유행성 독감에 걸리는 바람에 샤후이에게 그 자리를 양보하게 되었다.

샤후이는 비행기에서 시몽을 만나게 되었다.

그날 그녀는 흰색 원피스를 입고 있었다. 순면 재질에 얼핏 보면 아주 단정한 치마에 불과했지만 자세히 보면 천에 흰 줄로 아주 큰 모란과 용봉 도안이 아로새겨져 있는 것을 발견할 수 있었다. 고풍스런 정취에 수공도 아주 꼼꼼한 옷이었다. 당시에 오십 퍼센트 할인한 가격이 천 팔백 위안이나 됐지만 지렌신이 계속 고집하는 바람에 할 수 없이 산 옷이었다.

샤후이 옆에 앉은 시몽이 먼저 옷이 정말 예쁘다고 말했다. 샤후이도 얼굴이 빨개진 채 고맙다고 말했다. 시몽의 그녀의 가슴에 내려와 있는 옥으로 된 펜던트를 가리키며 물었다.

"옥인가요?"

샤후이가 고개를 끄덕였다. 외국인과 영어로 얘기를 나누는 것이 평소 수업 시간에 영어를 하던 것과는 사뭇 달랐다. 게다가 시몽의 영어가 그녀에게 훨씬 미치지 못했다. 자신감이 생긴 샤후이는 시몽에게 모든 사람의 기와 혈이 다르기 때문에 좋은 옥이 그 사람의 몸에 맞으면 피부에 닿자마자 맑고 매끄럽게 변하면서 윤이 난다고 설명해주었다. 옥에도 사상이 있고 영혼이 있다는 것이었다. 이 옥 장식은 원래 외할머니가 갖고 계시던 것이었는데 딸보다는 외손녀에게 더 어울린다는 생각에 자기에게 물려준 것이라는 설명도 빠뜨리지 않았다. 시몽은 그녀의 얘기를 듣는 동안 내내 고개를 끄덕이면서 그녀를 '옥 아가씨'라고 불렀다.

그는 자신이 파리 사람으로 동양문화를 좋아하여 지금 예술대학에 교환학자로 와서 중국어를 배우면서 동양화도 함께 배우고 있다고 소개했다. 이번에 해변을 찾게 된 것은 친구 몇 명과 함께 휴가를 보내기 위해서라고 했다.

시몽은 샤후이에게 전화번호를 남겼다. 그러면서 그녀의 전화번호도 요구했다. 비행기에서 내리면서 시몽은 남들을 따라 걷다가 멈추기를 반복하는 동안 샤후이에게 여러 번 반복해서 말했다.

"내가 전화 할게요."

그러고는 공항 입구에서 택시를 타고 가면서 샤후이를 향해 손을 흔들었다.

"저 미국 오빠가 너한테 첫눈에 반했나봐?"

동행하는 박사과정 학생이 놀려댔다. 샤후이가 그는 프랑스인이라고 부끄러운 표정으로 설명해주었다. 그러면서 그가 자신의 옷 도안에 흥미를 느낀 것 같다고 덧붙였다. 교수는 용과 봉황을 배경으로 요염한 아름다움을 토해내고 있는 도안을 유심히 살피더니 눈길이 옥 펜던트에 멈추는 순간 감탄하듯 말했다.

"민족적인 것이 가장 세계적인 것이야."

차가 그들을 맞으러 나왔다. 시내로 들어가는 길 내내 샤후이는 창밖을 내다보고 있었다. 도시 풍경에 완전히 매혹된 것 같았다. 사실 그녀의 눈 속에 흔들리는 것은 온통 시몽의 모습과 목소리뿐이었다. 그녀는 자신에게 이런 일이 일어났다는 것이 믿어지지 않았다. 프랑스인의 심미관은 중국인들과 많이 다른가? 아니면 그들의 일관된 신사기질이 여인들에 대해 미추에 관계없이 공손하고 예의바른 태도를 갖게 한 걸까? 아니면 그저 즉흥적으로 그녀에게 장난을 친 것인지도 모를 일이었다. 시몽이 정말 자신이 말한 것처럼 전화를 걸어올까? 전화가 오면 어떡하나? 전화를 받아야 할까 피해야 할까? 샤후이의 몸속을 돌고 있는 맵고 뜨거운 기운이 무협소설에 나오는 진짜 기류처럼 사방으로 뚫고 나와 통제하기 어려웠다.

시몽으로 인한 어색함은 하나의 시작에 불과했다. 회의 내내 샤후이는 방과 화장실에서 멍하니 앉아 있는 것을 제외하고는 자신만의 시간을 가질 수 없었다. 회의에 참가한 교수들은 샤후이의 지도교수에게 비밀병기를 데리고 왔다고 놀려댔다. 회의 도중 방송국 기자가 카메라로 샤후이를 조준하는 시간이 다른 교수들보다 훨씬 길었다. 학보에 이번 회의에 관한 기사가 보도되었을 때도 샤후이의 사진이 크게 게재되면서 그녀를 '미녀 학자'로 소개했다. 회의가 끝나고 모두들 어느 관광지로 구경을 갔을 때도 샤후이는 거의 풍경의 일부가 되었다. 수시로 사람들이 다가와 함께 사진을 찍자고 졸라댔다.

어느 날 밤, 샤후이는 목욕을 하고 나서 거울에 자신의 모습을 비춰보고는 완전히 낯선 몸을 발견하게 되었다. 윤기가 흐르고 날씬한 몸매에 홍조와 함께 풍만한 느낌마저 들었다. 젊고 건강하며 생기와 활력이 넘치는 모습이었다. 그 어떤 아름다운 사건의 광림에도 어울리는 봄이었다. 샤후이는 마지막으로 거울에 자신을 비춰본 것이 언제인지 기억이 나지 않았다. 최근 얼마 동안 자신의 외모에 큰 변화가 일어난 것이 분명했다. 눈과 눈썹은 예전과 달라진 것이 없었고 코와 입도 익숙한 모습 그대로였지만 이러한 익숙함 속에 평소에 지렌신의 몸에만 갖춰져 있던 것이 하나 늘었다. 다름 아닌 분위기였다. 어린 부용꽃이 이제야 작은 봉오리를 드러낸 셈이라 아직 자랑할 정도는 아니었다. 게다가 낯설고 신선한 느낌도 유지해야 했다. 하지만 지금 샤후이의 나이와 상태에는 가장 잘 어울리는 모습이었다. 등롱처럼 안에서 밖으로 광채가 발산되고 있었다. 샤후이는 자신의 몸에 뜻밖에도 이런 보물이 감춰져 있다는 것을 한 번도 의식하지 못했다. 타향의 낯선 땅에 와서 가장 친한 사람을 만나기라도 한 듯이 벅찬 느낌에 눈물이 솟아났다.

회의를 마치고 돌아오는 비행기에서 동행한 박사과정 학생이 빙빙 에둘러 지금 그녀가 장화이형과 서로 연락을 주고받고 있는지 물러보고는 부정적인 대답을 듣자 그녀에게 주말에 저녁식사를 함께 하자고 청했다.

"샤후이에게 할 얘기가 너무 많아요."

"안 될 것 같아요."

샤후이는 자신의 목소리마저 부드럽고 매끄럽게 변해 있는 것을 깨달았다.

"주말에는 엄마랑 연극을 보러 가야 하거든요. 아빠가 세상을 떠난 뒤로 절대로 변하지 않는 우리 집 규칙이에요."

절대로 변하지 않는 규칙이 시몽 때문에 변했다. 황금연휴가 지난 첫 번째 주말에 그녀는 시몽의 전화를 받았다. 방금 휴가에서 돌아온 모양이었다.

"헤이, 나 시몽이에요."

엉망진창인 중국어 인사를 들은 샤후이의 머리가 한순간에 만화경이 되어 쉬지 않고 돌기 시작했다. 심장도 심하게 뛰면서 혀는 바람에 날리는 종잇장처럼 팔락거렸다. 그가 식사를 함께 하고 싶다고 제안하자 샤후이는 긴 심호흡 끝에 말했다.

"좋아요."

전화를 끊은 샤후이는 도서관에 앉아 있을 수가 없어 서둘러 기숙사로 돌아와서는 한 시간 동안이나 옷을 골랐다. 옷장 안에 있는 옷을 거의 다 입어보았다. 얼마 전 피 같은 돈을 주고 옷을 대량으로 구입해둔 것이 다행이었다. 생강은 아무래도 매워야 제맛이라고, 역시 지렌신에게는 선견지명이 있었다. 오동나무를 한 그루 심었더니 금봉황이 날아온 격이었다. 늑대를 잡으려면 아이를 아까워해선 안 되는 법이었다. 샤후이는 이런저런 생각을 하면서 옷을 고르고 고르다가 결국 지렌신이 맞춰서 골라준 옷이 가장 적당한 선택일 것이라는 결론을 내렸다.

위아래 전부 면에 실크가 섞인 소재로 된 민소매 차림이었다. 상의는 짧으면서 몸에 착 달라붙었다. 목과 소매 입구 둘레는 밝은 톤의 노란색으로 장식되어 있고 단추는 수공으로 만들어 정교한 나선형을 이루고 있었다. 하의는 통이 넓은 바지 차림이었고 신발은 베이지색 하이힐이었다. 유일하게 그녀가 불필요하다고 던져버린 것은 실크 핸드백뿐이었다. 입구가 지퍼가 아니라 비단 끈이라 멋지긴 하지만 좀 지나친 느낌을 주는 핸드백이었다.

그녀는 지렌신에게 전화를 걸어 저녁에 교수님과 일이 있어서 만나지 못할 것 같다고 말했다. 그런 다음 그녀와 마주칠 위험을 무릅쓰고 머리를 하러 샤오딩을 찾아갔다.

샤오딩이 그녀를 보고서 멍한 표정을 짓자 그녀가 먼저 지렌신의 딸이라고 설명했다. 그제야 그는 생각이 났는지 고개를 끄덕였다. 머리를 하고 나서 약속 장소로 가자니 시간이 좀 빠듯했다. 길에서 조금 뛰다시피 해야 했다. 자신의 머리칼이 샴푸 광고에 나오는 것처럼 춤추듯 나부끼면서 수많은 눈길을 끌어 모으고 있는 것이 느껴졌다. 시몽은 이미 와 있었다. 그녀의 아름다운 모습에 놀라움을 감추지 못하는 표정이었다. 샤후이가 자신을 향해 다가오는 것을 보고 그는 두 팔을 벌려 그녀를 가볍게 안아주었다.

"옥 아가씨."

이런 다정함에 익숙하지 않은 샤후이는 순간 온몸이 딱딱하게 굳어버렸다. 시몽이 진심으로 그러는 것인지 예의상 그러는 것인지 알 수 없었다.

'하지만, 아무려면 어쩌랴.'

그녀는 속으로 생각했다. 이렇게 생각하니 온몸이 편안해졌다.

해변에서 보름이나 있어서 그런지 시몽은 몸이 검게 그을어 있었다. 피부가 완전히 종려 빛이었다. 뜨거운 열기가 발산될 것만 같았다. 그가 옷에 달린 나선형 단추를 가리키며 웃는 얼굴로 말했다.

"후이(蕙), 당신은 본초식물이에요. 초여름에 꽃이 피지요. 꽃은 노란색인데 향기가 진해요."

그가 그녀의 이름에 담긴 뜻을 자전에서 찾은 것이었다. 자신을 응시하는 시몽의 눈길에 샤후이는 뇌세포가 끓어 부글부글 소리가 날 것만 같았다.

"당신이 수줍어할 때 당신의 옥도 수줍어하나요?"

시몽이 신기하다는 듯이 물었다.

"어떨 것 같아요?"

샤후이가 되물었다.

"옥에게도 희로애락이 있을까요?"

음식점에서 샤후이가 자발적으로 제안했다.

"우리 더치페이 하기로 해요."

"중국에서는 더치페이가 거리를 의미하지요. 안 그래요?"

시몽의 눈동자는 남회색이었다. 두 개의 보석이 집요하게 샤후이의 눈으로 박혀 들어갈 것만 같았다.

"괜찮다면 제가 계산할게요. 큰 영광이 될 것 같거든요."

그는 너무나 빨리, 너무나 맹렬하게 다가왔다. 폭풍우 같았다. 샤후이는 속으로 망설이고 있었다. 적절한 대답을 찾지 못한 샤후이는 시몽의 눈길을 피하면서 스프를 마셨다. 손에 든 스푼에서 나는 팅 소리가 도자기 그릇에 부딪친 것이 아니라 마음을 두드리는 것 같았다.

샤후이는 시몽과 사귄지 두 달이 지나서야 그를 지렌신에게 보여주기로 마음먹었다. 지렌신이 전화로 냉랭하게 한마디 던졌다.

"마침내 내게 보여줄 정도로 아깝지 않게 된 거로군?"

시몽과 연애를 하느라 샤후이는 여러 번 지렌신과의 주말 약속을 깨거나 뒤로 미뤘다. 모녀가 만나 이런 화제를 입에 올릴 때마다 샤후이는 지렌신에게 시몽에 관해 두 사람이 두 달 전부터 사귀기 시작했다는 사실 외에는 할 말이 없었다. 샤후이는 왜 자신은 다른 집 딸들처럼 친근하고 자연스럽게 엄마에게 남자 친구에 관해 애기하면서 그의 결점을 탓하고 장점에 감탄하며, 심지어 공모라도 하듯이 남자의 은밀한 사생활에 관해 토론할 수 없는 것인지 이해할 수가 없었다. 사실 그렇게 하지 못하는 것은 그녀 자신 탓인지도 몰랐다. 하지만 지렌신은 확실히 보통 엄마들과 달랐다. 딸이 한 송이 꽃이라면 다른 엄마들은 꽃 옆에 있는 수풀로서 서로 긴밀히 소통하면서 말하기 쑥스럽거나 창피한 부분까지 다 얘기할 수 있지만 지렌신은 그렇지 않았다. 뿌리는 땅속에 있는데 몸은 이미 뽑혀 뿌리에서 멀어진 채 나무가 된 격이었다. 샤후이에게 있어서 그녀의 모성애는 나무 그늘 같은 것이었다. 형태는 있지만 열정이 없었고 만질 수도 없었다. 지척에 있으면서도 천 리나 떨어져 있는 것처럼 멀게만 느껴졌다.

식사를 하는 장소는 지렌신이 정했다. 울컥한 마음이 있었는지 모르겠지만 음식점 이름은 '노마채관(老媽菜館)'이었다. 새로 연 음식점으로 분위기가 제법 그럴듯했고 개업한지 얼마 되지 않았는데도 제공하는 혜택이 많아 사람들에게 인기가 높았다. 어떤 손님이 찾아오든지 정성껏 잘 모시겠다는 의지가 가득 차 보였다.

지렌신은 이미 자리도 정해놓았다. 홀에서 가장 좋은 창가 자리인데다 양쪽으로 화분이 가지런히 놓여 있어 요란한 가운데서도 조용함을 찾을 수 있었다.

종업원은 미스 지가 전화로 좀 늦을 것 같다고 말했다고 전했다. 종업원은 두 사람에게 차를 내주면서 차 역시 '미스 지'가 카운터에 맡겨둔 것으로 가장 좋은 품질의 룽징(龍井)이라고 알려주었다.

샤후이가 먼저 음식을 주문하겠다고 말하자 종업원은 그럴 필요 없다고 하면서 '미스 지'께서 이미 다 준비해두셨다고 말했다.

그녀가 오기만 하면 곧장 음식을 내올 수 있다는 것이었다.

샤후이가 시몽을 향해 빙긋이 웃었다. 마음속으로는 지렌신이 어떤 농간을 준비하고 있는지 몰라 걱정이 되기도 했다. 사람이 없는데도 도처에 칼날이 번득이고 있었다.

"당신 어머니는 어떤 분인가요?"

종업원이 멀어지자 시몽이 물었다.

"미인이세요."

샤후이가 잠시 생각에 잠겼다가 대답했다. 시몽은 가볍게 휘파람을 불었다. 항상 시간을 잘 지키던 지렌신이 이날은 이십 분이나 늦게 도착했다. 그것도 청바지차림이었다. 청바지 밑단을 커피색 앵글부츠 안에 쑤셔 넣고 위에는 아이보리색 벨벳 셔츠를 입고 있었다. 브이넥으로 같은 색깔의 투명 레이스가 달려 있었다. 머리는 잘 빗어 뒤로 묶은 다음 쪽을 지었다. 등에는 역시 커피색 백팩을 메고 있었다. 이런 지렌신의 모습은 영락없는 여대생이었다. 더 놀라운 것은 화장을 전혀 하지 않아 눈가에 주름이 보이는데도 더 아름다워 보인다는 것이었다. 삶의 체험과 경력이 그대로 드러나는 얼굴이 그녀의 대담함에 대해 정확한 해석을 내려주고 있었다.

샤후이는 자신도 모르게 자신이 몸에 걸치고 있는 새로 산 '모젠(Mozen : 중국의 최고급 여성복 브랜드)'을 내려다보았다. 대부분 검정색이긴 하지만 깃과 소매에 빨강과 초록으로 악센트를 주어 대단히 염미한 느낌을 주는 옷이었다. 옷만 보면 천이페이(陳逸飛 :

중국 닝보寧波 출신의 유명 화가)의 그림 <쉰양(潯陽) 여운>의 맛을 느낄 수도 있겠지만 이 순간 '노마채관'에는 도처에 붉은색 등롱이 걸려 있고 앞에는 초록색 화분들이 놓여 있는 데다 음식점 가득 붉은 비단에 깃과 소매 끝이 황금빛으로 장식된 치파오를 입은 종업원들이 돌아다니고 있어 그녀의 옷은 장중하면서도 약간은 통속적인 느낌을 주었다. 심지어 약간 노티가 나기도 했다.

지렌신은 시몽에게 먼저 늦게 온 것에 대해 사과한 다음, 샤후이에게 평극단에서 최근에 <꽃을 매개로(花爲媒)>라는 작품을 다시 무대에 올리려 하는데 요즘 연습하느라 너무 바빠서 극단의 연습 장소가 마침 이 음식점 바로 옆이라 모든 약속을 이곳으로 정한다고 설명해주었다.

"샤후이가 어머님이 미인이시라고 하더니."

시몽이 혀를 많이 움직여야 하는 중국어로 아첨을 했다.

"과연 명불허전이군요."

"미인인 건 맞지요. 지는 해라 그렇지."

지렌신이 웃으면서 비스듬한 눈길로 샤후이를 쳐다보았다.

"제 딸도 그다지 예뻐 보이지 않으니까요."

시몽은 '지는 해'라는 말을 잘 알아듣지 못하고 고개를 돌려 '자모(지는 해를 의미하는 지모遲暮와 자애로운 어머니라는 의미의 자모慈母가 중국어로는 음이 같다)'가 무슨 뜻이냐고 물었다.

샤후이가 좋은 엄마라는 뜻이라고 말해주자 시몽이 고개를 끄덕였다. 지렌신이 풋 하고 웃음을 터뜨리며 말했다.

"제법 해석을 할 줄 아네."

"두 분은 모녀 사이 같지 않군요."

시몽이 지렌신과 샤후이를 번갈아 쳐다보면서 말했다.

"꼭 자매 같아요."

샤후이는 시몽의 말을 못 들은 척하면서 지렌신에게 물었다.

"어쩌다 또 연극 연습은 맡게 됐어요?"

"돈이 생기니까 하는 거지."

지렌신이 말했다.

"단장이 여든 번이나 전화를 했어. 내가 아니면 안 된다는 뜻이 아니라 주요 목적은 내게 신인들을 좀 지도해달라는 거지."

시몽이 자신을 대화에서 배제시키지 말아달라는 뜻을 밝히자 샤후이가 몇 마디 설명을 해주었다.

"그럼 중국 고전희극을 연습하고 계시는 건가요?"

시몽의 파란 눈이 반짝이며 지렌신을 응시했다.

"우리가 가서 구경 좀 하면 안 될까요?"

어렸을 때, 샤후이는 지렌신의 연극 공연을 본 적이 있었다. 지렌신은 머리 가득 구슬 장식과 비녀를 꽂고 눈을 찌르는 강한 조명 아래서 하늘하늘 꽃을 잔뜩 수놓은 치마 밖으로 수십 가닥의 화려한 치마끈을 늘어뜨린 채 몸을 움직일 때마다 비녀와 귀고리가 딸랑거리면서 봄바람에 버들가지가 흔들리는 풍취를 연출했었다. 극중에서 그녀는 후원에서 서생과 사랑을 나누었다. 애교와

토라짐을 반복하면서 상대에게 추파를 던졌다. 샤후이는 창(唱)의 내용을 알아듣지 못했지만 지렌신의 애교 넘치는 음색은 너무나 실감 있게 느껴졌다. 당시 그녀는 너무나 부끄러웠고 자신이 지렌신의 딸이라는 사실을 남들이 알까봐 두려웠다. 자신이 지렌신의 딸이라는 사실을 세상 모든 사람들이 알게 되면 등 뒤에서 손가락질을 하면서 온갖 욕설을 다 쏟아낼 것만 같았다.

하지만 축구장 반만 한 연습장에서는 정식 공연 상황을 볼 수 없었다. 이곳의 축축하고 청량한 공기 속에서는 나무판을 밟으면 메아리가 칠 것만 같았다. 그들의 연습장에는 한가운데는 붉은 양탄자가 깔려 있었다. 지저분하기 짝이 없었다. 무대만 한 양탄자 위에는 의자가 몇 개 놓여 있었다. 처음에는 이를 휴식시간에 연기자들이 앉아서 쉬는 용도로 사용했지만 나중에 알고 보니 의자의 용도는 이것으로 그치는 것이 아니었다. 방도 의자였고 가산(假山)도 의자였으며 화총(花叢)과 큰 나무, 거울, 심지어 가마와 신혼의 침대, 붉은 촛대 등도 전부 이 의자로 대신했다.

지렌신은 허리에 붉은 비단 끈을 묶고 있었다. 이것이 때로는 수수(水袖 : 중국 전통극이나 무용에서 연기자가 입는 옷의 소매 끝에 붙어 있는 흰 명주로 만든 긴 덧소매로, 격한 감정을 나타내기 위해 팔을 크게 흔들 때 이것으로 효과적인 표현을 할 수 있다) 역할을 했고 때로는 치맛자락이나 손수건 역할을 하기도 했다. 그녀의 그처럼 편한 현대식 복장은 서로 사랑하는 남녀의 옛날이야기와는 조금도 어울리지 않았다. 하지만 이 붉은 비단 끈만 허리에 묶으면 붉은 양탄자가 상징하는 무대와 잘 조화를 이루어 하나가 될 수 있었다. 몸을 한번 흔들기만 하면 금세 옛사람이 되었다가 현세로 돌아오곤 하면서 연극의 안과 밖을 넘나들었다.

지렌신이 한들한들 허리를 비틀고 잰걸음을 하면서 몸을 움직이면 스물이 갓 넘어 보이는 젊은 아가씨들이 하나하나 뒤에서 그녀의 동작을 따라했다.

"꽃을 사랑하는 사람은 꽃으로 꽃을 보호하고 키우지만 꽃을 미워하는 사람은 꽃을 밟고 욕하고 상처를 입힌다네."

지렌신의 목소리는 여전히 청아했고 자태도 아름답기만 했다. 샤후이가 어렸을 때 무대에서 본 지렌신보다도 더 아름다웠다. 그때는 그녀가 아직 어렸기 때문에 고전연극을 그저 오색찬란한 의상과 밝고 휘황한 불빛 속에서 이상한 소리로 말을 하면서 병이 없으면서도 신음하는 것 정도로만 이해했었다. 연극의 내용도 전부 남녀상열지사라 부끄러움을 느끼게 하기에 충분했다. 하지만 샤후이는 지난 몇 년 동안 지렌신을 따라다니며 수십 편의 연극을 보면서 무대예술에 대한 감상능력이 크게 발전했다. 음식을 먹는 것과 마찬가지라 맛을 알아낼 뿐만 아니라 그 오묘함도 느낄 수 있었다. 이렇게 새로운 안목을 갖춘 샤후이는 지렌신이 정말 훌륭한 연기자라는 사실을 알게 되었다. 그녀는 모든 동작과 대사, 표정과 자태에 생동감이 넘쳤다.

"정말 대단해요!"

시몽은 연극을 잘 아는 것 같진 않았지만 어린 아이가 사탕가게에 들어선 것처럼 환호작약하면서 몹시 즐거워했다. 그는 이리저리 지렌신을 쫓아다니면서 디지털 카메라로 쉴 새 없이 사진을 찍어댔다.

샤후이는 시몽의 호기심이 약간 무례하고 거칠어 극단의 연습에 방해가 될 수 있다는 생각이 들었다. 하지만 지렌신은 아무렇지 않은 모양이었다. 어디든지 쫓아다니는 극성팬들을 충분히 경험한 대스타처럼 화를 내지 않을 뿐만 아니라 오히려 이런 방해를 즐기는 것 같았다. 다른 사람들도 시작할 때 약간 익숙지 않은 모습을 보이면서 다양한 눈빛으로 이 침입자를 쳐다보았지만 얼마 후에는 모두들 적응하게 되었다. 이 외국 녀석이 지렌신에게 다가가도 지렌신이 전혀 삐딱한 태도를 보이지 않으니 다른 사람들도 별다른 생각을 가질 수 없었던 것인지도 모른다. 젊은 연출자는 입을 열 때마다 '지 선생님'을 연발하면서 대단히 겸손한 모습을 보였다. 지렌신에게서 연기를 배우는 젊은 여자들은 눈을 크게 뜨고 '지 선생님'을 바라보면서 그녀의 시범 동작을 유심히 살피거나 그녀가 부분적으로 들려주는 창에 귀를 기울일 뿐이었다. 굵은 마늘로 뜬 스웨터를 입은 아가씨 하나가 몹시 산만한 모습을 보이고 있었다. 허리에 비단 끝도 묶지 않은 채 동작을 할 때마다 둔하고 뻣뻣하기 그지없었다. 고대의 소녀와는 거리가 먼 오늘날의 식모 같았다.

"당신 어머니는 뱀처럼 아름답군요."

시몽이 땀을 뻘뻘 흘리며 샤후이 옆으로 다가와 그녀 뒤쪽의 창가에서 자신의 음료수 병을 들어 꿀꺽꿀꺽 마시면서 말했다.

샤후이는 창가에 몸을 기대어 밖을 내다보고 있었다. 작고 신선한 하늘, 파란색과 회색이 섞여 있는 하늘이 마치 고전의 사랑이야기에 나오는 것처럼 사랑에 미친 여인이 실연하여 손수건에 토해 놓은 핏자국 같았다. 시몽이 하는 말을 들으면서 그녀는 고개를 돌려 지롄신을 바라보았다. 지롄신은 먼저 연환보(連環步 : 중국 무술이나 고전 연극에 사용되는 특유한 걸음걸이)를 걷다가 걸음을 멈춰 한 가지 자세를 취했다. 그런 다음 다시 몸을 풀면서 어린 학생들에게 자신이 방금 한 동작을 따라 해보라는 손짓을 보냈다. 학생들이 똑같이 한 번 따라하자 지롄신은 방금 했던 동작에 이어 다음 창과 동작을 선보였다. 그녀가 허리를 비틀고 움직일 때마다 몸 전체가 천천히 돌았고 손과 팔이 마치 허공으로 뻗어 나가는 덩굴식물 같았다. 확실히 뱀 같은 아름다움이었다.

"어머니를 좋아한 남자들이 아주 많았겠어요, 그렇죠?"

시몽의 눈길이 지롄신에게서 떨어졌다. 샤후이는 이 한마디가 실은 질문이 아니라 진술이라고 생각했다.

젊은 여자가 창을 할 차례였다. 뜻밖에도 그 미묘한 목소리는 그녀의 몸속에 살아 있는 것 같았다. 옹골지고 똑똑하면서도 은근하고 분명했다. 산 속을 흐르는 샘물처럼 청량한 소리였다. 지롄신처럼 그렇게 운치가 가득한 소리는 아니었지만 샤후이는 천상의 소리처럼 맑고 순수한 그 소리가 오히려 극중의 젊은 남녀에게 더 잘 어울린다고 생각했다. 지롄신은 나이가 너무 많았지만 남자 주인공과도 호흡이 아주 잘 맞았다. 너무나 깊고 은은한 정취였다.

시몽은 물을 반병쯤 마시면서 여자 연기자의 창이 끝나기를 기다려 다시 지롄신 곁으로 돌아왔다. 샤후이에게는 몇 마디 하지도 않았다. 샤후이는 지금 자신이 자리를 떠도 관심을 갖는 사람이 아무도 없을 것 같다는 생각이 들었다. 하지만 어디로 갈 수 있을까?

밖에서 길을 걷는 사람들의 희미한 발짝 소리가 썰렁한 연습실 안으로 들려왔다. 지롄신과 시몽, 연출자, 연기자들, 그리고 몇 명의 반주자들은 이런 소리에 대해 전혀 무관심했다. 그래서인지 이 소리는 송두리째 샤후이의 귓속으로만 파고들어 점점 쌓이면서 갈수록 커져만 갔다. 처음에는 취한이 모는 자동차가 달려오는 소리 같더니 나중에는 열 명, 백 명, 천 명의 취한이 모는 자동차 소리가 전부 샤후이의 귓속으로 쏟아져 들어오는 것만 같았다. 게다가 경적 소리도 멈추지 않았다. 혈관이 곧 터져버릴 것만 같았다.

세 사람이 연습장을 나왔을 때는 하늘이 이미 완전히 어두워져 있었다. '노마채관'은 여전히 불빛이 환했다. 창문으로 들여다보니 손님들 몇몇이 술잔을 들고 웃고 떠들며 즐거운 한때를 보내고 있었다. 시몽이 지롄신을 집까지 바래다주겠다고 했지만 그녀는 폐를 끼치고 싶지 않다며 거절했다. 그러면서 평극단에 숭합

차가 있어 연습을 마친 연기자들을 집까지 데려다준다고 덧붙였다. 그는 샤후이만 학교까지 바래다주면 됐다.

"우리 커피 마실까요?"

시몽은 왠지 몹시 아쉬워하는 모습이었다. 애초에 공항에서 샤후이와 헤어질 때와 같은 모습이었다.

"다음에 마셔요."

지렌신이 시몽을 향해 손을 내저었다. 그러면서 샤후이의 얼굴을 만지면서 잘 가라는 인사와 함께 차에 올라탔다. 두 사람은 차가 출발하는 것을 지켜보았다. 후미등의 빨간 빛이 두 개의 성냥만 한 불빛으로 줄어들더니 이내 밤의 차량 흐름 속으로 완전히 사라졌다. 샤후이는 시몽이 충분히 연소된 숯 같다는 생각이 들었다. 지렌신이 떠나자 그의 열정은 금세 식어버렸다. 그녀 옆에서 있긴 하지만 이미 중국문화를 뜨겁게 사랑하는 파리 청년이 아니었다. 그냥 타버린 숯일 뿐이었다.

"학교까지 바래다줄까요?"

시몽이 물었다.

"그럴 필요 없어요. 먼저 가요."

샤후이는 인도를 따라 걷기 시작했다. 도로 양쪽에는 점포들이 나란히 줄지어 붙어 있었다. 음식점이 절반을 차지했고 나머지는 특색 있는 옷가게와 커피숍, CD점, 서점 등이었다. 점포 안에서 새어 나오는 서로 다른 색깔과 유형의 불빛들이 거리를 헝겊으로 깁기라도 하듯이 드문드문 비춰주고 있었다. 샤후이는 빛과 그림자 사이에서 자신의 옷차림을 살펴보았다. 화려하면서도 음침한 느낌이었다. 어찌 보면 상복 같기도 했다.

시몽이 그녀를 따라 잠시 함께 걷다가 사거리에 이르자 마침내 참지 못하고 물었다.

"왜 그래요, 샤후이?"

"아무 것도 아니에요."

샤후이는 시몽을 쳐다보지 않고 눈길을 사거리에 고정시켰다. 긴 차량의 흐름이 용 같아 보였다.

"어디서 문제가 생겼는지 모르겠네요."

시몽은 그녀의 기분이 별로 좋지 않다는 것을 알아채고는 주저하다가 말했다.

"참 아름다운 밤 아니에요?"

이것이 아름다운 밤일까? 샤후이는 코가 시큰했다. 식사하러 가기 전에는 모든 것이 좋기만 했는데 시몽이 그녀로 하여금 한 순간도 마음을 놓을 수 없게 만들었다. 호기심으로 가득한 그의 눈길이 그녀를 어색하게 만들어버렸다. 이제는 그녀가 그와 친밀해지기를 원하지만 그는 오히려 주머니에 손을 집어넣고 있었다.

샤후이가 저 멀리 커피숍이 하나 있는 것을 발견하고는 말했다.

"좀 혼자 있고 싶어요."

시몽은 잠시 침묵하다가 말했다.

"알았어요."

그는 손을 들어 택시를 잡아탔다.

"안녕."

그러고는 샤후이를 향해 손을 흔들었다.

커피숍 문은 나무로 되어 있어 몹시 육중했다. 관을 짜는 나무판인 것 같았다. 실내는 무척이나 따듯했다. 희미한 조명 속에 커피 볶는 향기와 담배 연기 냄새, 그리고 손님들의 몸에서 나는 향내가 한데 뒤섞여 혼잡함 속에서 각자 자기의 위력을 과시하려 애쓰고 있는 것 같았다.

'어쩌면 내가 너무 민감한 것인지도 몰라.'

설탕과 크림을 충분히 넣은 뜨거운 커피가 샤후이의 구강과 위장에 한 차례 포근한 마사지를 제공해주었다. 꽉 쥐었던 주먹을 천천히 펴는 듯한 기분이었다. 시몽이 관심과 애정을 갖고 있는 동양문화에 있어서 지렌신은 살아 있는 화석이었다. 그는 그녀 자신에 대해 관심을 갖고 있는 것이 아니라 그녀의 몸에 담겨 있는 문화에 흥미를 느끼고 있는 것이었다.

'너무 감정을 억누르지 못했던 것 같아.'

샤후이는 약간 후회했다. 시몽이 그녀와 자기 엄마가 서로 질투하면서 다퉜다는 것을 알게 되면 어떡하지? 그녀는 종업원이 와인 한 병을 옆 테이블에 가져다주는 모습을 물끄러미 바라보았다. 남녀 한 쌍이 앉아 있었다.

'나도 와인이나 한 병 마실까?'

샤후이는 자신의 옷을 훑어보았다. 너무나 안 어울리는 것 같았다. 한밤에 와인 한 병을 들고 남자 친구를 찾아가려면 원피스가 아니면 지렌신이 입었던 것 같은 복장을 해야 했다. 편하고 다정해 보이는 그런 옷이어야 했다.

샤후이는 술잔을 기울이며 다정하게 속삭이는 두 남녀를 바라보면서 생각을 와인 병에서 뗄 수가 없었다. 이렇게 되면 어떻게 하지? 시몽이 좋아한 것은 그녀의 몸에 흐르는 동양적 기질이 아니었던가? 방금 그녀의 머리가 충분히 냉정했더라면 그녀는 시몽과 함께 이 커피숍에 들어와 커피를 마셨을 것이고, 이어서 와인을 한 병 마시면서 지렌신의 희곡과 그 붉은 양탄자가 상징하는 무대에 관해 얘기할 수 있었을 것이고, 후원에서 사랑을 나누던 서생과 소저에 대해 얘기하다가 자연스럽게 자신들에게로 화제를 옮길 수 있었을 것이다. 참 아름다운 밤 아니에요? 시몽은 이렇게 물었었다. 그녀도 물론이에요, 정말 아름다운 밤이네요 라고 말할 수 있었을 것이다.

시몽은 외국인 전용 아파트에 살고 있었다. 이 아파트는 문혁 이전에 정부기관에서 중국을 지원하는 소련 전문가들을 위해 지은 것이었다. 건축에 꽤나 많은 신경을 쓴 동서 두 동의 사층짜리 러시아식 건물이지만 정원은 중국의 고전양식을 채용하여 월량문(月亮門 : 정원의 담에 뚫은 보름달 모양의 둥근 문)도 있고 꽃과 나무가 어우러진 시원한 정자도 있었다. 은행나무 아래에는 특별히 큰 항아리가 하나 놓여 있고 그 안에는 금붕어가 놀고 있었다. 대충 보면 별 것 아니지만 익숙해지면 더없이 포근한 공간이었다.

전에는 아파트에 사는 주민들의 성분이 대단히 잡다했지만 지금은 대부분 교사들이 입주해 살고 있었다. 국적이 다양하다 보니 피부색도 제각각이었다. 작은 유엔이라고 할 수 있었다. 시몽의 오른쪽 집에는 일본 남자가 살고 있었다. 반백의 이 사내는 항상 예의바른 모습이었다. 오른쪽 집에는 나이가 그와 비슷한 브라질 친구가 살고 있었다. 이 친구는 걸음걸이가 마치 춤을 추는 것 같았다. 시몽은 그를 파티동물이라고 불렀다. 그가 집에 있을 때는 파티도 그와 함께 있고 그가 집에 없을 때는 틀림없이 다른 곳에서 파티를 열고 있다는 것이었다.

샤후이의 귀에 브라질 친구의 방에서 들려오는 음악소리가 들려 왔다. 대단히 즐겁고 열정적인 소리에 기분이 유쾌해진 탓인지 그녀는 자신도 모르게 문을 아주 세게 두드렸다. 시몽은 막 목욕을 끝냈는지 문을 열자마자 따스하고 축축한 공기에 목욕용품 향기가 실려 얼굴 위로 확 밀려왔다. 그의 눈동자는 북방의 가을 저녁 무렵의 하늘 같은 색깔이었다. 게다가 이 순간은 비가 온 직후인지 촉촉하게 젖어 있었다. 부드러운 정이 샤후이의 가슴에서 솟아나왔다. 그녀는 그에게 다가가 가볍게 입을 맞추면서 손에 든 와인을 높이 치켜들었다.

"방금 주말 저녁이 시작됐거든요."

샤후이가 말했다. 시몽은 얼굴에 찬란한 미소를 띠면서 그녀를 집 안으로 맞아주었다. 그녀가 다시 기분이 좋아진 것을 보자 그 역시 기분이 좋아진 것 같았다.

"내가 뭐 하고 있었는지 볼래요?"

그는 그녀의 손을 잡아끌고는 컴퓨터 앞으로 갔다. 시몽이 몇 마디 했지만 샤후이는 잘 알아듣지 못했다. 그녀는 컴퓨터 의자에 앉아 화면을 바라보았다. 지렌신의 얼굴이 클로즈업되어 있었다. 몸이 앞으로 향해 있고 고개는 뒤로 돌린 모습이었다. 눈썹이 실처럼 선명하게 보였다. 샤후이는 마우스를 잡고 다음 페이지를 보았다. 샤후이를 바라보고 있는 지렌신의 정면 사진이었다. 그 다음 페이지는 한 손에 비단 끈을 쥐고 있는 지렌신의 전신사진이었다. 한 손은 허리에 갖다 댄 채 다른 한 손은 옆으로 비스듬히 뻗은 상태였다. 한 가지 동작을 예닐곱 장 연속해서 찍은 것으로 그녀가 잰걸음으로 몸을 옮기는 과정을 그대로 보여주고 있었다. 그 다음에는 클로즈업한 지렌신의 손이 이어졌다. 섬세하고 긴 손가락이었다. 손을 뻗어 뭔가를 요구하는 것 같기도 하고 뭔가를 거부하는 것 같기도 했다.

샤후이는 자신이 남극으로 이끌려온 것 같은 느낌이었다. 방금 눈에 가득했던 따스함과 촉촉함이 눈 깜짝할 사이에 얼음과 서리가 되고 얼음덩어리가 된 것 같았다.

알고 보니 지렌신은 차를 타고 가버린 것이 아니라 카메라 안에 숨어 시몽과 함께 아파트로 따라와 있었다. 샤후이보다 한 걸음 먼저 와서 보다 친밀한 방법으로 그와 교류하고 있었던 것이다.

시몽은 그녀가 아주 오래 움직이지 않는 것을 보고는 그녀 대신 다음 페이지를 넘겨주었다. 지렌신이 연극을 배우는 여자아이들의 손동작을 교정해 주는 장면이었다. 샤후이는 마우스를 집어 다시 손을 클로즈업한 그 장면으로 되돌아갔다. 섬세한 그녀의 손이 자신의 손보다 더 젊어 보였다. 한 송이 꽃처럼 요염한 손이었다. 식지에는 반지가 끼워져 있었다. 작지 않은 다이아몬드가 별다른 장식 없이 꽃받침 위에 상감되어 다이아몬드의 가치를 부각시키고 있었다.

그녀에게 어디서 이렇게 큰돈이 생긴 걸까? 남자가 준 걸까 아니면 라오샤가 남긴 위자료인가?

"정말 아름답죠?"

시몽은 이렇게 말하면서 계속 그 다음 사진으로 넘어갔다.

"아름답네요. 하지만……."

"하지만 뭐요?"

샤후이는 컴퓨터 모니터 위에서 끊임없이 바뀌는 지렌신의 모습을 보면서 잠시 침묵했다.

"엄마는 참 불행한 여자에요."

"불행하다고요? 왜요?"

시몽이 샤후이를 바라보며 물었다.

"엄마와 관계를 맺는 모든 남자들이 전부 불행해졌거든요."

샤후이가 말했다.

"아무도 왜 그런지 이유를 말하지 않아요. 일종의 주술 같은 것이지요. 우리 아빠는 몇 년 전에 교통사고로 돌아가셨어요. 아빠가 돌아가시기 전에 한 남자가 엄마에 대한 기약할 수 없는 사랑 때문에 자살을 했고요. 아빠가 돌아가신 뒤에는 또 한 남자가 원래는 건강에 아무 문제가 없던 사람이었는데 엄마와 사귄지 반년도 채 안 돼서 갑자기 폐암에 걸리고 말았어요. 세상을 떠나면서 자신의 유골만 남겼지요. 중국의 성어에 '홍안화수(紅顔禍水)'라는 말이 있어요. 미모가 재난과 연결되어 있다는 뜻이지요. 모든 여자가 다 그런 건 아니에요. 하지만 어떤 여인들은 자신을 사랑하는 남자들에게 불행을 가져다주는 징크스에서 벗어나지 못하지요."

"맙소사……!"

시몽이 샤후이를 뚫어져라 쳐다보았다. 파란 눈동자가 컴퓨터 모니터 영상 속에서 반짝였다.

사흘 연속 시몽은 전화 한 통 없었다. 샤후이는 그의 전화를 받지 못할까 두려워 수시로 자신의 핸드폰이 켜져 있는지 확인했다. 나흘째 되던 날 샤후이가 먼저 시몽에게 전화를 걸었다. 전화를 받는 속도가 무척 빨랐다. 시몽은 중국어로 말했다.

"안녕!"

샤후이는 잠시 침묵하다가 영어로 그에게 물었다.

"어째서 갑자기 중국어로 말하는 거예요?"

"여기는 중국이니까 중국어로 말하는 게 더 적합할 것 같아요."

시몽이 말했다.

"하지만 이전에는 나와 줄곧 영어로 말했잖아요."

샤후이가 강조하여 말했다.

"그건, 샤후이가 내게 중국어를 가르쳐주지 않았기 때문이지요."

시몽이 웃으면서 말을 받았다.

"그 말은 지금은 누군가 시몽에게 중국어를 가르쳐주고 있다는 뜻인가요?"

"샤후이, 당신 말투가 옥처럼 딱딱하군요."

"옥은 절대로 딱딱하지 않아요. 옥은 피와 살이 있는 돌이거든요. 옥은 너무 쉽게 상처를 받는단 말이에요."

샤후이는 이렇게 말하고 싶었다.

"시간 있어요? 우리 식사 같이 해요."

샤후이가 물었다.

"파티가 있는데 참석하지 않을래요?"

시몽이 잠시 주저하다가 말했다.

"좋아요."

샤후이의 대답에 시몽은 시간과 장소를 알려주고 전화번호를 남겼다. 샤후이는 자신이 파티의 주제가 무엇인지 묻지 않았다는 걸 깨달았다. 하지만 주제가 없는 파티일 가능성이 컸다. 그저 여기저기서 온 사람들이 한데 모여 먹고 마시면서 이런저런 화제로 얘기를 나누는 것이 고작일 것이었다. 샤후이는 옷장을 뒤져 청바지를 하나 꺼내 놓았다. 검정색으로 밑단이 좀 넓은 나팔바지였다. 위에는 검정색 스웨터를 받쳐 입기로 했다. 신발은 검정 바탕에 은색 줄무늬가 있는 운동화로 안에 두꺼운 깔창이 깔려 있어 그녀의 허벅지를 돋보이게 해주었다. 핸드백 대신 은색 작은 백팩을 메기로 했다. 검정색을 돋보이게 할뿐만 아니라 소탈한 이미지를 연출해주기 때문이었다. 또한 눈이 돋보이도록 하기 위해 화장은 <패션> 잡지의 미용 모델들이 하는 것처럼 아주 연하게 했다.

샤후이는 일부러 조금 늦게 파티 장소에 도착했다. 하지만 많이 늦은 것은 아니고 그저 십분 정도 늦었을 뿐이다. 예전에 지렌신이 말했던 것처럼 파티라는 것은 일종의 사치품이기 때문에 너무 진지하게 임하면 사람이 좀 멍청해 보일 것 같았다. 그렇다고 너무 무심하다가는 사람들로부터 집중적인 관심의 대상이 될 수도 있었다.

파티장 안으로 들어가 보니 벽면에 영화가 투사되고 있었다. 소극장 크기의 스크린에 영상이 대단히 선명했다. 방영되는 영화는 왕자웨이(王家衛)의 <화양연화(花樣年華)>였다.

손 하나가 뒤에서 뻗어와 샤후이의 눈을 가렸다. 시몽의 입에서 와인의 시큼하면서도 달콤한 냄새가 풍겨 나왔다.

"놀라게 해줄 일이 하나 있어요!"

샤후이가 웃었다. 그녀의 몸은 시몽의 품 안에서 껍질 밖으로 나온 달팽이처럼 부드럽고 나른하고 여렸다. 그녀는 그가 이끄는

대로 사람들 사이를 헤치고 한구석에 이르렀다. 그녀는 그가 예전에 그랬던 것처럼 자신을 한 병의 와인으로 만들고 스스로 코르크 마개가 되어 입을 막아줄 것이라고 생각했다. 샤후이에게 감정적으로 특별히 좋은 경험이 많았던 것은 아니지만 시몽이 키스의 고수라는 것만은 확실히 알 수 있었다.

"준비됐어요?"

시몽이 낮은 목소리로 물었다.

샤후이의 목에서 꼴깍 하고 침 넘어가는 소리가 났다.

시몽이 샤후이의 눈을 가리고 있던 손을 내리자 지렌신이 몸매가 그대로 드러나는 검정색 실크 치파오 차림으로 눈앞에 서 있었다. 어깨에는 검정 바탕에 금줄이 나 있는 숄을 걸치고 있고 머리는 뒤로 말아 올려 고색이 창연한 금비녀를 꽂고 있었다. 이런 자태로 그녀는 웃는 듯 마는 듯 야릇한 표정으로 두 사람을 바라보고 있었다.

샤후이는 놀라서 잠시 정신을 차릴 수 없었다. 그녀는 지렌신이 아니라 마치 한 폭의 유화 같았다. <화양연화>에 나오는 장만위(張曼玉) 같았다. 꿈을 꾸고 있는 것이 아닌가 하는 생각에 잠시 멈칫하고 있는 사이에 지렌신은 어디론가 사라져버릴 것만 같았다.

"시몽이 꼭 오라고 했어."

지렌신이 가볍게 웃으며 말했다.

"얼마나 자주 찾아오는지 연극 연습도 제대로 못할 지경이었지.”

시몽이 배시시 웃으며 두 모녀를 바라보고 있었다. 샤후이는 그가 방금 모녀가 주고받은 말을 알아들었는지 못 알아들었는지 알 수 없었다. 잠시 후 그가 두 모녀에게 마실 것을 가져다주기 위해 물러가자 지렌신이 물었다.

“둘이 어떻게 지내고 있니?”

“엄마와 시몽은요?”

샤후이가 되물었다.

“나는 그가 떠드는 소리를 전혀 알아듣지 못하겠어. 아주 귀찮은 사람이더구나.”

지렌신이 말했다.

그녀는 시몽을 ‘그’라고 칭하면서도 ‘대단히 귀찮은 사람’이라고 말했다. 그토록 자연스럽고 당당하게 말했다. 그녀의 입에서 쏟아져 나온 말이 병균처럼 샤후이의 폐 속으로 빨려 들어가 신속하게 만연되면서 온몸에 고열이 나고 몸은 죽도록 뜨거워지지만 머리는 얼음처럼 차가워지는 것 같았다. 또 입에서는 쓴맛이 나지만 이를 토해내지 못하고 억지로 삼켜야 하는 것 같았다. 모녀는 창문 옆에 그렇게 서 있었다. 날이 어두워지면서 창문은 거울로 변했다. 집에서는 아무렇게나 거울에 비춰 봐도 근사하기만 했던 샤후이의 모습이 지렌신 옆에 서자 전혀 다르게 변해버렸다. 촌스럽고 대충 입은 티가 너무 났다. 옷뿐만 아니라 사람 자체가 촌스럽고 거칠어 보였다.

남자 하나가 다가와 함께 춤을 추자는 몸짓을 해보였다. 지렌신은 가볍게 웃으면서 남자를 따라갔다.

시몽은 손에 오렌지 주스 두 잔을 들고 모녀를 향해 다가오다가 한 금발 여인에게 붙잡혀 얘기를 나누고 있었다. 지렌신이 그 남자와 함께 무도장으로 들어서자 시몽의 눈길이 재빨리 두 사람을 뒤쫓았다. 금발의 여인도 그의 눈길을 따라 몸을 돌려 지렌신을 바라보았다. 샤후이도 주위에서 이들을 바라보면서 수많은 사람들이 지렌신을 주시하고 있는 것을 발견했다. <화양연화>를 배경으로 그녀는 장만위보다도 더 장만위 같았다.

샤후이가 파티장을 나올 때 시몽은 마침 지렌신을 안고 춤을 추고 있었다. 조명이 어두워졌다가 금세 밝아졌다. 그녀는 자신이 빠져 나가도 아무도 알아채지 못할 것이라고 생각했다. 건물을 빠져나온 그녀는 걷기 시작했다. 길이 높고 거대한 담장에 완전히 막혀 있는 것 같았다. 너무나 어둡고 캄캄했다. 샤후이는 길을 걸으면서 자기 온몸의 안과 밖이 까맣게 물들고 있는 것만 같았다. 심장만 붉은 빛이었다. 빨간 권투 글러브를 끼고 죽음을 상대로 주먹을 휘두르고 있는 것 같았다.

열쇠는 몇 년 전 지렌신이 막 이사했을 때 그녀에게 준 것이었다. 당시만 해도 열쇠가 매우 엄숙하게 느껴졌다. 이 새 집이 그녀와 어떤 특별한 관계가 있는 것 같았다.

열쇠를 열쇠 구멍에 넣는 순간, 샤후이는 마지막으로 자신을 제어하려 애써 보았다.

'남자 하나 때문에 이것이 할 만한 일일까?'

남자 하나 때문이 아니었다. 샤후이는 몸 안에서 외쳐대는 무수한 소리를 들었다. 여기는 너의 집이야. 누구도 네가 집에 돌아오는 것을 막을 수 없어.

그녀가 열쇠를 돌렸다. '찰칵' 소리와 함께 잠금장치가 풀렸다.

집 안은 조용했다. 창문은 서향이었다. 창문으로 햇빛이 쏟아져 들어와 거실의 다탁 위를 비춰주고 있었다. 목이 가는 유리병에 자주붓꽃 세 송이가 꽂혀 있었다. 마치 앵앵거리며 창을 하는 꽃 같았다. 벨벳 재질의 긴 소파의 색깔이 자주붓꽃의 자줏빛에 가까웠다. 뒤쪽의 흰 벽에는 크기가 다른 열 몇 개의 액자가 걸려 있었다. 전부 지렌신의 공연 장면을 찍은 것들이었다.

소파 건너편에는 키 작은 장식장이 하나 놓여 있고 그 위에 텔레비전과 오디오, 수십 권의 책, 몇 가지 공예품이 놓여 있었다.

부엌은 거실과 연결되어 있었다. 조리대 위에는 커다란 과일 쟁반이 놓여 있고, 그 위에 과일이 가득 들어 있었다. 사과와 키위, 배, 산사, 금귤 등 다양한 과일들이 화려한 색깔을 뽐내고 있었다. 먹기 위해 사 온 것이 아니라 장식을 위해 펼쳐 놓은 것 같았다. 쟁반 뒤쪽으로는 크기와 모양이 제각각인 술병이 열 개가 넘게 진열되어 있고 병마다 다른 술이 들어 있었다. 그 위로 다리가 긴 서양 술잔 열두 개가 천정 선반에 걸려 있었다.

부엌은 또 넓은 테라스로 연결되어 있었다. 소형 회의실로 설

계된 공간이었다. 여기에 거실의 긴 소파와 한 세트인 이인용 소파와 작은 다탁이 놓여 있었다. 테라스 왼쪽 끝에는 자기 항아리가 하나 놓여 있고 그 안에는 커다란 알로카시아가 심겨져 있었다. 테라스의 오른쪽 끝은 창문을 마주하고 있고 풍령이 하나 걸려 있었다. 그 밑에 경극(京劇)의 검보(臉譜)가 그려진 나무판 열몇 개가 놓여 있었다. 샤후이는 소파에 앉아 기지개를 켰다. 날이 어두워진 뒤에 이곳에서 일어났던 일들을 상상하기 어렵지 않았다. 술을 마시면서 달을 감상하고 풍령소리를 들으며 '이날 밤 어디서 술을 깰지' 생각했을 것이다.

지롄신의 침대는 아주 컸고 커튼과 테이블보는 실크로 되어 있었다. 소파와 같은 자줏빛이었다. 침대 옆 탁자에는 향수백합 한 다발이 놓여 있었다. 재채기가 날 정도로 향기가 진한 꽃이 지는 해와 애매한 조화를 이루고 있었다. 칠기로 길상을 상징하는 봉황을 묘사한 검정 테두리의 병풍을 지나자 안이 캄캄했다. 바닥이 흐물흐물해 샤후이는 하마터면 발이 미끄러질 뻔했다. 그녀는 한참이나 벽을 더듬어 간신히 전등을 켰다. 전등을 켠 그녀는 놀라움을 금치 못했다. 병풍을 제외한 사면에 전부 선반이 설치되어 있고 그 안에 정장과 치마, 블라우스, 긴 바지, 스웨터, 외투, 치파오 등 온갖 옷들이 걸려 있었다. 가장 적은 청바지만 해도 열 점이 넘었고 신발은 오륙십 켤레쯤 되어 보였다. 핸드백도 백여 점이 넘어 일층부터 삼층까지 선반을 가득 메우고 있었다. 실크 모자 같은 소품들도 백 점이 넘었고 전부 세트로 구성된 속옷도 셀 수 없이 걸려 있었다. 이 모든 것들이 이미 '옷장'으로는 수용할 수 없고 '창고'를 필요로 하는 물건들이었다. 군데군데 선반 사이에 입식 전신거울이 세워져 있고 화장대도 놓여 있었다. 화장대 위에는 화장용 거울과 각종 화장품, 피부 보호용품이 놓여 있었다. 알고 보니 라오샤의 위자료는 은행에 있는 것이 아니라 전부 여기에 모여 있었다.

샤후이가 라오샤를 마지막으로 본 것은 시신안치실에서였다. 라오샤는 시신을 안치하는 대형 서랍 안에 누워 있었다. 결혼할 때 산 회색 중산복 차림이었다. 옷이 작아 그의 몸을 간신히 감싸고 있는 것이 너무나 우스워 보였다. 그의 얼굴은 정리된 상태였지만 머리 부분의 상처는 그대로 드러나 있었다. 살아 있었더라면 라오샤는 자신의 상처마저도 웃음의 소재로 만들었을 것이다. 하지만 이제 그는 힘을 쓸 수 없었다. 샤후이는 천을 잡아당겨 얼굴을 덮어주는 수밖에 없었다. 너무나 서글프고 처량하며 무력한 풍경이었다.

샤후이는 시신안치실에서 나와 지렌신이 라오샤의 직장 상사와 얘기를 주고받는 모습을 보았다. 그녀는 검정색 정장에 검정색 모자를 쓰고 있었다. 위아래가 잘 어울리는 것이 아름답고 기품이 넘쳤다. 그녀의 복장이 이처럼 간결하고 효과적인 방법으로 슬픔을 개괄하고 귀납하고 있었다. 그 직장 상사는 여인의 아픈 마음을 잘 헤아릴 줄 아는 남자였는지 시종일관 지렌신에게 슬픔을 잘 이겨내라고 권했다. 이런 모습이 샤후이의 눈에는 어서 옷을 벗으라고 애원하는 것처럼 보였다.

샤후이는 열쇠를 열쇠구멍에 집어넣어 돌릴 때 나는 찰칵 소리에 깜짝 놀라 잠에서 깼다. 자신이 어쩌다 화장대 거울 앞에 엎드려 잠이 든 것인지 이해가 되지 않았다. 그녀는 재빨리 몸을 일으켜 병풍 뒤의 전등을 껐다. 양탄자가 두꺼워 그 위를 걸으면 아무런 소리도 나지 않았다.

두 사람이 집 안으로 들어왔다. 문 뒤에서 잠시 한데 엉켜 있던 두 사람은 이내 침실로 들어섰다. 시몽이 몇 마디 하면서 침대 옆의 스탠드를 켰다. 불빛은 밝지 않았다. 이런 불빛 속에서 지렌신의 얼굴에 교태가 넘쳤다. 향수백합의 꽃술 같았다.

이런 불빛 덕분에 병풍 뒤는 더 어두워졌다. 샤후이는 그 자리에 서 있자니 발에 뿌리수염이 자라나 양탄자와 바닥을 뚫고 그 아래 있는 시멘트바닥까지 마구 퍼져나갈 것만 같았다. 눈이 멀지 않았는데도 두 사람의 얼굴을 제대로 볼 수 없고 귀머리가 된 것도 아닌데 두 사람이 속삭이는 소리를 전혀 들을 수 없었다. 코는 향수백합의 독한 향기에 막혀 숨도 제대로 쉴 수 없을 정도였다.

샤후이는 식물인간이 되었다가 천천히 죽어가고 있었다. 온몸에 한기가 돌았다. 시신 서랍 속에 누워 있는 라오샤 같았다. 그랬다. 라오샤에게도 틀림없이 이런 경험이 있었을 것이다. 어쩐지 아주 여러 해 동안 그에게는 친구가 없었다. 누가 그와 친구가 될 수 있었겠는가? 그의 친구들 가운데 누가 지렌신의 매력을 견뎌낼 수 있었겠는가? 그들의 여자 친구 중에 손가락 한마디라도 지렌신과 견줄 수 있는 사람이 누가 있었겠는가?

'홍안화수(紅顔禍水)'는 조금도 틀리지 않는 말이었다.

라오샤는 자동차에 치어 죽은 것이 아니라 지렌신이라는 이 재앙의 물에 익사한 것이었다.

샤후이는 테라스 소파 위에 앉아 있다가 주방에서 와인 한 병과 다리가 긴 잔을 하나 가져왔다.

밤은 쇠처럼 차갑고 딱딱했다. 몸에 철갑을 걸친 것 같았다. 열린 창문으로 들어온 바람이 주먹으로 후려치듯이 샤후이의 몸을 괴롭히고 풍령을 요란하게 울려댔다. 하지만, 샤후이는 전혀 개의치 않았다. 술이 따스한 피처럼 구강을 타고 위 속으로 흘러내리다가 위가 꿈틀대면 혈액 속으로 섞여 들어갔다. 술과 피가 하나로 섞이고 있었다. 술은 불처럼 피를 따듯하게 해주었고 더 나아가 뜨겁게 타오르게 해주었다.

샤후이는 언젠가 시몽을 데리고 음식점에 가서 한 가지 음식을 먹은 적이 있었다. 다름 아닌 아이스크림 튀김이었다. 음식점에서는 이 음식에 특별히 '세태(世態)'라는 이름을 부쳐주었다. 그녀는 지금 자신이 바로 이 음식 같다는 생각이 들었다. 단지 '세태'라는 음식과 상황이 정반대일 뿐이었다.

샤후이는 와인 한 병을 다 마시고 다시 한 병을 가져왔다. 병따

개가 첫 번째 병을 딸 때처럼 말을 잘 듣지 않고 좀 미끄러웠다. 아주 세게 힘을 주고 나서야 마개는 '뽕' 하는 소리와 함께 병에서 빠져나왔다.

"시몽?"

침실에서 지렌신의 비단 끈 같은 목소리가 들려왔다.

샤후이는 술병을 품에 껴안다가 밖으로 흘렸다. 와인이 축축하게 테이블을 적셨다.

"시몽이야?"

지렌신이 잠옷을 걸치고 다가왔다가 샤후이를 보고는 갑자기 걸음을 멈췄다. 샤후이가 웃었다.

"그는 이미 간 지 오래에요."

지렌신이 잠시 침묵하다가 입을 열었다.

"이렇게 바람을 맞고 앉아 있으면 어떡해. 감기 걸린단 말이야."

샤후이가 깔깔대며 웃었다. 몸이 흔들렸다. 근육이 비틀리는 모양이었다. 지렌신이 가서 창문을 닫으려 하지 샤후이가 그녀의 손을 잡았다.

"닫지 말아요."

지렌신은 샤후이를 힐끗 쳐다보고는 손을 멈추고 자신의 잠옷 끈을 단단히 여몄다.

"한잔 하실래요? 아주 따뜻해요."

샤후이가 물었다.

지렌신은 직접 술잔을 가져다 반 잔 정도 따랐다.

"미안해요."

샤후이가 자기 잔을 들어 술을 한 모금 마시고는 빙긋이 웃으면서 말을 이었다.

"두 사람이 그 짓 하는 걸 봤어요."

지렌신은 말이 없었다.

"몸매가 정말 좋더군요. 기술은 더 말할 것도 없고요. 두 사람의 동작이,"

샤후이가 손짓을 하며 말을 이었다.

"그런 영화보다 더 짜릿하더군요."

"시몽은 결혼 상대가 못돼."

지렌신은 너무나 태연했다. 마치 남의 얘기를 하고 있는 것 같았다.

"보기에는 아주 진지하고 열정적인 것 같지만 뼛속 깊이 플레이보이더구나."

"엄마에게는 잘 어울리지 않나요?"

샤후이가 말했다.

"엄마도 겉으로 보기에는 대갓집 규수 같지만 사실은 뼛속 깊이 창녀잖아요."

지렌신은 몸을 돌려 가버리려 하다가 샤후이에게 저지당하고 말았다. 자, 봐요. 샤후이는 속으로 생각했다. 라오샤에게서 물려받은 이 크고 거친 뼈대는 아무 쓸모도 없잖아요.

"왜요? 할 것 다 하면서 남들이 이렇게 말하는 게 두려워요?"

샤후이는 자신이 스스로를 통제할 수 없다는 것을 깨달고는 웃고 싶었다.

"장화이헝과도 잤지요? 그와 시몽 중에 누가 더 잘하던가요? 동사(東邪)가 낫던가요 아니면 서독(西毒)이 낫던가요?"

"샤후이,"

지렌신이 부드러운 어투로 입을 열었다.

"너무 많이 마셨어. 할 얘기가 있으면 내일 다시 하는 게 어떻겠나?"

"그렇게는 못하겠어요."

샤후이가 말했다.

"같이 잔 남자가 얼마나 되죠? 우리 아빠는 오늘 같은 일을 얼마나 많이 겪어야 했을까요?"

지렌신이 샤후이의 뺨을 후려쳤다.

샤후이는 잠시 멍하니 있다가 반대쪽 뺨을 내밀었다.

"이쪽도 있어요."

"네게 약간의 교훈을 주는 것도 나쁘지 않은 일이겠지."

지렌신은 사양하지 않고 다시 한 번 샤후이의 뺨을 후려치면서 말했다.

"내가 네 남자를 빼앗은 게 아니라 네 남자가 너를 포기한 거야. 원인을 찾고 싶으면 남의 집에 들어와 도둑놈 흉내 내지 말고 가서 거울이나 좀 보시지."

샤후이는 또다시 지렌신에게 뺨을 내밀었다. 두 눈에서 눈물이 마구 흘러내렸지만 줄곧 억지웃음을 지으면서 지렌신을 향해 다가섰다. 그녀의 머릿속은 두 사람의 생각으로 점거되어 있었다. 자기 자신과 라오샤였다.

"할 말 다 했지."

지렌신의 목소리에서 애써 평정을 찾으려는 노력이 느껴졌다. 하지만 얼굴은 돌변해 있었다.

얼마나 재미있는 일인가. 샤후이는 생각했다. 지렌신이 마침내 자신과 라오샤가 함께였다는 사실을 발견한 것이다. 샤후이의 오관과 몸매, 표정에서 라오샤가 되살아나고 있었다. 평소와는 달리 칠칠치 못하고 겁이 많던 표정이 너무나 날카롭고 매서웠다. 이십팔 년 전 어느 날 밤에 그랬던 것처럼 이날 밤에도 라오샤는 침입자로 변해 있었다. 하지만 이번에는 몸이 아니라 칼이었다.

지렌신의 입술과 손가락, 몸 전체가 떨고 있었다. 그녀는 약 일 분쯤 지나서야 고개를 숙이고 자신의 허리를 내려다보았다. 그 아름다운 과도는 원래 작업대 위에 놓여 있어야 했다. 피가 꽃송이처럼 칼이 들어간 자리를 따라 천천히 피어오르고 있었다.

샤후이는 고개를 가로저으면서 문을 향해 걸어갔다. 문손잡이를 잡은 그녀는 뭔가 한마디 더 하고 싶었다. 한참을 생각에 잠긴 그녀가 지렌신에게 물었다.

"참, 옷을 갈아 입으셔야지요?"

성안에 봄이 오니
초목이 무성하네

성안에 봄이 오니 초목이 무성하네

1

김의안(金意安)이 백리궁(白梨宮)에 와 보니 이미 두 명의 궁녀가 문 앞에 나와 기다리고 있었다. 궁녀들은 그를 안내하여 정원을 가로질러 나무로 된 복도를 지나 어느 방 앞에 이르러 걸음을 멈췄다. 김의안도 따라서 걸음을 멈췄다. 문 앞에는 또 다른 궁녀 네 명이 김의안이 오는 것을 보고 있다가 그중 하나가 문을 열고는 두 손을 한데 모으고 고개를 숙여 예를 올렸다.

"공주님께서 기다리고 계십니다."

김의안은 궁녀들을 따라 고개를 가볍게 끄덕이고는 방 안으로 들어갔다.

방 안은 불빛이 환했다. 춘미(春美) 공주 혼자 창가 탁자 앞에 앉아 그가 가까이 다가오는 것을 바라보고 있었다.

"저는 새로 온 예빈시윤(禮賓侍尹)입니다."

김의안은 자신의 목소리가 건조하고 칼칼하다는 것을 감지했다. 진한 연기를 들이마신 것 같았다. 김의안이 공주를 만난 것은 처음이었다. 그녀는 왕태후의 친생 혈육이었다. 전임 예빈시윤은 그녀 때문에 고생이 이만저만이 아니었다고 했다. 그래서 관직을 버리고 나이를 핑계로 낙향한 것이라고 했다. 김의안은 과거에 참가하지 않고 보결로 예빈시윤이 되었다. 이는 벼슬 세계에서 무척이나 신선한 일이었다.

"그대가 김의린(金意麟)의 형제인가요?"

춘미 공주가 물었다.

"네, 그렇습니다."

"두 사람이 무척 닮았군요."

춘미 공주는 놀라움을 금치 못하며 잠시 그의 외관을 살펴보고는 말을 이었다.

"하지만 눈썹이 비슷한 것뿐이네요. 표정과 동작은 완전히 다른 것 같아요."

남자를 대하는 그녀의 자신감 넘치는 모습이 너무나 놀라웠다. 규방에 틀어박혀 외출이 드문 공주의 모습이 아니었다. 화각(花閣 : 화려하고 아름다운 누각)에 있는 여자들과도 달랐다. 화각에 있는 여자들은 눈에 갈고리가 달려 있어 중요한 말일수록 입 대신 눈으로 했다. 한 번씩 차례로 또는 두세 번 한꺼번에 눈빛을 보내면 남자들은 마음속 생각이 어지러워지기 마련이었다. 하지만 춘미 공주의 눈빛은 가리는 것이 없었다. 스스로 부끄러움이 없었을 뿐만 아니라 상대방도 부끄러워할 이유가 없었다.

김의안은 바둑판을 두 사람 사이에 놓인 탁자에 올려놓고 그녀에게 바둑을 가르치기 시작했다.

“그대의 형은 사람됨이 오만하긴 하지만 남몰래 많은 여인들의 경모를 받았어요. 여인들의 경모를 받아서 오만해진 것인지 오만하기 때문에 여인들의 경모를 받은 것인지 아무리 생각해도 잘 모르겠더군요.”

춘미 공주는 김의안이 입을 열어 설명하기도 전에 먼저 손을 들어 바둑을 한 수 두면서 말했다.

“그런데, 태자비도 그에 대해 감정을 갖고 있다더군요. 태자비를 만나본 적이 있나요?”

김의안은 고개를 가로저었다. 그러면서 그도 따라서 한 수를 움직였다.

“모두들 태자비가 세상에서 가장 아름다운 여자라고 하지요. 모후가 젊었을 때의 모습 그대로라나요. 한번도 여자를 제대로 보지 못했던 태자도 태자비를 보고는 세상에 이렇게 아름다운 여자가 있을 줄 몰랐다고 했으니까요.”

춘미 공주는 김의안이 태자비를 보지 못했다는 말에 유감을 느끼며 동정 어린 눈빛으로 그를 바라보았다. 얼굴에 희미하게 웃는 모습을 포착하기 어려웠다.

“절색의 태자비가 그대 형을 사모하여 궁에 들어온 뒤로 하루가 다르게 이상해졌어요. 태자는 죄를 묻지 않고 오히려 그대 형과 극진한 교분을 유지하고 있지요. 그대도 태자가 한성부(漢城府) 전체에 웃음거리가 되고 있다는 것을 들어서 알 겁니다. 한데 지금 그런 김의린의 아우가 예빈시윤이 되다니, 그대는 어떻게 이 자리에 오르게 된 건가요?"

김의안은 눈을 내리깔고 말없이 바둑에만 집중하고 있었다.

"내가 지금 묻고 있잖아요?"

춘미 공주가 목소리를 조금 높였다.

"예부에서 임명했다는 것 외에 다른 내막은 전혀 알지 못합니다."

"당연히 모르시겠지요."

춘미 공주의 바둑 두는 속도가 빨라졌다. 김의안보다도 빨랐다.

"그 자리에 거저 앉게 되었다는 것을 속으로 다 알면서 겉으로는 아무 것도 모르는 척 하시는군요."

"소관에 대해 불만이 있으시다면 사람을 바꾸시지요."

김의안이 정색을 하면서 자세를 고쳐 앉았다. 그러고는 처음으로 고개를 들러 춘미 공주를 정면으로 바라보았다. 김의안의 입에서 이런 말이 나오리라고는 꿈에도 생각지 못했던 춘미 공주는 넋이 나간 표정으로 그를 쳐다보았다. 너무나 천진한 눈빛이었다. 김의안의 가슴 속에서 분노의 불길이 여러 번 솟구쳤다가 간신히 잦아들었다.

"그런 모습도 김의린과 똑같군요."

춘미 공주는 미소를 보이면서 김의안에게 장기에 열중하라는 눈짓을 보냈다.

"사람을 바꿀 필요는 없어요. 전임 예빈시윤의 몸에서 액취가 나서 그와 같은 방에서 함께 지내는 사람들이 머리가 어지러워 방향을 잃기 일쑤였다고 하더군요. 그대의 몸에서는 고약한 냄새도 나지 않고 김의린만큼 용모도 출중한 것 같아요. 어쩌면 그가 이곳으로 그대를 찾으러 올지도 모르겠군요."

춘미 공주의 솔직함에 김의안은 놀라움을 금치 못했다. 그녀는 곧 재상의 아들과 대혼을 치를 예정이었다. 때문에 그녀에게 혼례에 관한 전범과 의례, 바둑, 다도 등 혼후에 생활의 정취를 더해줄 수 있는 것들을 가르치기 위해 예빈시윤이 온 것이었다. 김의안은 그녀가 전임 예빈시윤에게도 이처럼 거침없이 직언을 했는지 알 수 없었다. 어쩌면 그녀가 이렇게 직언을 할 수 있는 것도 그가 김의린의 동생이기 때문인지도 몰랐다. 그녀는 그가 이런 말을 김의린에게 전하기를 바라는 것일까?

"김의린이 이곳으로 그대를 만나러 올 것 같나요?"

춘미 공주가 물었다.

"제 생각에는 안 올 것 같습니다."

김의안이 대답했다.

"만일 내가 초대하면요?"

"출가를 기다리는 미혼의 공주님께서 그러시면 체통을 잃으시게 됩니다."

김의안이 주저하지 않고 한마디 했다.

"그대의 말뜻은 여인이 일단 출가를 하면 욕망하는 대로 행동해도 된다는 것인가요?"

춘미 공주가 재빨리 말을 받았다. 얼굴에 협객 같은 미소가 피어올랐다.

김의안은 더 이상 그녀를 쳐다보지 않고 바둑돌을 하나 집어 둘 곳을 찾다가 놀라움을 금치 못했다. 춘미 공주가 손이 가는 대로 둔 한 수가 뜻밖에도 너무나 절묘한 한 수였기 때문이다.

"그 사람을 알아요?"

"누굴……."

김의안이 고개를 들어 춘미 공주를 쳐다보았다.

"제가 시집가려고 하는 그 사람 말이에요. 만나본 적 있나요?"

"아니요."

"지난달에 재상 대인께서 택일을 위해 궁에 오셨을 때 저는 영광스럽게도 병풍 뒤에서 그를 봤지요. 그 사람은 보름 정도 잠을 자지 못한 것 같았어요. 눈이 상한 살구처럼 퉁퉁 부어 있더군요. 몸은 옷걸이처럼 말랐고요. 재채기를 하면서 소매로 입을 가리지도 않았어요."

춘미 공주는 얘기를 하면서 바둑돌 통에서 돌을 하나 꺼내 들었다. 동작이 마치 사탕 통에서 사탕을 꺼내는 것 같았다. 돌을 집어든 그녀는 주저 없이 곧장 바둑판에 내려놓았다.

"그대도 내게 재미있는 얘기를 좀 들려줘요. 궁 안에 적막하게 갇혀 있다 보면 모두들 남의 장단을 말하는 습관이 생기지요."

김의안이 한참을 생각하다가 입을 열었다.

"아침에 올 때 미치광이 하나가 마차를 가로막더군요. 마차가 금으로 되어 있다면서 목숨을 걸고 한쪽을 떼어가려 했지요."

춘미 공주가 깔깔대고 웃었다.

"그런 일이 있었군요?"

"그렇습니다."

김의안은 고개를 숙이고 바둑판의 상황을 살펴보았다.

"공주님의 바둑 실력이 이렇게 뛰어나시니 애당초 따로 배우실 필요가 없을 것 같습니다."

춘미 공주도 고개를 숙이고 바둑판을 살폈다.

"내가 이겼나요?"

"아직은 아닙니다."

김의안이 말했다.

"그럼 왜 내 바둑 실력을 칭찬하는 거죠?"

"제가 보기에 공주님을 이길 수 있는 사람은 성균관에도 열 명이 넘지 않을 것 같습니다."

"그럼 그대는 어째서 천하제일이 되지 못하는 건가요?! 날 칭찬하는 것이 내 비위를 맞추기 위한 건가요 아니면 변칙적으로 자기 자랑을 하는 건가요?"

춘미 공주가 놀리듯이 물었다.

김의안은 돌아가는 길에 백리궁 문 앞에 이르러 고개를 돌려

보았다. 궁전의 지붕이 새 날개처럼 펼쳐져 있어 건물들을 하나로 이어주는 툇마루를 어둡고 그윽하게 가려주고 있었다. 춘미 공주는 툇마루 위에서 그가 서 있는 쪽을 바라보고 있었다. 그녀의 표정은 분명하지 않았지만 흰옷을 입은 그림자는 확연했다.

"흰 돌 같군."

김의안이 속으로 이렇게 생각하면서 고개를 돌리자 궁문 입구의 무궁화 가지 위에 무궁화 한 송이가 바람을 따라 흔들리고 있었다. 신임 예빈시윤의 머리와 얼굴, 옷섶에 꽃가루가 달라붙어 있었다. 꽃가루를 뒤집어쓴 채 이렇게 서 있다 보니 가슴이 뛰기 시작했다. 자신이 검은 돌이 되어 무수한 흰 돌에 둘러싸여 있는 것 같았다.

2

왕태자가 찾아와 차를 마시던 그날, 아침 일찍부터 비가 내리기 시작했다. 빗줄기는 무척 조밀했다. 손재주가 뛰어난 사람이 빗줄기로 천을 짜고 있는 것 같았다. 김의안은 춘미 공주의 손가락 끝을 생각했다. 순식간에 생각이 그녀의 손가락 끝에서 대나무 잎 끝으로 옮겨갔다. 마당에는 온통 고죽이 심어져 있었다. 원래 신선할 정도로 푸르던 대나무 잎은 비를 맞은 뒤로 그 초록이 살아 있는 것처럼 더 푸르고 생동감이 넘쳤다. 놀라운 광경이었다.

김의안의 앞에는 책이 펼쳐져 있었지만 한 쪽도 넘어가지 못했다. 머릿속이 온통 춘미 공주뿐이었다. 그녀의 칠흑 같은 눈썹이 그의 몸 어딘가에 박혀 있어 계속 깜빡거리며 그를 바라보고 있는 것 같았다. 마음이 어지럽게 흔들렸다.

"백리궁 쪽은 어떻더냐?"

궁에서 돌아온 김의린이 물었다.

"춘미 공주의 제멋대로인 성정은 천하에 다 알려져 있지."

"그런대로 괜찮았습니다."

김의안이 미소를 지으며 잠시 생각에 잠겼다가 말했다.

"바둑 솜씨가 정말 대단하더군요."

"그래?"

김의린은 가는 젓가락으로 고등어의 살점을 발라냈다. 생선을 먹고 나면 그의 쟁반에는 항상 생선 머리와 뼈, 꼬리가 가지런히 정리되어 남아있었다. 처음 식탁에 놓일 때와 같은 모습이었다.

"한번은 왕태자의 처소에서 춘미 공주를 본 적이 있지. 그녀는 태자비의 미모를 몹시 질투하고 있더구나. 하는 얘기가 전부 그녀를 공격하는 것이었어."

김의린이 다 먹고 난 생선 접시를 한쪽으로 치우며 김의안에게 말했다.

"곧 시집을 갈 여자가 여전히 어린애 같단 말이야."

"바둑은 아주 잘 두던데요.

김의안이 말했다. 김의린은 그를 한번 힐끗 쳐다보았다. 듣기 싫은 말이 목구멍까지 올라온 것 같았다. 그는 여러 번 주저하다가 하고자 하던 말은 끝내 삼켜버렸다. 김의린은 악기 연주와 바둑, 서화 같은 것들에 대해 약간 못마땅해 했다. 김의안에게 사소한 잡기들은 건강한 의지를 해친다며 여러 차례 훈계하기도 했다.

김의안은 재빨리 그의 표정을 읽고는 입을 다물어버렸다. 하지만 마음속으로는 바둑 솜씨가 뛰어나지 않았더라면 이번에 그렇게 쉽게 예빈시윤의 자리를 차지하지 못했을 것이라고 생각했다.

3

비가 오는 날에는 하늘이 일찍 어두워졌다. 황혼 무렵, 하루 종일 한가하게 내리던 빗줄기가 갑자기 거세지기 시작했다. 후두둑 대나무 잎을 때리는 소리가 너무나 맑고 듣기 좋았다. 하인들이 툇마루에 걸려 있는 등롱에 불을 붙였다.

바람도 불어 등롱이 가볍게 흔들렸다.

날이 완전히 어두워지자 동원(東院) 쪽에서 발짝 소리가 들려왔다. 등롱을 든 하인이 앞장서고 있었지만 김의안은 금세 김의린의 모습을 알아보았다. 하지만 두 사람 사이에 있는 사람은 누구인지 도무지 알 수가 없었다.

“갑자기 네가 우려 주는 차가 마시고 싶어 이렇게 건너 왔다.”

김의린은 몸에 습기가 촉촉한 채 툇마루를 따라 걸어와서는 김의안을 향해 미소를 지으며 말했다.

"방해한 건 아니겠지?"

"물론 아닙니다. 마침 새로 산 연화향편(蓮花香片)이 있습니다."

김의린의 꽁무니에 붙어 온 사람이 머리에 쓰고 있던 삿갓을 벗었다. 등롱 불빛 아래서 미목이 또렷했다. 가볍게 웃는 얼굴이 청신하기만 했다. 김의안은 잠시 가슴이 뛰지 않았다.

"왕태자께 예를 올리지 않고 뭐하고 있느냐?"

김의린이 말했다.

김의안은 그제야 정신을 차리고 뒤로 반걸음 물러나 무릎을 꿇었다.

"이러실 필요 없습니다."

왕태자가 손을 뻗어 김의안을 일으켜 세웠다. 그의 목소리는 춘미 공주와 비슷했지만 어투에는 상당히 무게가 있고 말하는 속도도 무척 느렸다. 입에서 나오는 모든 말이 심사숙고를 통해 여과되고 있는 것 같았다.

"심야에 실례가 많습니다. 의안군께서 개의치 않으셨으면 좋겠습니다."

"별말씀을 다하시는군요."

김의안은 허리를 구부려 예를 표한 다음 두 사람을 서방으로 안내했다. 낮에 화로를 피워놓은 터라 방 안이 무척이나 따듯했다.

"이렇게 찾아주시니 누추한 곳인데도 빛이 나는 것 같습니다."

김의안은 처음에는 가슴이 뛰고 손도 조금 떨렸지만 다대(茶臺)를 준비하고 손을 씻고 물을 끓인 다음 다구를 닦는 사이에 점차 평정을 되찾았고 동작도 차분해졌다. 그는 조정에 나갈 때에만 왕태자를 볼 수 있었다. 그것도 아주 높은 자리에 앉아 문무백관들을 내려다보는 모습이었다. 김의안은 이른바 고귀함이란 왕태자처럼 저렇게 얼굴이 백자 같고 표정이 적은 것이라고 생각했다.

왕태자와 김의린은 둘 다 말이 없었다. 왕태자는 김의안의 능숙한 동작에 놀라움을 금치 못했나.

"모두들 의안이 바둑만 잘 두는 줄 알고 있지만, 사실 깊이 감춘 채 드러내지 않는 재주가 아주 많습니다. 형인 저도 잘 모르고 있다니까요."

김의린은 왕태자와 화문석 위에 나란히 앉아 자신의 동생을 향해 흐뭇한 미소를 짓고 있었다.

김의안이 준비한 연화향편은 금년에 보성 지역에서 생산한 햇차의 차포를 종이로 잘 밀봉한 다음, 저택 뒤에 있는 연못에서 방금 핀 연꽃을 꺾어다가 그 꽃잎 안에 넣고 가는 실로 연꽃을 싸매 꽁꽁 묶어서 만든 것이었다. 이리하여 향기가 차에 충분히 배면 차포를 꺼내 차를 우리는 것이다. 김의안은 해마다 김의린을 청해 향편을 맛보곤 했지만 이번에는 왕태자와 함께 오리라고는 생각지도 못한 터였다.

새 차에 새 꽃이다 보니 물을 다완에 붓자마자 방 안에 청아한

향이 가득 퍼졌다. 무수한 연꽃이 한꺼번에 봉오리를 여는 것처럼 진한 향기가 사람들의 정신을 맑게 해주었다. 왕태자와 김의린은 단정한 자세로 앉아 있었다. 김의안이 차의 유래에 관해 간단히 설명한 다음 다완을 두 사람 앞에 각각 놓아주었다.

"저는 왕궁에서 너무 외롭게 지내다 보니 세상에 이처럼 훌륭한 차가 있는 줄도 몰랐군요."

왕태자가 다완을 손에 받쳐 들고 한 모금 맛을 보고 나서 놀란 표정으로 말했다.

"차도 좋지만 물도 아주 특별합니다. 일출 전에 의안이 연잎에서 채집한 이슬을 모은 물이지요."

김의린이 한마디 덧붙였다.

"무엇보다도 혀가 가장 중요합니다."

김의안이 말했다.

"차가 닿는 곳도 혀고 물이 닿는 곳 또한 혀거든요."

왕태자의 눈길이 천천히 다완에서 멀어지더니 김의안을 응시했다. 김씨 형제는 눈이 아주 닮은꼴이었지만 성격상의 차이로 인해 사람들에게 전혀 다른 인상을 주고 있었다. 한 사람은 금처럼 열정적이고 한 사람은 은처럼 부드러웠다.

차를 다 마시자 김의안은 두 사람의 다완에 물을 더 채워주었다.

"송구스럽지만 저희 형제에게 재능이 좀 있다고 말한다면, 저의 재능은 차에 물을 따를 때의 다향이라고 할 수 있습니다. 물을 따르자마자 향기가 가득 차지요.”

김의린은 손에 들고 있는 덕령부(德寧府)의 분청인화문 다완을 왕태자에게 보여주었다.

“한편 의안의 재능은 이 다완과 같다고 할 수 있습니다. 처음 차를 우릴 때는 아무렇지도 않다가 두 번째 차를 우리고, 세 번째 차를 우리고 나서야 비로소 천천히 옥빛 광택이 드러나지요.”

김의안이 고개를 들어 김의린을 쳐다보았다. 형의 말에 짐짓 놀라는 표정이었다. 그의 인상 속에서 김의린의 눈빛은 항상 줄곧 위를 향해 아주 먼 곳을 바라보고 있었다. 신변의 사소한 것들은 안중에 두지 않았다. 부모님이 살아계실 때, 온 가족이 모여 얘기를 주고받는 자리가 아주 드물긴 했지만 이런 자리가 있을 때마다 주제는 항상 가문을 더욱 빛나게 하는 것이었다. 그리고 김의안은 항상 가족들의 열띤 언사와 아름다운 동경 밖을 맴돌면서 차가운 눈빛으로 가족들의 표정을 바라보곤 했다. 하지만 다른 세 사람의 일치된 분위기에 끼어들 방법이 없었다.

그는 김의린이 언제, 어떤 마음으로 이렇게 자신을 연구하고 이해했는지 알 수 없었다. 게다가 이처럼 놀라운 언사로 자신을 표현하리라고는 생각도 하지 못했다.

‘덕령부’의 분청인화문 다완이라!

“의린 형과 술을 마시고 의안 형과 차를 마시는 것 둘 다 마음이 즐거워지는 일이 아닐 수 없군요.”

왕태자가 가볍게 감탄했다.

4

김의안은 여섯 살 때부터 동당(東堂)에 가서 공부를 시작했다. 처음 학당에 가는 날 그보다 두 해 일찍 동당에 간 김의린에게 점명을 받고 『논어』를 암송하기 시작했다. 여덟 살인 김의린에게는 이미 의젓한 기상이 넘쳤다. 가는 채찍으로 소라를 내려치자 멀리 날아가는 것 같았다. 아주 오래된 중국의 어록이 김의린의 입에서는 살아 있는 사람의 영창(咏唱)으로 변했다. 그의 몸에서 쏟아져 나오는 광채는 그토록 강렬했다. 김의안은 평생을 노력해도 형처럼 될 수 없을 것 같다는 생각이 들었다.

그때부터 김의린이 좋아하는 모든 것이 김의안에게는 골칫거리로 다가왔다. 그의 사서오경 학습은 엉망진창이었다. 노력을 안 한 것은 아니지만 나라를 잘 다스리고 편안하게 하기 위한 그 어구들이 자신의 몸에서는 전부 스르르 빠져나가는 것만 같았다. 김의안은 반대로 악기와 바둑, 서화 같은 한가하고 정취가 넘치는 활동에 대해 마음속에서 우러나는 열정을 갖고 있었고 별로 힘을 들이지 않고도 금세 출중한 능력을 갖출 수 있었다. 다행히 부모님들은 모든 희망을 큰아들에게 걸고 있었기 때문에 차남인 그가 진취적이지 못한 것에 대해서도 별로 탓하는 바가 없었다.

부모님들이 세상을 떠난 뒤로 김의린은 성균관에서의 공부와 무예수련에 전념하느라 열흘이 넘어야 한 번씩 집에 돌아오곤 했다.

김의안은 낮에는 집에서 시조를 몇 편 쓰고 수묵화 몇 점을 그렸다. 바둑을 두면서 차를 마시기도 했다. 그러다가 밤이 되면 화각에 가서 환락에 젖었다. '무화각(無花閣)'의 무기(舞伎) 하나가 김의안의 넋을 빼앗아가 버렸다. 그녀의 몸은 전제가 젖은 옷을 짜다가 한데 비틀기라도 한 것처럼 가늘고 부드러웠다.

어느 날 김의안은 '무화각'에서 밤을 보내고 새벽이 되어서야 집으로 돌아와서는 김의린이 자신의 서방에 앉아 있는 것을 발견하게 되었다. 그의 앞에는 겨울에 숯을 태워 추위를 피하는 구리 화로가 놓여 있고, 구리 대야 안에는 아주 큰 나무 손잡이가 달린 구리집게가 꽂혀 있었다. 김의린의 얼굴에도 금속의 빛깔과 재질이 역력했다. 그의 눈빛을 바라보다가 김의안은 문득 그가 평소 무예를 연마할 때 뼈마디 사이에서 나는 뚜두둑 소리가 생각났다.

김의안은 또 자신의 궤짝 안에 있는 한 무더기의 두루마리 그림이 김의린 옆으로 옮겨져 있는 것을 발견했다.

두 사람은 오전 내내 서방에서 시간을 보냈다. 붉고 파란 불씨가 그림 위로 타올랐다. 그림 속 무기의 춤처럼 요염한 불꽃이었다. 구리 대야 안에 재가 갈수록 높이 쌓여 가다가 결국에는 화로 가장자리까지 날리기 시작했다. 낙엽처럼 화문석 위로 날아 떨어지기도 했다.

김의안은 자신의 마음도 함께 구리 화로 속으로 빨려 들어가 재가 되고 있는 듯한 기분이었다. 그는 미동도 하지 않고 양반다리를 한 채 앉아 있었다. 처음에는 두 발이 마비되더니 나중에는 두 다리와 몸통, 팔, 그리고 마침내 머리까지 마비되었다.

"부모님께서 구천 아래 계신데 네가 이런 물건으로 두 분의 망령을 위로해드릴 수 있다고 생각하느냐?"

그림을 다 태우고 나서 김의린은 옷을 털고 자리를 떴다.

5

그는 김의린이 자신의 사정을 어떻게 알았는지 알 수 없었다. 성균관의 소년들이 화각을 드나드는 것은 그다지 드문 일이 아니었다. 사람에게 풍류가 없으면 젊은 시절이 헛된 법이었다. 조소의 대상이 되는 것은 화각에 가보지 못한 친구들이었다. 흥분한 김의안의 마음이 천천히 가라앉았다. 김의린의 행동에 대해서도 큰 불만은 없었다. 명리의 세계와 화류계 역시 천명에 따르도록 되어 있었다. 이렇게 사소한 일을 큰 문제로 확대시킨 것은 동생 앞에서 형으로서 부모의 위신을 대신하려 하는 것이라 할 수 있었다.

부모님들의 망령을 위로할 수 있냐고? 그게 그와 무슨 상관이란 말인가?

생전에 아버지는 한쪽 눈으로는 술독을 주시했고 다른 한쪽 눈으로는 김의린만 주시했었다. 어머니도 한쪽 눈은 아버지를 바라보셨고 다른 한쪽 눈은 김의린만 바라보셨다. 구천 아래 있건 말건, 두 분은 황천길에 오르기 전에 이미 당신들의 둘째 아들을 까마득히 잊고 있었다. 양친이 돌아가시자 김의안은 마음속으로 몹시 슬펐지만 절망에 이르지는 않았다. '격렬함'과 관련된 모든 감정들이 그와는 무관한 것 같았다.

장례를 치르는 동안 그는 상복을 입고 침울한 얼굴로 형의 등 뒤에 서서 그가 친척과 친구들을 맞이하고 응대하는 모습을 지켜보았다. 한가하고 심심할 때면 차가운 눈빛으로 김의린을 바라보았다. 아무래도 그는 슬픔보다는 기쁨이 더 강한 것 같다는 느낌이 들었다. 체면을 목숨보다 소중히 여기는 김의린은 더 이상 부친의 주사로 인해 불안해하지 않아도 되게 되었고 경제적 지출의 부담도 크게 덜 수 있게 되었다. 무엇보다도 중요한 것은 그가 김씨 가문의 기둥이 되었다는 사실이었다. 조문을 위해 찾아온 사람들은 하나같이 그를 칭찬하고 지지하는 눈빛으로 그를 바라보았다.

"자네 같은 아들이 있으니 부친께서도 안심하고 편히 눈을 감으실 수 있을 걸세."

"죽은 사람이 마음을 놓지 못하는 수도 있단 말인가?!"

김의안은 하마터면 이런 냉소를 입 밖으로 뱉을 뻔했다.

김의안은 마비된 다리를 비비면서 몸을 일으켜 옷 위에 내려앉은 종이 재를 털었다. 속으로 다행이라고 생각했다. 김의린과 눈을 마주하고서 인생의 이상과 가족의 책임에 관해 토론하는 것보다는 차라리 그가 그림을 불태우는 편이 나았다.

그날 이후로도 김의안은 걸핏하면 '무화각'을 찾았다. 어찌 된 일인지 무기에 대한 그의 열정은 날이 갈수록 담담해져 갔다. 겉으로는 여전히 그녀에 대한 총애가 깊어지고 있는 것 같았고 그녀가 다른 남자들에게 아양을 떨어도 그는 변함없이 미소를 보내주었다. 하지만 마음속으로는 이미 그녀를 향해 담을 쌓고 있었다. 진심으로 좋아했던 여자는 이미 재로 타버리고 눈앞에 살아있는 이 여인은 모조품에 불과한 것 같았다. 그는 자신의 생각이 아주 이상하다는 것을 모르지 않았다. 하지만 생각의 길은 줄곧 이런 방향으로 나아가고 있었다. 무기는 김의안의 변화를 감지하고는 훌쩍훌쩍 울면서 몇 차례 원망을 늘어놓기도 했었다. 어쩌면 자신이 너무 재미없어서 그와 소원하게 된 것인지도 모른다는 생각도 했다. 그녀는 '무화각'에서 가장 잘나가는 무기로서 남정네들의 사랑을 한 몸에 독차지 하고 있었다. 김의안은 귀족 신분이긴 하지만 외모가 영준한 것을 제외하면 다른 남자들보다 더 나은 데가 없었다.

6

김의안은 아주 오래 '무화각'을 찾지 않았다. 그의 시간은 대부분 바둑판 위에서 지나갔다. 그의 바둑 솜씨는 갈수록 유명해졌고 고수들과 겨루는 일이 많아졌다. 그와 대국을 벌이기 위해 집으로 찾아오는 사람들도 적지 않았다. 그가 열여덟이 되던 해 봄에 김의린은 문과에 급제했고 가을에는 무과에도 급제함으로써 한성부의 전기적인 인물이 되었다. 두 해가 지나 그는 사간원에서 삼품 안찰사의 관작에 올랐다. 이는 최근 육 년 동안 김씨 가문에서 차지한 최고의 관직이었다.

김의린의 벼슬길이 순탄해지면서 김의안에 대한 그의 요구는 예전처럼 그렇게 엄하거나 가혹하지 않았다. 어쩌면 믿음을 철저히 상실한 것인지도 몰랐다. 김의안은 스스로 이렇게 생각했다.

자홍색 관복을 입은 김의린의 모습은 대단히 늠름했다. 그는 사람들의 이목을 한 몸에 집중시키는 관장의 새로운 귀족이라 매일 문 앞에 청첩이 당도했다. 이에 비해 김의안의 처지는 냉궁으로 내몰린 비(妃)와 다르지 않았다. 심지어 하인들조차도 암암리에 그를 냉대했다. 그가 형과 대면하는 일도 거의 없었다. 그가 기침하여 아침 식사를 할 때쯤, 김의린은 이미 조정에 나가 있었고 저녁에도 집에 와서 식사를 하는 경우가 드물었다.

김의안도 더할 수 없이 즐겁기만 했다. 그의 걱정은 맞수를 찾기 어렵다는 것이었다. 그는 한성부에서 삼백 리나 떨어져 있는 이속사(离俗寺)로 편지를 보냈다. 이 절의 수심 대사(水心大師)는 바둑 솜씨가 뛰어난 것으로 잘 알려져 있었다. 들리는 바에 의하면 그의 면전에 삼백 보 이상 가까이 가본 사람이 없다고 했다. 수심 대사에게는 심복이 하나 있었다. 하얀 편지지에 안정되면서도 소탈한 필체로 한 구절 한 구절 평범한 문구가 쓰였지만 구절

마다 깊은 의미와 함께 탁월한 재기가 담겨 있었다.

김씨 부저(府邸)에서 김의안이 거주하는 서원은 엄연한 이속사에 다름 아니었다. 집 안의 변화를 가장 늦게 발견하는 사람은 항상 김의안이었다. 집의 기와를 교체하고 와당도 새로운 양식으로 바꾸었으며 담장에 석회 칠도 다시 했고 가구들도 새로 칠을 한 것은 말할 것도 없고, 금속제 화각(畵角)도 들여놓았지만 그는 저택의 대문이 언제 부서졌고 언제 새것으로 교체되었는지 전혀 감지하지 못했다. 하루는 김의안이 외출했다가 돌아와서는 고개를 들어 대문을 보고는 자기가 집을 잘못 찾아온 것으로 착각했던 적도 있었다.

저택의 정문은 원래 있던 것보다 두 배 크게 확장되었고 문틀에서는 목재의 향기가 그윽했다.

김씨 부저는 먼지를 뒤집어쓴 보물 같았다. 갈고 닦아낸 다음에 새로 갖가지 물건들을 더하자 갈수록 빛이 나고 신선해졌다. 가끔씩 김의린은 집에서 연회를 열어 관장의 동료들을 초대하곤 했다.

7

두 번째로 춘미 공주를 만난 김의안은 춘미 공주를 유심히 관찰해보았다. 물론 그녀처럼 막무가내로 바라볼 수는 없었다. 그녀와 왕태자가 얼마나 닮았는지도 자세히 살펴보았다.

"오늘도 그 미치광이와 마주쳤나요?"

춘미 공주가 그를 만나자마자 물었다.

"그대의 마차에서 금을 떼어 가려던 그 사람 말이에요?"

"못 만났습니다."

그녀가 언급하지 않았다면 김의안은 그 사람을 완전히 잊었을 것이다.

"그자가 어떤 미치광이인지 난 알아요."

춘미 공주는 무척이나 신비로운 표정으로 일부러 잠시 말을 끊었다가 다시 입을 열었다.

"그대와 관련이 있더군요."

"저랑 관련이 있다고요?"

김의안이 웃었다.

"김씨 문중과 관련이 있으면 그대와도 관련이 있는 것 아닌가요?"

김의안은 금세 웃음을 거둬들였다.

"그는 한 골동품상의 아들이에요. 왕궁 안에 있는 사람들과 마찬가지로 남의 비밀을 캐는 걸 좋아하지요. 그대 부저 문 밖에 항상 마차 한 대가 세워져 있잖아요. 위에서 아래까지 푸른 천으로 꽁꽁 싸매져 있다가 다음 날 날이 밝으면 떠나지요. 안찰사 김 대인은 용모가 준수한 데다 풍모도 뛰어난 관장의 새로운 귀족이니 마차 안에 어떤 사람이 타고 있나 하는 것이 호기심의 대상이 되는 것은 당연하겠지요."

그는 그녀가 이야기하는 것을 무척 좋아한다는 사실을 깨달았다. 눈을 똑바로 뜨고 자신의 청중을 응시하고 있었다. 어투도 조용한 것 같지만 그 안에는 희열과 흥분이 잔뜩 농축되어 있었다. 김의안은 애써 자신을 통제해야만 주의력을 그녀가 이야기하는 일에 집중시킬 수 있었다.

"저는 공주님이 말씀하시는 마차를 한 번도 본 적이 없습니다."

"그대도 보았고 그도 보았고 모두가 보았다면 그런 일이 뭐 그리 얘기할 만한 비밀이 될 수 있겠어요?"

춘미 공주는 눈을 크게 떴다. 자신의 얘기를 중간에 끊은 것이 몹시 불쾌한 듯한 표정이었다. 김의안은 얼른 입을 다물고 말을 하지 않았다. 춘미 공주는 잠시 숨을 고르고 나서 더 참기 어려웠는지 다시 말을 이었다.

"이 골동품상 아들은 남들과 노름을 하면서 밤새 그대의 저택 문 앞을 지키고 있었어요. 다음 날 아침 일찍 저택에서 손님이 나가자 그는 마차를 따라 한성부를 반 바퀴나 돌았지요. 개처럼 지쳐서 혀가 한 뼘은 나왔다고 하더라고요. 이건 내가 지어낸 말이에요. 그가 그 정도로 지쳤을 거라고 유추한 것이지요. 어쨌든 그는 더 이상 몸을 움직일 수 없었고 마차도 마침내 멈춰 섰어요. 한번 맞춰보세요. 마차가 어디에서 멈췄을까요?"

김의안이 고개를 가로저었다.

춘미 공주는 약간 실망한 듯한 눈빛으로 김의안을 쳐다보았다.

“마차는 왕궁에서 그리 멀지 않은 숲 속에 들어가 멈춰 섰어요. 검은 옷을 입은 사람들 몇몇이 마차에 푸른 천으로 된 덮개를 걷어냈지요. 마침 방금 해가 솟은 터라 마차에 갑자기 만 장의 빛이 쏟아지면서 그 골동품상 아들의 눈에는 마차가 금으로 만든 것처럼 보인 것이지요. 마차는 크게 흔들리면서 왕궁 안으로 달려 들어갔고 길을 막고 묻는 사람은 아무도 없었지요.”

춘비 공주는 잠시 입을 닫았다가 다시 말을 이었다.

“그는 그 이야기를 다른 사람들에게 전했고, 소문은 빠른 속도로 퍼져 나갔지요. 하지만 그것이 사실인지는 단정할 수 없었어요. 골동품상의 아들이 그대가 본 그런 모습으로 변해버렸기 때문이지요.”

“공주님은 이런 일들을 어떻게 아셨나요?”

김의안이 물었다.

“왕궁 안 도처에 흑의시위(黑衣侍衛)들이 있어요. 아무나 두 명만 내보내면 무슨 일이든지 다 알 수 있지요.”

춘미 공주은 아직 흥이 다하지 않았는지 한숨을 쉬면서 말을 이었다.

“애석하게도 마차 안에 탄 사람이 누구인지는 알아내지 못했어요. 태자비일까요?”

갑자기 비 오는 날 차를 마시던 그 일이 눈앞에 펼쳐졌다. 왕태자가 삿갓을 벗던 그 순간, 자신은 상대가 춘미 공주라고 생각하지 않았던가? 그가 김의린을 바라보던 눈빛도 남자의 신분에 부합하지 않는 것 같았다. 게다가 존귀한 왕태자의 눈빛이 아니었고 옷에 밴 향기 또한 남정네의 것이 아니었다. 김의안의 가슴이 쿵쿵 뛰기 시작했다. 그의 방에서 며칠이 지나서야 간신히 사라졌던 그 향기가 갑자기 진해지는 것만 같았다. 손 하나가 춘미 공주의 옷소매에서 뻗어 나와 자신의 목을 누르고 있는 것 같았다.

남자와 남자가 사랑에 빠질 수 있는 걸까?!

"왜 그래요?"

춘미 공주가 물었다.

"……아무 것도 아닙니다."

"아무 것도 아니라고요?"

춘미 공주의 눈길이 그의 얼굴에서 떠나지 않았다.

"그대 얼굴이 백지장보다 더 하얗군요."

"그렇습니까?"

김의안이 어색하게 웃었다. 춘미 공주가 미간에 주름을 만들었다. 그의 웃는 얼굴에 심사가 뒤틀린 것 같았다.

"그 마차에 탄 사람이 누구였는지 알아요?"

"모릅니다."

아주 단호한 대답이었다. 생각의 부스러기들이 그가 보지 못하는 깔때기를 통해서 그의 머릿속으로 돌아왔다.

"그 골동품상 아들은 어떻게 미치게 되었나요?"

"바로 그게 이 사건의 미묘한 부분이에요."

춘미 공주는 한 마디 한 마디 또박또박 말했다.

"모두들 그가 미쳤다는 것만 알지, 언제 미쳤는지, 어떻게 미쳤는지는 몰라요. 물론 그가 그런 말을 했기 때문에 미친 것인지 아니면 미쳤기 때문에 그런 말을 한 것인지 확정할 수도 없지요."

8

춘미 공주의 대혼이 열흘밖에 남지 않은 상태에서 갑자기 부마가 병으로 급사했다는 소식이 전해졌다.

사건이 발생한 다음 날, 재상 대인이 관모를 고쳐 쓰고 조정에 나왔다. 모두들 그의 머리가 하룻밤 사이에 완전히 희어진 것을 발견했다. 재상 대인은 조당에서 무릎을 꿇지도 못해 개두(磕頭)를 하는데도 몹시 힘이 들었다. 이마가 부딪쳐 찢어지면서 얼굴이 온통 피투성이가 되었다. 그는 소리 내어 통곡하면서 국왕에게 벼슬을 그만두고 은거하겠다는 생각을 밝혔다. 그 자리에 있던 사람들 모두 크게 동요했다.

국왕은 측은지심이 발동하여 그의 사정(辭呈)을 반려하면서 더 이상 부마의 사인을 추궁하지 않았다.

공석이 된 재상의 자리와 춘미 공주의 새 부마 자리를 위한 인선이 조정 전체를 떠들썩하게 만들었다. 김의안은 강 건너 불구경을 하면서도 강가를 때리는 파도에 놀라움을 금치 못했다. 김의린이 야심만만한 사람이라는 것은 이미 비밀이 아닌데다 왕태자와 심상치 않은 관계라 사람들의 이목을 피할 수 없었다.

어느 날 밤, 김의린은 왕태자와 함께 김의안의 서방에 가서 차를 마셨다. 정원의 고죽(苦竹)이 밤바람 속에서 미세한 소리를 냈다.

"왕궁 안에 분 냄새가 너무 진한 것 같아요."

왕태자가 숨을 몇 번 깊이 들이마시고는 빙긋이 웃으며 말했다.

"귀댁의 맑고 신선한 공기는 정말 마음속 깊이 스며들어 감동을 주는 것 같군요."

왕태자는 남과 얘기를 나눌 때 눈을 지그시 내리깔고 있다가 문득 고개를 들어 말하는 사람을 응시하는 버릇이 있었다. 조정에 나갈 때면 김의안은 왕태자와 아주 멀리 떨어져 있었다. 그는 사람들 사이에 서서 가끔씩 왕태자가 불전 안에 있는 진흙 조각상 같다는 생각을 하곤 했다.

"왕궁 안에는 이상한 꽃들이 많아요. 염미하고 향기가 진한 공주가 아홉 분이나 되는 데다 모든 공주들을 능가하는 미모를 지닌 태자비가 있지요. 게다가 국왕 신변에는 삼백 명의 예쁜 궁녀들이 있고요. 몸이 온갖 향기 속에 있으신 분이 '맑고 신선하다고' 하시니 누추함을 은유하신 것이 아니신지요?"

김의린은 기분이 나쁘지 않은지 싱글벙글했다.

"온갖 향기라니요?"

왕태자는 눈을 뜨지 않은 채 가볍게 말을 받았다.

"여인은 그저 여인일 뿐입니다. 뱀처럼 다루기 힘들지요."

"뒤엉킬 미인이 있다면 그야말로 남자들의 영광이 아닐까요?"

"여인은 꽃향기와 같습니다. 너무 진하면 사람을 질식하게 만들지요."

"그 말씀도 틀린 것 같진 않군요. 미인의 은혜가 중하면 오래 누리기 힘든 법이지요."

왕태자가 천천히 말했다.

"그래서 부마가 가기의 몸 위에서 죽은 것이군요."

김의안의 손이 가볍게 떨리면서 손등에 뜨거운 물이 떨어졌다. 왕태자와 김의린은 대화를 멈추고 그를 바라보았다.

"죄송합니다……."

데인 부분이 한꺼번에 수만 개의 바늘로 찔러대는 것 같았다. 김의안은 아픈 곳을 돌보지 않고 먼저 고개를 숙여 사과했다.

"괜찮아요?"

왕태자가 김의안의 손을 쳐다보았다.

"괜찮습니다."

김의안은 깊이 고개를 숙여 다시 한 번 사과했다.

"정말 죄송합니다. 손발을 급히 움직이다 보니……."

"의안은 아직 그 일을 모르고 있었나봅니다……."

김의린이 그를 쳐다보면서 천을 집어 손등에 남아 있는 물을 닦아주고는 고개를 돌려 왕태자에게 설명했다.

"정말 괜찮아요?"

왕태자자 끼어들어 김의안에게 물었다.

"정말 괜찮습니다. 죄송합니다."

김의린은 말이 없었다.

"뜻밖에도 한성부에 부마가 왜 급사했는지 모르는 사람이 있었군요. 이것이 오히려 더 신선한 일인 것 같습니다."

왕태자가 고개를 돌려 김의린에게 물었다.

"어젯밤에 백리궁에서 춘미가 대혼을 거행할 때 입으려고 준비해 둔 예복을 옷걸이에 걸어 꽃밭에서 불태워버렸다고 합니다. 불빛과 연기에 흑의시위들이 몰려갔고 부왕과 모후께서도 놀라셨다고 하더군요."

"춘미 공주가 왕궁 안에서 성격이 가장 분명한 사람이겠지요?"

김의린이 웃었다.

"모후의 친생이라는 것을 믿고 하고 싶은 대로 다 하는 바람에 그렇게 된 것이지요. 그 애는 공공연하게 자신이 직접 부마를 고르겠다고 요구하고 있어요."

왕태자는 김의안이 방금 앞에 놓아준 다완을 들고는 비스듬한 눈길로 김의린을 쳐다보며 말했다.

"춘미는 의린군에게 모든 감정을 집중하고 있는 것 같더군요."

"감정을 집중한다고요?"

김의린이 웃으며 말을 받았다.

"이거야말로 아주 신선한 화제로군요."

"의린군은 사람들에게 경모의 대상이 되는데 길들여져 있으니 남의 진심을 가볍게 여길 수 없을 것 같군요."

"왕태자님의 그 한마디는 정말 놀랍습니다."

김의린은 입으로는 놀랍다고 말했지만 동작은 여전히 차분했다. 손을 뻗어 다완을 든 그는 차 향기를 맡으며 말을 이었다.

"제게 실례되는 부분이라도 있나요? 그렇다면 언제든지 책망해 주십시오."

왕태자는 김의린에게 눈길을 돌리지 않은 채 잠시 침묵하다가 다시 입을 열었다.

"일품이나 이품 관원으로 왕실과 친밀한 관계를 갖고 있는 가족들 가운데 조건이 우수한 젊은이들은 이미 다른 공주들과 혼약을 맺은 상태였고 사품 이하의 관원들은 애당초 고려의 대상이 되지 못했습니다. 이리저리 따져보니 지금으로선 의린군의 조건이 새로운 부마로 가장 적절한 인선인 것 같군요. 왕후께서도 제게 의린군의 가세 배경을 좀 알아보라고 하셨지요."

김의안은 눈을 내리깐 채 화로 위의 다호(茶壺)를 바라보았다.

"왕태자께서 이런 말씀을 하실 줄 진즉에 알았더라면 오늘 저녁에 차 대신 술을 마셔야 했을 것 같습니다."

김의린이 웃었다.

"풍류에 관한 얘기는 반쯤 취한 상태에서 얘기하는 게 가장 재미있으니까요."

"이걸 풍류의 일이라 생각하십니까?"

왕태자가 고개를 돌려 김의린을 쳐다보았다.

"여인과 관련된 일이니 풍류의 일이 아니고 무엇이겠습니까?"

김의린은 술도 마시지 않고 술에 취한 것처럼 태도와 언행이 다소 방자해졌다. 김의안의 가슴이 목구멍까지 벌렁거렸다.

"맞아요, 제가 의린군이 한성부에서 가장 유명한 풍류재자라는 사실을 잊었군요."

왕태자의 얼굴이 창백해졌다. 웃는 모습마저 차가워 보였다.

"제가 청루에서의 짧은 정을 추구한다는 뜻인가요?"

김의린이 웃었다. 왕태자가 불쾌해하는 것은 전혀 아랑곳하지 않는 것 같았다.

"그럼 우리 술을 마시면 되지 않겠습니까."

왕태자가 다완을 탁자 위에 내려놓았다.

"제가 가서 술을 가져오겠습니다."

두 사람이 말을 하기도 전에 김의안이 몸을 일으켜 밖으로 나갔다.

9

하인이 술을 보관하는 움집에 가서 술을 가져왔다. 김의안은 잠시 부엌에서 머뭇거리다가 돌아오는 길에 눈앞의 광경에 놀라 서가를 발로 걷어차고 말았다. 다호 받침대가 서가 쪽으로 기울면서 다호에 있던 물이 쏟아져 화문석을 적시고 책도 적셨다. 화로 위로도 물이 튀어 연기와 함께 불과 석탄 냄새가 피어올라 숨을 쉬기 어려웠다.

김의린의 표정이 뻣뻣하게 굳어져버렸다. 그의 그런 모습에 김의안은 생전의 아버지가 생각났다. 두 아들이 아직 어렸을 때, 그리고 아직 삶을 미주가 가져다주는 희열에 완전히 빠뜨려버리지 않았을 때, 어쩌다 골치 아픈 일을 당하면 아버지는 바로 이런 표정을 하곤 하셨다.

왕태자는 벽에 등을 기댄 채 새하얗게 질린 얼굴에 눈두덩이 분홍빛이 되어 있었다.

김의린은 술 단지를 안고 있는 김의안을 보고는 손을 뻗어 그의 품에서 단지를 빼앗아 잘 봉한 입구를 열고는 입을 댄 채 꿀꺽꿀꺽 급하게 마셔댔다. 입에 채 닿지 못한 술이 밖으로 흘러 그의 옷을 적셨다.

김의안은 마당으로 도망쳤다. 가슴이 쿵쿵 쉬지 않고 방망이질을 해댔다. 한참이나 마당에 멍하니 서 있다가 자리로 돌아와 보니 김의린과 왕태자는 이미 그곳에 없었다. 하인 둘이 방을 정리하면서 술과 물이 뒤범벅이 된 화문석을 다른 것으로 갈았다. 하지만 술 냄새는 금세 사라지지 않았다. 방 안에는 아직 미주의 진하고 달콤한 향기가 가득했다.

김의안이 서방 바로 옆방에서 잠을 자고 났는데도 술 냄새가 느껴졌다. 밤중에 여러 차례 깨다 보니 깊은 잠을 이룰 수 없었다.

다음 날 김의안은 동원에서 김의린을 보았다. 험악한 얼굴을 할 것이라고 상상했던 것과는 달리 김의린은 방금 권법과 발차기 훈련을 하고 난 뒤라 몸에서 열기가 느껴졌고 헐렁헐렁한 옷을 입은 채로 툇마루 위에 눈을 똑바로 뜨고 앉아 있었다. 손에 뜨거운 차를 한 잔 들고 있다가 김의안을 보고는 빙긋이 웃었다.

"오늘 궁에 들어가느냐?"

"네."

김의안이 고개를 끄덕였다. 궁에서 온 신사(信使) 하나가 하인을 따라 문 안에 들어서서는 두 사람 쪽을 향해 다가왔다. 김의린이 신사의 손에서 편지를 받아 펼쳐보고는 김의안을 향해 손을 내저었다.

10

"안에 있는 옷은 옷감이 내 몸에 걸치고 있는 것만큼 적게 들 거야. 하지만 수를 중시해야 돼. 치마 위에는 은실로 아홉 마리 봉황이 해를 바라는 그림을 수놓고 물푸레나무 꽃과 잎도 수놓아야 한다. 가장 신경을 써야 할 것은 밖에 입는 주의(周衣)야. 용과 봉황이 어우러진 길상의 문양을 수놓아야 한다."

춘미 공주가 손가락으로 탁자 위에 몇 가닥 호를 그리며 말했다.

"궁에서 가장 솜씨가 좋은 수공들이 반년 넘게 열심히 일하고 있으니 너도 그들이 함께 일하는 모습을 잘 봐둬야 할 거야. 작년에 태자비가 궁으로 출가해 올 때 그녀가 입고 있는 예복을 보고 하마터면 웃다가 쓰러질 뻔했다니까. 하지만 그녀는 워낙 미인이라 모두들 그녀의 얼굴만 쳐다보았지. 우리처럼 그녀가 어떤 옷을 입고 어떤 장신구를 달았는지 관심을 갖는 사람이 거의 없었지."

춘미 공주은 하얀 저고리에 초록색 치마를 입고 창문 앞에 서 있었다. 방금 감은 머리가 두 필의 흑단처럼 볼 양쪽으로 부드럽게 흘러내렸다. 며칠 보지 못한 사이에 무척 야위어 있었다. 턱선은 더 가늘어졌고 눈은 더 커진 모습이었다.

"불은 내가 직접 붙여야겠어. 옷이 타는 순간은 정말 찬란하거든. 그자가 무기의 몸에서 즐거움을 찾을 때도 틀림없이 그렇게 찬란했을 거야. 그다음 순간은 비명이었겠지만 말이야……."

"춘미 공주님……."

김의안의 얼굴이 뜨거워졌다. 밖을 힐끗 내다보니 툇마루 위에서 있는 궁녀들의 그림자가 창문의 흐릿한 태지 위에 투영되었다. 흔들리는 나무들 같았다.

"예빈시윤 대인의 얼굴이 빨개지셨네요."

춘미 공주는 탁자 옆에 앉아 두 팔을 탁자 위에 대고 손으로 턱을 괸 채 김의안을 바라보고 있었다.

"그러지 말아요……."

가까이 다가가자 그녀 머리칼에서 나는 창포 꽃 즙액의 향기가 진하게 느껴졌다. 그의 마음이 흔들렸다. 그녀의 머리칼 사이로 손가락을 집어놓고 싶은 욕망을 간신히 억제했다.

"부끄러워하는 모습이 꼭 여자 같군요."

그녀가 말할 때의 경망스런 모습도 남자들이 화각에서 즐거운 시간을 보낼 때 여인들과 희롱하며 떠드는 모습과 비슷했다. 얼굴에 대고 가는 목소리로 말할 때 입가에서 퍼지는 입김이 풀잎 끝으로 두 볼을 간질이는 것 같았다.

김의안은 약간 짜증이 났다. 예빈시윤인 자신이 그녀가 마음대로 가지고 노는 장난감 같은 대상이 되었다는 생각 때문이었다. 그녀가 왜 그러는지 알 수가 없었다. 왜 이렇게 못되게 구는지 도무지 알다가도 모를 일이었다.

"부마가 가기 몸 위에서 죽었다는데 그게 그렇게 찬란한 일이라고 생각되십니까?"

그가 차갑게 물었다. 춘미 공주는 얼굴색이 약간 바뀌면서 가볍게 몸을 뒤로 물려 자리에 앉았다.

"시정의 소문이 그렇다 하더라도 그렇게 말씀하시면 안 되지요."

김의안은 춘미 공주와 아무런 관계도 없는 사람처럼 말했다.

"부마는 대혼이 임박했는데도 이를 망각하고 화각에 가서 환락을 구했습니다. 남들이 공주님께 어떻게 말하던가요? 그 깨끗지 못한 소문 속에서 공주님은 옥처럼 얼음처럼 순결하고 정결한 사람으로 회자되고 있을까요? 공주님은 가기보다도 못한 여자로 평가되고 있습니다. 감히 단언하건데, 지금 그 가기의 집에는 거마의 행렬이 끊이지 않을 것입니다. 공주를 자신만 못한 사람으로 만든 여인에게 호기심을 갖지 않을 사람이 어디 있겠습니까? 솔직히 말씀드리자면 저도 한번 찾아가 보고 싶군요. 찬란하다고 말하자면 지금 그 가기의 심정이야말로 찬란하다고 할 수 있을 겁니다."

춘미 공주가 입술을 깨물었다. 혈색이 싹 사라져버렸다.

"그럼 왜 가보지 않고 있는 건가요?"

"부마를 생각하면 가볼 마음이 없어지거든요."

춘미 공주가 손을 들어 김의안이 반응할 틈도 주지 않고 따귀를 한 대 갈겼다.

"그대가 감히 이렇게 방자할 수 있다니?!"

"사람이 스스로를 욕하면 반드시 남들에게도 욕을 먹게 되는 법이지요."

김의안이 말했다. 춘미 공주가 다른 손을 들어 그의 다른 쪽 뺨을 때렸다. 김의안의 얼굴에 미소가 번졌다.

"지금 공주님이 보여주신 행동은 거칠긴 하지만 방금 전의 경망함에 비하면 훨씬 더 신분에 맞는 것 같습니다."

"지금 내게 경망스럽다고 했나요?"

"당신은 몹시 경망스러워요."

춘미 공주가 또 손을 들었다. 팔이 들려 올라가는 순간 머리칼도 함께 올라가 휘날렸다.

"감히 나를 '당신'이라고 부른 거요?!"

"그렇습니다."

춘미 공주의 손이 허공에서 멈췄다. 눈 주위가 붉게 물들었다. 눈물이 처음에는 눈 안에 매달려 가볍게 떨리더니 점점 심하게 떨리다가 마침내 굵은 방울이 되어 툭 하고 얼굴 위로 떨어져 부서졌다. 결국 그녀는 들어 올린 손의 방향을 틀어 눈을 문질러 닦았다.

더 많은 눈물이 그녀의 눈에서 흘러내렸다. 그의 마음이 약해지기 시작했다.

그는 격하게 화를 내는 그녀의 모습이 마음에 들었지만 맑은 눈물을 흘리는 모습은 더더욱 좋아했다. 이것이 바로 시집갈 준비를 하고 있는 소녀의 모습이었다. 우미인화(虞美人花)처럼 아름답고 사람들의 마음을 아프게 하는 모습이었다. 그는 애써 참으면서 중간에 놓인 탁자를 치우지 않고 그대로 넘어가 그녀를 품안에 안으며 위로해주었다.

11

김의안은 밤인데도 잠을 이루지 못하고 등불을 켠 다음 용뇌향편(龍腦香片)을 피웠다. 백자 항아리에서 바둑돌을 꺼내 하나하나 비단으로 세밀하게 닦은 다음 다시 항아리에 넣어두었다. 언제 왔는지 김의린이 문 밖 툇마루 위에 서 있었지만 그는 전혀 알아채지 못했다.

"네가 불을 밝혀 놓은 것을 보고 한번 와봤다."

등불 아래 선 김의린은 빗속에서 목욕을 하고 있는 것 같았다. 김의안이 황급히 몸을 일으키며 말했다.

"들어와서 좀 앉으세요."

"차나 한잔 주거라."

김의린이 옷자락을 걷으면서 자리에 앉았다.

"너무 공들여 우리지 말고 대충 한잔 우려줘."

김의안은 재빨리 찻잔을 닦고 물을 끓였다. 먼저 더운 물에 찻잔을 담가 데운 다음, 다시(茶匙)로 작설차를 찻잔에 떠 넣었다. 물이 음문 백자 안에서 파문을 일으키는 것 같았다. 찻잎을 잔에 넣자 길고 짧은 연한 잎 두 조각이 서서히 풀어지기 시작하더니 과연 그 이름에 맞는 모양을 드러냈다.

"방금 궁에서 신사가 왔다 갔다."

김의린이 찻잔을 들어 차를 한 모금 마셨다.

"부마가 좋아하던 가기가 누군가에게 살해되었다고 하더구나."

김의안의 손에 들린 다호가 멈췄다.

"춘미 공주가 왕후의 명에 따라 흑의시위를 시켜 저지른 일인 것 같아. 흑의시위가 목합에 목을 담아 왕후에게 보내자 왕후가 그 자리에서 기절했다더군. 국왕이 진노하셔서 춘미 공주를 궁중에 감금시키고 외출을 허락하지 않으신다는구나."

김의린이 김의안을 바라보았다.

"오늘 춘미 공주에게 무슨 말을 했느냐?"

김의안은 한마디도 말을 하지 못했다.

"궁녀의 말에 의하면 예빈시윤이 떠난 뒤에 공주가 격노하여 흑의시위를 불렀다고 하더구나."

"……."

"다행히 왕태자가 중간에서 무마해줘서 다행이었어. 그렇지 않았더라면……."

김의린의 두 눈이 횃불처럼 이글거리면서 말투도 엄숙해졌다.

"예빈시윤으로서 궁을 출입하면서 언행에 신중하고 조심해야 한다는 걸 굳이 남들이 일깨워줘야 하겠느냐?"

"죄송합니다……."

김의안이 고개를 숙였다. 김의린이 한숨을 내쉬었다.

"제가 무능해서 형님의 체면을 깎아 내렸네요."

"어찌됐건 자책하는 건 일에 도움이 되지 않아."

김의린이 김의안을 힐끗 쳐다보고는 말을 이었다.

"다호를 언제까지 그렇게 손에 들고 있을 게냐?"

김의안이 다호를 화로 위에 내려놓았다.

"앞으로는 그런 일 없도록 해라. 다행히 춘미 공주는 왕후의 친생 혈육이라 궁지에 몰리는 일은 없을 게다."

"……정말 죄송합니다."

"일찍 자도록 해라."

김의린은 차를 다 마시고 나서 동원으로 돌아갔다

12

김의안은 다음 날 아침 일찍 백리궁을 찾아갔다. 밤새 잠을 자지 못해 가는 길 내내 발이 무거웠다. 수레에 올라 비스듬히 창틀에 고개를 기댄 그는 말들이 달리는 소리 속에서 잠시 어렴풋이 잠이 들었다.

춘미 공주는 툇마루에 앉아 두 다리를 팔로 끌어안고 자신의 무릎 위에 비스듬히 머리를 기대고 있었다. 눈길이 다가오는 김의안을 따라 움직였다.

"어젯밤에 그녀를 봤어요."

춘미 공주가 고개를 들어 김의안을 바라보면서 얼떨떨한 표정으로 빙긋이 미소를 지었다.

"내 침상 머리에 서서 눈을 깜빡이면서 나를 바라보더군요."

김의안은 말을 받지 않고 춘미 공주에게 가까이 다가가 앉았다. 눈길이 미치는 곳에 궁녀가 한 명도 없었다. 모두들 춘미 공주가 화낼까 두려워 도망친 것 같았다.

"세상에 정말로 귀신이 있다는 겁니까?"

"물론 없지요. 하지만 저는 그녀를 보았어요. 얼굴이 목합 안에 있던 머리와 완전히 똑같더군요."

춘미 공주가 손으로 목에 금을 긋는 시늉을 했다.

"여기에 아직 붉은 줄이 나 있더군요. 목이 베일 때 남은 자국 같았어요."

"공주님 혼자 멋대로 생각한 겁니다."

"멋대로 생각한 게 아니에요."

춘미 공주는 화가 나서 죽일 듯한 눈으로 김의안을 노려보았다.

"손을 뻗기만 하면 얼마든지 그녀를 붙잡을 수 있었다고요."

"그건 공주님의 상상일 뿐입니다."

김의안이 더욱 단호한 어투로 반박했다.

"정말로 손을 뻗었다면 아무 것도 없었다는 것을 확인하실 수 있었을 겁니다."

"하지만 감히 손을 뻗을 수 없었어요."

춘미 공주는 얼굴은 창백하고 눈 아래는 시퍼렇게 변한 모습으로 두 팔로 무릎을 감싸고 있었다.

"그녀도 손을 뻗으면 나를 붙잡을 수 있었을 것이고, 나를 음부로 함께 데려갈 수 있었을 거예요."

"절대로 그럴 수 없었을 겁니다. 공주님이 죽인 것이 아니니까요."

"내가 죽인 거예요. 내가 흑의시위를 시켜서 죽인 거라고요."

"공주님이 아니에요."

김의안이 말했다.

"내가 죽인 겁니다. 내가 한 말이 당신을 격노하게 만들었고, 그래서 그런 일을 벌인 것이니까요."

"내게 경어를 쓰지 않는군요."

춘미 공주가 김의안을 똑바로 쳐다보았다. 한참을 그렇게 쳐다보다가 빙긋이 웃으면서 손으로 입을 가리고 하품을 했다.

"그대는 나를 자기가 부르고 싶은 대로 부르는군요."

그도 웃었다. 두 사람은 함께 백리궁 입구에 있는 무궁화를 바라보았다.

"이곳은 백리궁이라고 불리는데 어째서 무궁화를 심은 건가요?"

"'리(梨)'자가 별로 좋지 않기 때문일 거예요. 하지만 사실 나는 배꽃을 무척 좋아해요. 송이송이 속된 기운에 물들지 않고 청초한 모습을 지니고 있지요. 만개할 때는 눈과 서리가 가지 전체를 누르고 있는 것 같아요. 게다가 기개도 갖추고 있지요. 무궁화 꽃도 흰색이지만 너무 잘아서 아무리 조밀하게 피어도 가지 끝에만 매달려 있을 뿐이에요. 기를 쓰고 아주 힘들게 매달려 있는 모습이지요. 황혼에 꽃이 떨어질 때가 되면 오히려 더 아름답지만 보는 사람들을 슬프게 만들어요."

김의안은 무궁화를 바라보면서 마음속으로 춘미 공주를 달리 생각하기 시작했다. 그는 줄곧 그녀 바둑 솜씨의 출처가 궁금했다. 그처럼 수준 높은 가량은 천재라는 말로만 해석이 가능했다.

그녀의 웃는 모습과 침착함, 대국에 대한 장악이 일반인들은 미치기 힘든 수준이었다. 왕태자가 처음 김의안의 처소를 찾아 차를 마시던 날, 김의린의 제안에 따라 두 사람도 바둑을 둔 적이 있었다. 왕태자는 바둑을 두는 풍격이 호방한 것이 대사로부터 지도를 받은 바 있음을 금세 알 수 있었다. 하지만 몇 수 두자 금세 바닥이 드러났다. 그가 춘미 공주와 대국을 한다면 오십 수 안에 질 것이 분명했다. 김의안은 차분히 상대를 봐주면서 이백 보만에 왕태자를 제압했다.

"피곤해요."

춘미 공주가 소매로 얼굴을 가리며 하품을 하더니 눈물이 글썽글썽한 눈으로 김의안을 바라보며 말했다.

"날이 어두워지면 눈을 감을 수가 없어요."

"가서 자요. 내가 여기서 지키고 있을 테니까."

김의안이 그녀의 머리칼을 가볍게 어루만져주었다. 머리칼이 무척이나 부드럽고 비단처럼 매끄러웠다.

"그녀가 찾아오면 내가 잘못 찾아왔다고 할게요."

"대신 마차를 타고 김씨 부저를 찾아가 그대를 찾으라고 할 건가요?"

춘미 공주가 틈을 주지 않고 물었다.

"네."

"나랑 같이 안으로 들어가요."

몸을 일으킨 춘미 공주가 주저하면서 김의안을 바라보았다.

"여기 앉아 있어가지고는 애당초 그녀를 막을 수 없어요."

김의안이 고개를 들어 춘미 공주를 쳐다보려 했으나 그녀는 이미 몸을 돌려 방 안으로 들어가고 있었다. 김의안은 잠시 망설이며 앉아 있다가 이내 그녀를 따라 안으로 들어갔다.

13

방바닥에 누운 춘미 공주는 그를 쳐다보지도 않고 손바닥으로 자시 바로 옆 바닥을 탁탁 치면서 와서 누우라는 뜻을 표했다. 김의안은 신발을 벗고 고양이처럼 재빨리 다가가 얼굴을 품에 묻고서 한 손은 자신의 목을 감싸고 다른 한 손은 손가락으로 목을 감싼 손과 깍지를 꼈다. 그의 턱이 그녀의 머리 아래 놓였다. 머리칼 사이에서 진한 창포 향기가 퍼져 나왔다. 수초에 몸이 감기는 듯한 느낌이었다.

김의안의 심장이 빨리 뛰기 시작했다. 춘미 공주와 교차된 손가락으로 혈관 속에 피가 세차게 흐르는 소리를 느낄 수 있을 것 같았다. 그녀도 그와 똑같이 긴장했는지 몸이 단단히 말려 있었다. 그는 미동도 하지 않은 채 자신이 솜이나 거대한 잎사귀라고 상상했다. 천천히 춘미 공주의 마음이 안정되면서 몸도 갈수록 가벼워졌다. 김의안의 품 안에서 날아갈 것만 같았다.

그는 고개를 뒤로 젖혀 눈을 내리깔고 그녀를 살펴보았다.

그녀는 잠들어 있었다. 김의안은 자신의 침착함에 놀라움을 금치 못했다. 그의 몸 안에 한 번도 경험하지 못한 감정이 흐르고 있었다. 교착상태가 겹쳤을 때처럼 심경이 점점 명징해졌다.

그에게도 그 여인이 보였다. 정말로 목에 선명하게 붉은 선이 그어져 있었고 침상 머리에 서 있었다. 얼굴에는 표독스런 미소가 걸려 있었다. 김의안은 놀라서 식은땀을 흘리며 갑자기 잠에서 깼다. 품 안의 춘미 공주는 한참 달콤하게 자고 있었다. 그가 몸을 조금 움직이자 그녀는 무의식적으로 그를 꼭 붙잡았다.

김의안은 고개를 들었다 창문이 약간 열려 있어 정원의 일부 풍경이 눈에 들어왔다. 창문 앞에 왕태자와 김의린이 두 사람을 들여다보고 있는 것 같았다. 김의안은 눈앞이 흐릿한 것 같아 다시 눈을 똑바로 뜨고 보니 창문 앞에 있던 사람들은 이미 사라지고 없었다. 노란 옷자락만 번쩍 스쳐지나갔다.

눈이 어지러운 것이 분명했다. 어쩌면 꿈을 꾼 것인지도 몰랐다. 두 사람은 여자 귀신과 마찬가지로 그의 상상일 뿐, 애당초 창문 앞에는 아무도 서 있지 않았다. 김의안은 자신을 위로하며 주의력을 집중하여 춘미 공주의 첩모를 세어보기로 했다.

황혼 무렵 김의안이 백리궁을 걸어 나올 때쯤, 궁문 입구의 내관이 비위를 맞추려는 듯 쪼르르 달려와 말했다.

"저는 예빈시윤 대인과 왕태자, 안찰사 대인께서 함께 나가시는 줄 알았습니다요."

김의안은 아무 말도 하지 않고 수레에 올랐다. 마차가 움직이자 그는 머리를 창가에 기댔다. 마음이 갈수록 진해지는 황혼을 따라 점점 창망해졌다.

14

김의린은 툇마루 위에 서서 김의안이 문을 지나 다가오는 것을 바라보고 있었다.

"다녀왔습니다."

김의안이 가볍게 허리를 숙여 인사를 했다. 자신의 몸에서 특별한 냄새가 날까 두려워 감히 김의린에게 가까이 다가가진 못했다.

"그래, 수고했다."

김의린이 담담한 태도로 대답하고 나서 두 사람은 한동안 침묵에 잠겼다.

"왕궁에서 하루 머물다 왔더니 힘이 드네요."

김의안이 눈을 들어 김의린를 바라보았다. 그의 얼굴에는 아무런 표정도 없었다.

"좀 쉬었다가 저녁 먹자."

"네."

김의안은 서원으로 가면서 김의린의 눈빛이 자신의 등에 뜨겁게 꽂히는 것을 느꼈다. 참지 못하고 뒤를 돌아보니 자신이 상상했던 것과는 달리 김의린은 뒷짐을 지고 등을 돌린 채 자기 신발을 내려다보고 있었다. 키가 커서 머리가 잘 숙여지지 않는 모양이었다. 그런 뒷모습에서 말할 수 없는 적막감이 느껴졌다. 김의안은 잠시 멍청히 서 있다가 이내 몸을 돌려 돌아왔다.

방에 돌아온 김의안은 겉옷을 벗고 머리를 옷 안에 집어넣은 채 힘껏 냄새를 맡았다. 자신의 상상인지 모르지만 정말로 향기가 느껴졌다. 그는 또다시 자신의 품 안에 몸을 둥글게 말고 꼭 안겨 있던 춘미 공주의 모습을 생각했다. 시의에 맞지는 않았지만 강한 희열이 벼락처럼 몸을 꿰뚫고 지나갔다. 몸이 몹시 떨렸다.

15

그는 춘미 공주가 언제 깼는지 알 수 없었다. 당시 그의 머릿속에는 온통 왕태자와 김의린뿐이었다. 두 사람은 왜 갑자기 백리궁을 찾았던 것일까? 자신을 찾아온 것일까 아니면 김의린과 춘미 공주의 혼사를 결정하러 온 것일까? 만일 그렇다면 김의린이 자신과 춘미 공주의 모습을 보았을 텐데, 어째서…….

"뭘 생각하고 있어요?"

김의안은 고개를 숙여 흑백이 선명한 춘미 공주의 눈을 바라보다가 깜짝 놀라고 말았다.

"깼어요?"

"네."

춘미 공주가 고개를 끄덕이며 일어나 앉아 함께 몸을 일으킨 김의안을 쳐다보며 물었다.

"무슨 생각을 하기에 그렇게 넋이 나가 있는 거예요?"

김의안은 울지도 못하고 웃지도 못할 기분이었다. 춘미 공주는 한 시진(時辰 : 두 시간)쯤 지고 나더니 두려운 일들을 전부 잊었는지 다시 모든 일에 호기심을 느끼는 공주로 변해 있었다. 정신도 무척 활발해진 모습이었다.

"……여자 생각해요?"

김의안은 꿈에서 본 그 여자가 생각났다.

"그래요."

"정말로 여자를 생각하고 있었다고요?"

"네."

"그대가 감히……."

춘미 공주가 손을 들어 그의 뺨을 때렸다. 분노로 인해 크게 부릅뜬 눈이 너무나 동글동글했다.

"그대가 어떻게 감히 그럴 수 있는 건가요?!"

"공주님을 생각하고 있었어요."

김의안의 한마디에 춘미 공주는 잠시 멍한 표정을 지었다. 그러더니 이내 표정이 여러 번 바뀌었다.

"정말 담이 크군요."

그녀의 입은 아직 매서웠지만 얼굴은 잘 익은 사과 같았다.

"날 생각했다고요? 나의 무엇을 생각했지요?"

김의안은 말을 하지 않았다. 몸을 움직이지도 않았다. 그의 욕망이 뱀처럼 복잡한 사유 속에서 두서를 잡더니 그의 몸을 벗어나 바로 앞에 서 있는 부드럽고 향기로운 몸을 향해 나아가려는 시도를 시작했다.

"가야 할 것 같군요……."

김의안은 자신의 쉰 목소리를 들었다. 춘미 공주는 말을 하지 않았다. 갑자기 그의 태양혈이 뛰면서 입과 혀가 마르기 시작했다.

"왜 안 가요?"

춘미 공주의 위협이 격려처럼 들렸다. 김의안은 머리가 어지러웠다. 그녀가 더 무서운 말을 할까봐 두렵기라도 한 것처럼 얼른 다가가 그녀의 입술을 막았다. 그녀의 입술은 부드러웠다. 꽃잎 두 조각 같았다. 평소에 그녀가 보였던 강인한 모습과는 너무나 달랐다. 그는 마음속으로 춘미 공주가 입은 딱딱하지만 그만큼 얼음처럼 순정하다고 생각했다.

그녀의 치마는 여러 겹으로 되어 있었다. 그의 손이 부지런히 헤집어 한참이나 힘을 쓰고 나서야 간신히 원하는 곳에 닿을 수 있었다. 그녀의 살결은 매끄러우면서 차가웠다. 가운데가 너무 많은 수분에 젖어 있었다. 그는 어떨 결에 자신의 손가락이 또 다른 비단 천을 비집고 들어가는 것을 느꼈다.

16

김의안은 김의린과 함께 저녁을 먹고 싶지 않았지만 적당한 핑계가 떠오르지 않았다. 목욕을 하고 옷을 갈아입은 다음 찬실(餐室)로 가보니 김의린은 이미 자리에 앉아 있고, 밥상도 이미 차려져 있었다.

"죄송합니다. 늦었습니다……."

김의안은 간단히 인사를 던지며 자리에 앉았다. 김의린이 고개를 끄덕이며 하인에게 술을 따르라고 분부했다.

"우리 오늘 기분 좋게 한잔 하자꾸나."

김의안의 주량은 김의린에게 미치지 못했다. 이전에 부친이 살아계실 때도 큰아들만 술자리에 배석하게 했다. 하인이 술을 잔에 가득 따랐다.

"자, 건배."

김의린은 술을 권하는 동작과 함께 단숨에 자신의 잔을 비웠다.

"건배."

김의안도 하는 수 없이 잔을 들어 비웠다. 하인이 또 잔에 술을 가득 따라주었다. 연거푸 세 잔을 비우자 김의안은 배 속에서 술기가 거세게 요동치는 것을 느꼈다. 이내 몸 전체가 가볍게 뜨는 기분이었다.

"전 더 못 마시겠어요."

그가 김의린을 향해 손을 내저었다.

"전 줄곧 주량이 형편없었거든요."

"아니야, 넌 마실 수 있어."

김의린이 웃으면서 또 잔을 들라는 신호를 보냈다.

"누가 너더러 술을 못 마신다고 하더냐?"

김의안은 더 마시다가는 취하고 말 것이라는 사실을 잘 알고 있었지만 억지로 잔을 드는 수밖에 없었다. 소매가 얼굴을 가리는 순간, 그는 몰래 술을 흘려버리고 싶었지만 이런 유혹은 순간적으로 스쳐 지나가버렸다. 그는 술 석 잔을 더 배 속으로 흘려보냈다. 김의린이 하인들을 내보내자 다섯 장의 화문석이 깔려 있는 찬실에는 그들 형제 두 사람만 남게 되었고 분위기는 일시에 썰렁해졌다. 머리가 약간 어지러웠던 김의안도 정신이 들었다.

"오늘 왕궁에 가서 왕후를 만나고 왔다."

김의린이 말했다.

"나와 춘미 공주의 혼사를 얘기하기 위해서였지."

김의린의 말이 마치 온몸에 물을 한 바가지 흠뻑 끼얹는 것 같았다. 취기가 상당히 가셨다.

"내가 그녀의 새 부마야."

"춘미 공주는 기꺼이 형님에게 시집올 겁니다. 그녀가 형님을 경모한지 오래니까요."

김의안이 말했다. 김의린이 그를 바라보니 거짓말을 하고 있는 것 같지는 않았다.

"처음 백리궁에 갔을 때 그녀가 제 입으로 그렇게 말했어요."

김의안은 김의린의 눈길을 받아들이며 두피가 꼿꼿이 선 채 말을 이었다.

"저를 예빈시윤으로 옆에 둔 것도 의린 군의 얼굴을 닮았기 때문이라고 하더군요. 그녀는 형님이 백리궁으로 자신을 만나러 와 주기를 기대했지요."

"그런 일이 있었더냐?"

김의린이 빙긋이 웃으며 말을 이었다.

"어째서 일찌감치 말해주지 않았느냐?"

"그때는 부마가…… 그러니까 전임 재상 대인의 아들이 춘미 공주와 혼약을 맺은 터라 춘미 공주의 신분이 존귀하긴 하지만 모든 것을 마음대로 할 수 있는 것도 아니기 때문이었지요."

"맞는 말이야."

김의린이 말했다.

"누구도 모든 것을 자기 맘대로 할 수는 없지. 왕태자와 춘미 공주, 그리고 너와 나도 마찬가지다."

김의안은 두피가 마비되는 것 같았다. 문득 그 무기와 정분이 돈독해졌을 때 두 사람이 굳은 맹세를 하면서 서로를 버릴 경우에는 '피를 석 되나 쏟고 입에서 바늘 천 개를 토하게 될 것'이라고 말했던 것이 생각났다. 지금 그는 정말로 피를 석 되나 쏟고 입에서 천 개의 바늘을 토해내지 못하는 것이 한이었다.

"오늘 백리궁에서 너를 깜짝 놀라게 했지?"

김의린이 물었다.

"하지만, 너도 나를 적지 않게 놀라게 했어……. 너와 춘미 공주가 그렇게 친근한 줄은 생각도 못했구나."

친근하다고? 김의안은 마음속으로 소리 없이 탄식했다. 서로 살을 맞대긴 했지만 그는 아직도 춘미 공주가 자기를 어떻게 생각하고 있는지 알지 못했다. 그녀는 김의린을 좋아하면서도 마지못해 자신을 받아들이고 있는 것 같았다. 그녀는 대체 나를 어떻게 생각하는 걸까? 김의린의 몸을 대신하는 걸까?

"세상에 귀신이 있다고 믿으세요?"

김의안이 물었다.

"귀신이라니?!"

김의린은 이해할 수 없다는 듯한 표정으로 김의안을 바라보았다.

"바로 그 재상 대인의 아들을 좋아했던 가기 말입니다."

김의안이 말했다.

"춘미 공주는 밤새 잠을 자지 못했다고 하더군요. 계속 그 가기가 꿈속에 나타나 침상 머리에서 자신을 보려보고 있었대요."

"그건 그저 그녀의 상상일 뿐이야."

"저도 그렇게 얘기했습니다. 하지만 저도 꿈속에서 그녀를 보았어요. 춘미 공주가 말한 것과 똑같더군요. 목에 붉은 줄이 남아 있었습니다. 목을 벨 때 남은 흔적인 것 같더군요."

"정말 황당하구나."

김의린이 웃었다.

"황당하지만 사실이에요."

김의안이 김의린을 바라보며 말을 이었다.

"저도 놀라서 깼어요. 그러고 나서 형님과 왕태자를 보았지요."

김의린은 말을 받지 않았다.

"나는 세상에 귀신이 있다고 믿지 않는다. 마음속에 귀신이 있기 때문에 귀신이 보이는 거야. 그런 얘긴 그만 하고 술이나 마시자꾸나."

김의안이 술잔을 비우자 뜨거운 덩어리가 '꾸르륵' 소리와 함께 위 속으로 쏟아져 내렸다.

17

우기가 찾아온다더니 정말로 장마가 시작되었다.

여름이 끝나고 초가을로 들어서는 무렵인데 땅의 기운이 여름내내 쏟아진 더위를 축적하여 오래 참고 있다가 뜨거운 숨결을 토해내기 시작했다. 이럴 때 내리는 비는 성정이 포악하여 바람도 거셌다. 빗줄기가 청석판을 두드리는 소리가 사람들의 마음을 서늘하게 했다. 빗물의 습기 속에 음랑한 기운이 섞여 있었다.

한 차례 비가 내리고 나면 대나무 잎이 우수수 땅바닥에 떨어졌다. 비가 여러 번 내리고 나니 대나무 잎은 땅에 두텁게 쌓였고, 이와 동시에 새로 난 대나무 가지들이 바람에 이는 불꽃처럼 미친 듯이 빠른 속도로 자랐다.

김의안은 자신이 대나무 같다는 생각이 들었다. 마음은 비어 있는데 생각은 미친 듯이 빠르게 성장하는 대나무 가지 같았다. 중심점을 찾지 못하니 더더욱 빨리 자라는 것이다.

춘미 공주가 내관을 보내 그를 몇 번 찾았지만 그는 풍한에 걸렸다는 핑계로 응하지 않았다. 그녀를 만나기 싫은 것이 아니라 감히 만날 수 없었던 것이다. 개인적으로는 마음속에 춘미 공주를 만나 형에 대한 미안함을 표현하고 싶은 생각도 있었다. 내관이 왔다가 돌아갈 때마다 그는 항상 김의린을 생각했다. 김의린은 왕궁 출입이 자유로웠다. 그는 내관이 왜 찾아왔는지 모르지 않았다. 하지만 김의안은 김의린의 표정에서 어떤 특별한 기색도 읽지 못했다. 그는 집에서 저녁 식사를 하는 일도 거의 없었고 한밤중이 되어서야 집에 돌아오곤 했다.

김씨 부저에는 눈에 보이지 않는 강이 한 줄기 흐르는 것 같았다. 그는 강의 이쪽에 있고 김의린은 강 저쪽에 있었다.

김의안은 이럴 때 비가 오기를 간절히 기대했다.

적어도 정원이 저렇게 텅 빈 느낌만은 없었으면 했다.

18

모든 것이 모호한 채로 많은 날들이 지나갔다. 어느 날 저녁 무렵 춘미 공주가 김의안의 눈앞에 나타났을 때 그는 자신이 꿈을 꾸고 있다고 생각했다.

그녀를 데리고 온 두 명의 하인이 예를 갖추고 나서 떠나려 하는 순간, 그들의 눈빛에 담긴 의문이 김의안에게 눈앞에 벌어지고 있는 일이 얼마나 이상한 일인지를 말해주고 있었다.

"의안군이 아주 심한 감기에 걸려 목숨이 위태롭다는 소문이 파다합니다."

춘미 공주가 잔뜩 긴장한 얼굴로 말했다.

"하지만 난 믿지 않았어요. 한번 직접 와서 보지 않고는 믿을 수 없었지요."

"어떻게…… 궁을 나오신 겁니까?"

김의안은 다리가 풀려 잠시 몸을 일으키지 못했다.

"제가 의린군에게 데리고 와달라고 했지요."

춘미 공주가 삿갓을 벗으며 말했다.

"댁의 하인들이 사람을 제대로 알아보지 못하더군요. 방금 나를 황태자 전하라고 부르더군요. 제가 왕태자랑 닮았나요?"

김의안의 마음이 바위에 던져진 계란 같았다. 마음의 즙액이 사방으로 튀는 것 같았다. 그는 그녀가 걸친 남장을 위아래로 훑어보았다. 이럴 때는 울어야 하는지 웃어야 하는지 가늠할 수 없었다.

"날 그렇게 멍청하게 바라보는 의도가 뭔가요?!"

김의안이 아무 말도 하지 않는 것을 보고 춘미 공주가 화를 냈다.

"정말 병이 난 건가요? 표정이 정말 이상하군요?!"

"안으로 들어가 차나 한잔 하시지요."

김의안이 한숨을 내쉬면서 몸을 일으켜 춘미 공주를 방 안으로 안내했다.

춘미 공주는 표정이 밝지 않았다. 하지만 방 안으로 들어서 사방을 둘러보더니 이내 얼굴이 밝아졌다.

"그대의 방은 마치 승방 같군요."

김의안은 아무 말도 하지 않았다.

"곧 싸움이 시작된다고 하더군요. 청나라가 변방에 병력을 모으고 있대요. 왕궁에서는 모두들 불안해하고 있지요. 부왕께서도 몸이 편치 않으세요."

춘미 공주는 가볍게 한숨을 내쉬었다.

"지금은 모든 일을 모후에 의존하고 있습니다."

"……."

"왜 한마디도 하지 않죠?"

춘미 공주가 물었다.

"내가 얼마나 많은 우여곡절을 거쳐서 간신히 궁에서 나왔는지 알아요?"

"듣자하니 우리 형에게 시집가신다고 하던데 맞나요?"

"내 그럴 줄 알았어요."

김의안을 쳐다보는 춘미 공주의 얼굴이 점점 붉어졌다.

"감기는 어디서 걸린 거예요."

"축하드려야겠네요. 줄곧 우리 형을 좋아했으니까요."

"저는 의린군을 좋아했어요. 하지만 의안군도 좋아했지요. 의린군과 함께 살고 싶기도 하고 의안군과 함께 있고 싶기도 했어요."

춘미 공주는 숨이 찬 듯 숨을 헐떡거리며 말했다. 김의안은 말이 없었다.

"또 나를 경박하다고 욕하겠죠?"

"정말 경박하군요."

김의안이 한숨을 쉬며 말했다. 춘미 공주는 화난 눈으로 그를 쳐다보았다. 그가 그녀에게 손을 내밀었지만 그녀는 뿌리쳤다. 다시 손을 내밀었지만 이번에도 뿌리쳤다.

"경망스런 여자는 사람을 짜증나게 만드나요?"

그녀가 눈을 크게 뜨고 말했다.

"나는 당신의 경박함이 정말 싫어요."

김의안이 말했다.

"이렇게 경박한 여자가 또 우리 형의 약혼녀이니 내가 앞으로 당신을 어떻게 대해야 할지 모르겠군요."

춘미 공주는 얼굴이 창백해지면서 획 몸을 일으켜 밖으로 나가버렸다. 김의안은 생각할 겨를도 없이 손을 뻗어 그녀를 붙잡았다. 그녀는 몸의 중심을 잡지 못해 미끄러지면서 그의 품 안으로 넘어졌다. 김의안은 너무 급하다 보니 춘미 공주의 옷 매듭을 찾지 못해 옷을 찢고 말았다. 그녀가 비명을 지르자 김의안은 온몸이 떨렸다. 몸 안 강줄기의 제방이 무너져 사방으로 물이 퍼져가는 것 같았다. ……그는 춘미 공주의 몸 안을 마음껏 뛰어다니는 동안 김의린이 생각났다.

"응보를 받게 될 거야."

그가 자신을 향해 말했다.

다음 날 김의안은 하인들이 일어나기 전에 간단한 물건들을 챙겨 집을 나섰다. 공기가 차갑고 안개가 짙었다. 그는 저잣거리에서 반나절이나 기다려 간신히 사람 그림자를 발견했다. 마차를 한 대 빌린 그는 서둘러 길을 떠났다. 국도를 하루 하고도 반나절을 달린 그는 다시 반나절 동안 산을 올랐다. 이속사에 도착하여 뒤를 돌아다보니 석양이 화려한 외투처럼 서쪽 하늘 위로 내려앉고 있었다.

홍진이 만장이었다. 눈물이 김의안의 시야를 흐렸다.

19

수심(水心) 대사는 깡마른 노인이었다. 표정이 온화한 그는 하얗게 빤 승복을 입고 있었다. 매일 점심식사를 마치면 그는 탁자에 종이를 펼쳐놓고 가느다란 붓으로 기보(棋譜)를 그렸다. 머리를 허리에 감추고 있는 듯한 그 모습이 마치 새우 같았다. 김의안은 축 처진 기분이었지만 이런 모습을 참지 못하고 미소를 보였다. 사원에서 보낸 지 한 달이 다 되어가지만 수심 대사와 그가 대국을 벌인 적인 한 번도 없었다.

김의안이 외로움을 참지 못하고 여러 번 찾아가 보았지만 수심 대사는 미소를 지으며 좀 더 기다려도 늦지 않는다는 말만 되풀이했다. 수심 대사의 몸에 있는 모든 것들이 낡고 오래된 것들이었지만 눈빛만은 나이답지 않게 극도로 맑고 날카로웠다. 김의안은 수심 대사가 단번에 자신의 마음을 꿰뚫고 있다고 생각했다.

이속사의 정원에는 보기 드물게 붉은 무궁화가 한 그루 있었다. 수령이 이미 삼백 년이 넘는다고 했다. 지금은 꽃 피는 시절이 아니었다. 황혼 무렵 김의안은 이 무궁화를 바라보면서 여름 내내 매일 황혼이 질 때마다 무궁화가 핏빛으로 떨어져 내리는 광경을 상상했다. 이 얼마나 처연하고 서글픈 장면인가.

20

전쟁 소식은 아주 오랜 시간이 지나서야 이속사에 전해졌다.

다시 한동안 시간이 지나 왕궁의 흑위시위들이 하늘이 내려 보낸 군사들처럼 이속사에 나타났다.

김의안은 그들과 함께 돌아갔다. 그들이 어떻게 자신을 찾았는지 아무도 말해주지 않았고 전쟁의 상황을 말해주는 사람도 없었다. 흑의시위들은 말을 금으로 여겼다.

나중에서야 김의안은 그간의 사정을 듣게 되었다.

곧 다가올 전쟁에 관해 안찰사 김의린은 가장 먼저, 가장 완고하게 주전파의 대표로 나선 인물이었다. 김의안은 자기 형의 춤추는 듯한 언어의 창극이 미치는 곳마다 적들이 쓰러지듯이 문무 양쪽 관원들 사이를 오가면서 점차 열을 내면서 밝게 빛나는 것을 상상할 수 있었다.

"피할 수 없는 두 가지 문제가 있습니다. 하나는 우리가 무엇을 위해 싸우느냐 하는 것이고 또 하나는 실패보다 두려운 것이 무엇인가 하는 겁니다."

김의린은 폭죽처럼 문무관원들 앞에 질문을 던지고 나서 대신들의 눈빛을 살폈다. 누가 전쟁에 불을 붙이는지 판단하려는 것 같았다.

"실패가 치욕스러운 것이 아니라 싸우지도 않고 패하는 것이 치욕스러운 겁니다."

그는 자신의 안찰사 신분을 포기하고 보통 문관의 신분으로 백성들의 생명을 보호하고 고통에서 구해주겠다고 호언했다. 김의린의 이런 태도는 너무나 뜻밖이었다. 이미 새 부마인 그가 어째서 변방에 나가 고생을 사서 한단 말인가? 혹시 그저 충의의 모습을 보이는 것으로 국왕의 환심을 사려는 것은 아닐까 하는 의심을 품는 사람도 있었다.

김의린이 강개하고 격앙된 태도와 목소리로 군중의 민족적 기질을 환기시키려 애쓰는 것과는 대조적으로 왕태자는 나약한 모습을 보이며 얼굴이 남처럼 굳어졌다. 그의 눈길은 김의린의 거동을 따라 이리저리 움직였다. 비둘기가 땅바닥에서 먹이를 쪼아 먹듯이 김의린의 입에서 떨어지는 모든 말에 정신을 집중하고 있었다. 마침내 그가 국왕에게 자신이 직접 전선에 나가 진지를 감독하고 병사들의 사기를 높이겠다고 하자 수많은 사람들이 뜻밖이라는 반응을 보였다.

김의안은 그동안 김씨 부저에 등불이 환하게 밝혀져 있었고 문 앞에 거마의 행렬이 긴 강을 이루었었다는 얘기를 들었다. 전쟁을 주장하는 무관과 문관들이 당 안에 모여 큰 소리로 의론을 벌이는 소리가 항상 바람에 실려 담장 밖으로 전해졌다고 했다.

왕태자는 매일 저녁 김씨 부저를 찾았고 수많은 관원들이 그를 향해 김의린의 옹호자가 되어주었다. 집사의 말에 따르면 김씨 부저를 드나드는 관원들의 눈빛이 무척이나 편안하고 이야기와 웃음이 한데 어우러져 있어 곧 다가올 것이 전쟁이 아니라 공전의 성황을 이루는 명절이 아닌가 하는 착각을 일으킬 정도였다고 한다.

주전파의 세력은 점차 확대되었고 마침내 국왕도 설복되어 청나라의 침략에 반격하기로 결정했다. 김의린은 바라던 바대로 무관의 신분을 얻었고 관함은 전봉병마절도사였다. 여러 사람들이 제각기 다른 감정과 색채로 김의안에게 김의린이 은으로 만든 갑옷과 투구를 몸에 입은 뒤의 모습이 얼마나 영용하고 빛났는지 묘사했다.

물론 김의안은 병력의 절반이 출정 직전에 모집되었다는 얘기도 들었다. 보름 동안에 그들은 손에 익은 농기구를 다루듯이 자유자재로 무기를 사용하는 방법도 배우지 못한 채 병력의 꼬리에 붙어 전장으로 달려갔다.

21

전쟁에 졌다. 결과는 예상했던 것보다 참열했다. 추석이 지나고 오래지 않아 김의린은 강화도에서 한성부로 압송되었다.

김의안은 흑위시위들에 의해 부저로 돌려보내졌다. 그는 들것에 실려 흰 천으로 덮여 있는 것이 김의린이라는 사실을 알았다. 모든 사람들의 눈빛이 그에게로 집중되었다. 그들 모두 그가 돌아오기를 기다리고 있었다. 김의안은 최대한 용기를 내서 흰 천을 걷어냈다. 장내가 일시에 혼란스러워졌다. 날카로운 비명을 지르는 사람도 있고 갑자기 옆에 있는 사람을 껴안는 사람도 있었다. 일시에 몸을 주체하지 못하고 땅바닥에 주저앉아 토악질을 해대는 사람, 몸을 돌려 달아나는 사람도 있었다. 흑위시위들만 평소와 같은 표정으로 말없이 서 있었다.

김의린은 이미 김의린이 아니었다. 다 타버린 나무토막이라고 하는 것이 더 적당한 표현이었다. 김의안은 다른 사람들처럼 마음대로 울부짖고 토악질하고 옆에 있는 사람을 껴안고 싶었다. 심지어 아예 자리를 벗어나고 싶기도 했다. 그는 온몸을 떨었지만 이상하게도 머릿속은 맑기만 했다. 그는 어디에도 갈 수 없었다. 이 자리에 멍하니 서 있는 것이 그의 직책의 소재였다.

김의린은 김의린이 아니었지만 김의린은 여전히 김의린이었다. 김의린은 이렇게 옆으로 누워 있었다. 전쟁과 죽음이 단번에 아주 먼 곳에서 가까운 곳으로 끌려와 살과 피가 되어 아주 장렬한 모습으로 바로 눈앞에 누워 있는 것이었다. 김의안은 울음소리가 빗소리처럼 사방으로 떨어지는 것을 들었다.

왕태자는 이번에는 김의린과 함께 있지 않았다. 그는 인질이 되어 일부 수행 관원들과 함께 심양(沈陽)의 역관에 구금되어 있었다.

사나흘에 한 번, 사절이 왕태자를 만나러 가기 위해 역관으로 출발했다. 돌아온 사절이 가져온 소식에 의하면 현재 왕태자의 상태가 몹시 걱정스럽다고 했다.

왕궁 안의 형세는 무척 복잡했다. 왕후는 최대한 왕태자를 귀국시키기 위해 청나라의 화의 조건을 전부 받아들였다. 아울러 자신의 사촌을 신임 재상으로 임명했다. 임명이 공포된 다음 날, 재상 대인은 관복을 입고 김씨 부저를 찾아 망령에게 제사를 올렸다.

22

재상 대인의 방문으로 인해 김씨 부저는 여러 날 동안의 적막에서 벗어나 다시 시끌벅적해졌고 조문을 하러 찾아오는 사람들의 행렬이 끊이지 않았다. 출정 직전 관원들의 강개와 격앙과는 사뭇 달리 영당을 드나드는 사람들의 얼굴은 하나같이 침울하고 엄숙하기만 했다. 몸을 움직일 때마다 사삭 비단 관복이 스치는 소리만 들릴 뿐, 아무 소리도 들리지 않았다. 바닥에 바늘 하나 떨어지는 소리도 다 들릴 정도로 고요했다.

"너무 상심하지 마시고 변고를 그냥 받아들이세요."

모두들 김의안을 위로했다.

"와주셔서 정말 감사합니다."

김의안은 고개를 숙여 맞절을 하면서 김의린이 부모님의 영당에서 보였던 자세를 떠올렸다. 그는 자신의 자세가 형처럼 공손한지 알 수 없었지만 목소리만큼은 상당히 진지하고 간절하리라 믿어 마지않았다. 김의안은 현재 자신의 신분에 대해서도 완전히 적응하지 못하고 있었다. 영당 앞에 누워 있는 몸을 믿을 수 없는 것과 마찬가지였다. 김의린의 몸은 포격을 맞아 다 타버려 저런 모습이라고 했다.

김의린의 죽음으로 적을 떨게 했던 기세도 조용히 관에 덮였다. 보검이 칼집에 들어가듯이 모든 사람들의 마음이 안정되어 갔다. 사람들 모두 진심에서 우러나오는 슬픔을 드러냈다.

국왕은 전봉병마절도사가 산화한 장거를 표창하기 위해 김의린에게 시호와 함께 상을 내렸다. 전에는 얼굴도 보지 못했던 관원들이 줄줄이 조문을 위해 찾아왔다.

장례는 한 달이나 지속되었고 황도길일을 택해 김의린을 안장했다. 그의 무덤은 부모님 묘소의 뒤편에 마련되었다. 관위의 등급에 따라 김의린의 분묘는 부모의 분묘보다 좀 더 크게 조성되어 드높은 기세를 과시했다.

장례가 다 끝나고 김의안은 형의 분묘 앞에 잠시 혼자 앉아 세 기의 분묘를 바라보았다. 앞에 두 기가 있고 뒤에 한 기가 조성되어 안정적인 삼각형을 이루고 있었다. 김의안은 한참을 생각에 잠겨봤지만 장차 자기가 묻힐 적당한 위치가 떠오르지 않았다.

부저로 돌아왔을 때는 이미 어둠이 내리고 있었다. 방 안은 컴컴했다. 숨을 쉬는 거대한 짐승 같았다. 김의안은 동원을 둘러보고 나서 툇마루에 올랐다. 이어서 열린 창문을 따라 서방 쪽을 바라보았다. 순간 모골이 송연해졌다. 서방 안에서 누군가 소복 차림으로 차를 마시고 있는 것이었다. 김의린이 아닐까?

그의 손이 떨렸다. 여러 번 잡아당겨서야 간신히 문을 열 수 있었다. 방 안에 어떻게 사람이 있을 수 있단 말인가? 흰 국화만 활짝 피어 있을 뿐이었다. 만추에 피는 이 국화는 가지가 길고 꽃도 무척이나 컸다. 김의안은 과거에 이 국화를 몇 가지 꺾어 코 밑에 대봤지만 향기도 나지 않았고 쑥처럼 친근하지만 매콤한 냄새도 나지 않았다.

김의안은 국화를 방으로 가지고 들어와 화병에 꽂은 다음 회목 향편을 피워놓고 잠을 청했다. 한참이 지나 그는 다시 몸을 일으켜 향편 가까이 다가가 힘껏 향기를 들이마셨지만 역시 아무런 향도 나지 않았다.

그제야 그는 자신이 후각을 잃었다는 사실을 깨달았다.

23

왕자 몇 명이 신분의 틀을 내려놓고 빈번하게 문무 관원들과 감정의 교류를 유지하고 있었다. 김의안도 그 가운데 두 명과 왕래가 있었다. 그들은 외모가 영준했고 태도가 겸손하고 온화했으며 언행도 신중했다. 두려운 것이 있다면 남들이 자신들의 야심을 감지하는 것과 자신들의 특별한 마음 씀씀이를 제대로 이해하지 못하는 것이었다.

김의안은 그들을 통해 춘미 공주에 관한 소식을 들을 수 있었다. 몇 번인가 하고 싶은 말이 목구멍까지 밀려왔지만 다시 삼켜 버렸다. 연달아 두 명의 부마가 죽었으니 그녀의 세월이 평안할 리가 없었다. 김의안은 처음으로 백리궁을 떠날 때, 그녀가 툇마루에 서서 말없이 자신을 바라보던 모습이 생각났다. 흰옷 차림의 작은 그림자가 거대한 날개 같은 지붕을 가진 집에 뭉개지고 있었다.

국왕은 숨이 남아 있긴 했지만 이미 썩은 고목이나 마찬가지였다. 아침 조회에도 나오지 못할 정도였다. 대신 왕후가 수렴청정하고 있었다. 몇몇 왕자들은 미묘한 표정을 지었고 문무백관들은 심사가 복잡했다.

추석이 지나고 얼마 있지 않아 김의안은 갑자기 안찰사로 임명되었다. 땅바닥에 무릎을 꿇고 감은의 인사를 올릴 때, 사방에서 수군거리는 소리가 수파처럼 기복하는 것을 들을 수 있었다. 그는 두 손으로 관인과 관모, 관포(官袍), 관혜(官鞋)를 받고는 마음속으로 기쁨을 감추지 못했다. 자홍색 관포는 춘미 공주가 친히 궁중으로 초청하는 서신이 아니었던가?

그날 저녁 재상 대인이 연회를 베풀고 그를 초대했다. 초대를 받은 사람은 전부 신임 관원들로서 맡은 바 책임은 무겁고 갈 길은 멀었다. 하지만 그 자리에서 국사 대사에 관한 얘기는 한마디도 나오지 않았다. 재상 대인이 하는 얘기는 전부 허물없는 말들이었다. 우선 친밀한 관계를 수립한 다음에 다른 생각을 얘기하려는 의모가 분명했다. 김의린을 거론하면서 그는 진심에서 우러나는 감개를 밝혔다.

"정말 대단한 인물이었지."

김의안은 재상 대인이 무슨 근거로 그런 말을 하는지 알지 못했지만 그냥 고개를 끄덕이는 수밖에 없었다.

부저로 돌아오니 이미 밤이 깊어 고요하기만 했다. 청석판을 밟는 말발굽 소리만 따각 따가닥 울려 퍼졌다. 김의안은 술을 마신 탓에 머리가 어지러웠다. 재상 대인과 한자리에서 얘기를 주고받고 나니 천지가 온통 달빛이었다. '정말 대단한 인물이었지'라는 한마디가 그의 뇌리에 깊이 들어와 박혔다.

부저의 집사가 문 앞에 나와 기다리고 있었다. 김의안은 그의 손을 붙잡고 마차에서 내리면서 참지 못하고 한마디 물었다.

"자네 손이 왜 이렇게 차가운가?"

"귀한 손님께서 와 계십니다."

집사가 귓가에 대고 속삭였다.

김의안은 몸을 부르르 떨었다. 술이 완전히 깼다. 몸을 돌려 보니 과연 마차 한 대가 담장의 희미한 그림자 속에 감춰져 있었다.

"동원에 계십니다."

잡사가 앞장서서 길을 안내했다.

김의안은 빠른 걸음으로 집사 뒤를 쫓았다. 배 속에서 뜨거운 기운이 분출되어 나왔다. 화포에 불을 붙인 것처럼 술이 몸 구석구석을 돌고 있는 것 같았다.

동원 문 앞에 이르자 집사는 눈치 빠르게 걸음을 멈췄다.

"분부하실 일이 있으시면 언제든지 부르십시오."

김의안이 고개를 끄덕이더니 집사가 몸을 돌려 돌아가는 것을 확인하고는 불이 켜져 있는 방을 향해 달려갔다.

"춘미 공주……."

왕태자는 서방에 앉아 있었다. 전화의 세례를 받은 탓인지 얼굴이 고동색으로 그을어 있었다. 이런 피부색이 과거에는 보기 어려웠던 열정을 더해주는 것 같았다. 김의안이 춘미 공주를 부르는 소리를 듣고서 그는 고개를 돌렸다. 눈길이 아래서 위로 들렸다. 마침내 눈길이 새로 입게 된 그의 관포 위에 멈췄다.

김의안은 몸을 움직이지 않았다. 자홍색 관복이 불꽃처럼 그를 에워싸고 있었다.

녹차

녹차

1

커피숍 이름은 '격정세월'이었다. 조금 웃기는 이름이었다.

맞은편 남자는 줄곧 담배를 피우고 있었다. 얼굴이 연기에 가려 희미했다. 말도 좀 어눌한 것 같았다. 우팡(吳芳)은 그의 이름을 제대로 듣지 못했다. 하지만 그는 첫눈에 시류에 노출된 그녀의 표정을 읽을 수 있었다. 그의 이름을 기억하고 안 하고는 아무런 관계도 없었다. 이전 남자들과 마찬가지로 두 사람이 함께 한 시간은 한 시간을 넘지 않았다. 그는 말이 무척 적었다. 침묵이 금이었다. 하지만 금이 때로는 사람을 답답하게 할 수도 있었다. 우팡은 머릿속으로 금의 물리적 성질을 따져보았다. 금은 아주 무거운 금속이라 사람들에게 압박감을 주었다. 이 남자도 사람에게 압박감을 주고 있었다.

그는 자신을 너무 과대평가하는 사람이었다. 그녀는 이를 한눈에 알 수 있었다. 우팡은 항상 남자가 먼저 입을 열기를 기다렸다. 그가 말을 안 하니 그녀도 침묵하는 수밖에 없었다. 낯선 남자와 만날 때 가장 괴로운 시간이 바로 서로의 자기를 소개한 다음의 십 분이었지만 이 시간은 금세 지나갔다. 우팡은 이미 두 사람이 헤어진 다음의 상황을 생각하고 있었다. 몇 분이면 잊을 것이 분명했다. 서로 만나지 않은 것과 마찬가지였다.

우팡은 창밖을 바라보았다. 유리 위로 자신의 모습이 어른거렸다. 그녀의 안경이 빛을 약간 반사했다. 안경이 얼굴의 삼분의 일을 차지했다. 머리는 단정하게 빗어 뒤로 묶었다. 그녀의 옷차림 역시 구식이라 남자들이 좋아할만 한 유형이 아니었지만 우팡 자신은 이런 차림을 무척 좋아했다. 구식 옷차림을 하면 마음이 편안해졌다. 종업원이 쟁반을 들고 와 커피를 남자 앞에 내려놓았다. 우팡 앞에는 녹차 한 잔을 놓아주었다. 그는 몸을 똑바로 하고 앉아 커피에 설탕과 크림을 넣었다. 우팡은 찻잔을 바라보고 있었다. 찻잔 안에서 찻잎이 서서히 펼쳐지고 있었다. 뭔가 말을 할 것 같았다. 그가 커피를 한 모금 마셨다. 얼굴에 즐거워하는 표정이 역력했다. 그가 우팡을 힐끗 쳐다보았다.

"이 집 커피 맛 괜찮네요. 한잔 드시지 않을래요?"

"아니에요, 고맙습니다. 전 커피를 별로 좋아하지 않거든요."

"석사이신가요?"

그가 그녀의 말을 끊었다.

"지금 석사 과정을 밟고 있어요."

"전공은 뭔가요?"

"비교문학이에요."

"비교문학이라…… 어떤 문학을 비교하는 거죠?"

우팡이 빙긋이 웃었다. 대답은 하지 않았다. 분위기가 썰렁했다. 우팡은 잔을 들어 차를 한 모금 마셨다. 혀끝이 찻잎의 여린 맛에 닿았다. 남자는 천천히 커피를 마시면서 눈에 띄지 않게 손목 위의 시계를 들여다보았다.

"제 친구가 하나 있는데 커피를 정말 좋아해요. 게다가 집에서 직접 내려 마시는 걸 좋아하지요. 집 안에 커피 냄새가 가득해요."

우팡이 남자의 커피 잔을 뚫어지게 쳐다보면서 천천히 입을 열었다. 그가 고개를 들어 그녀를 바라보았다.

"그녀에겐 전문적으로 커피를 내리는 포트가 있어요. 이렇게 생겼지요. 바닥이 이런 모양이에요."

우팡의 표정이 점점 밝아졌다. 원래 어눌했던 말주변도 갑자기 유창해지더니 손짓까지 더해졌다.

"솔직히 말하자면 전 별로 예쁜 줄 모르겠어요. 하지만 가격을 말하면 정말 믿지 못하실 거예요. 제 두 달 학비를 합친 것보다 더 비싸거든요."

남자는 그녀가 던진 화제에 대해 다소 흥미를 느꼈는지 눈빛이 반짝였다. 젊은 여자가 어디서 그렇게 많은 돈이 날까? 이 문제에 관해 토론하는 것도 아주 재미있는 일일 것 같았다. 하지만 우팡을 주저하게 만든 문제는 이 남자와 그렇게 많은 얘기를 주고받아도 되나 하는 것이었다.

2

우팡은 한 남자가 커피숍을 걸어 나가는 모습을 바라보고 있었다. 그가 입구에서 고개를 들어 쇠를 주조하여 만든 '격정세월'이라는 네 글자를 돌아볼지 궁금했다. 그는 창가를 지나면서 손에 핸드폰을 들고 어딘가에 전화를 걸면서 자신의 얼굴을 가렸다. 그녀는 그가 한창 흥이 올라 있을 때, 화제를 마무리해버렸다. 꽂힌 송이를 확 꺾어버린 것 같았다. 그는 화를 냈다. 표정이 좋지 않았다. 그녀는 속으로 그가 자신을 욕하고 있을 것이라고 추측했다.

그녀는 속으로 웃었다. 그녀 혼자 테이블에 앉아 있었다. 조용히 유리잔을 돌리고 있었다. 유리잔 안에서 찻잎이 천천히 뒤틀리고 있었다. 찻잔 전체가 초록색으로 변했다…….

그녀에게는, 이때가 가장 미묘한 순간이었다.

3

우팡은 천밍량(陳明亮)을 처음 만났을 때부터 그의 이름을 기억했다. 그는 그녀를 즐겁게 했지만 그 자신은 이런 사실을 알지 못했다. 덕분에 그녀의 즐거움은 배가되었다.

우팡과 마찬가지로 사람을 기다리는 여자가 있었다. 그녀는 다소 침울하고 무기력한 모습이었다. 그녀가 잡지 진열대에서 눈길을 위쪽으로 옮기면서 잡지들을 살피는 모습이 우팡의 관심을 끌게 되었다. 그녀는 우팡 쪽으로 눈길조차 주지 않았다. 혼자서 잡지를 테이블 위에 펼쳐놓고 뒤적거리고 있었다. 천밍량은 안으로 들어서자마자 사방을 두리번거렸다. 눈길이 우팡의 몸에 멈췄다가 아주 빨리 다른 곳으로 옮겨갔다. 그는 곧장 잡지를 뒤적거리는 여자에게로 다가가서는 목소리를 가다듬고 자기소개를 했다.

"안녕하세요. 저는 천밍량입니다."

여자는 잠시 멍한 표정을 짓다가 고개를 들어 그를 쳐다보았다.

우팡도 그를 바라보면서 가볍게 "에이" 하고 한마디 내뱉었다. 이를 듣지 못한 천밍량은 그 여자를 향해 다시 한 번 자신을 소개했다.

"천밍량입니다."

여자는 여전히 영문을 모르는 표정이었다. 우팡이 다가가 천밍량을 가볍게 잡아끌었다.

"안녕하세요? 제가 우팡이에요."

천밍량이 몸을 돌려 우팡을 쳐다보았다. 그의 놀란 모습에 우팡이 웃음을 지어보였다.

"우팡이라고 해요."

여자가 반응을 보였다. 여자는 재빨리 우팡을 위아래로 훑어보았다. 물론 우팡의 태도와 표정이 공손할 수 없었다. 그녀는 고개를 들어 천밍량을 한번 쳐다보고는 야유하듯이 웃었다. 천밍량은 풀이 죽은 모습으로 고개를 숙인 채 우팡과 함께 창가 자리에 앉았다. 자리에 앉자 우팡은 정식으로 자신을 소개했다.

"안녕하세요. 저는 우팡이라고 해요."

천밍량이 고개를 끄덕였다.

"아, 안녕하세요?"

"저…… 뭐 드실래요?"

"아무거나요."

그가 사방을 두리번거리다가 눈길이 여자에게 잠시 멈추자 여자가 웃었다. 천밍량이 종업원을 향해 팔을 들어올렸다. 우팡은 그의 팔이 무척 길다는 데 주목했다. 손가락은 바구니를 던질 것 같은 자세로 허공을 잡고 있었다. 종업원이 다가왔다.

"뭐 드릴까요?"

"커피요."

천밍량이 우팡을 힐끗 쳐다보았다. 뭘 마실 건지 묻는 것 같았다. 우팡은 테이블 위의 잔을 가리켰다.

"저는 녹차를 주문했어요."

"잠시만 기다리세요."

종업원은 가볍게 고개를 끄덕이고는 몸을 돌려 되돌아갔다. 두 사람은 마주 보고 앉아 할 말이 없었다. 천밍량이 잠시 생각을 가

다듬다가 막 입을 열려는 순간, 핸드폰 벨소리가 울렸다. 그는 고개를 숙여 핸드폰을 꺼냈다. 옆 테이블에 앉은 아가씨가 먼저 전화를 받았다. "여보세요." 하는 목소리가 너무나 감미로웠다. 우팡과 천밍량은 그녀를 한번 쳐다보고는 다시 침묵 속으로 빠져들었다. 여자는 전화 통화를 마치고 손을 흔들어 종업원을 불렀다. 계산을 하기 위해서였다. 그녀는 잡지를 정리해놓은 다음 자기 물건을 챙겨 자리를 떴다. 천밍량과 우팡 곁을 스쳐 지날 때는 두 사람을 향해 가벼운 미소를 보냈다. 천밍량의 시선이 그녀의 뒷모습을 쫓았다. 그녀가 완전히 시야에서 사라질 때까지 그랬다. 이십 초쯤 지나 그녀는 다시 두 사람 앞에 나타났다. 유리창을 사이에 두고 있었다. 그녀는 두 사람을 향해, 확실히 천밍량을 향해 웃음을 보내고 있었다.

천밍량은 자신의 축 쳐진 기분을 감추지 않았다. 종업원이 커피를 가져왔다. 천밍량은 커피를 마시면서 우팡을 쳐다보았다. 그의 몸은 완전히 풀어져 두 다리가 상대방을 향해 완전히 벌어져 있었다. 커피숍의 백엽창이 햇빛을 가늘게 썰어놓고 있었다.

그는 남들과 같지 않았다. 우팡을 훑어보면서 다른 남자들처럼 먼저 그녀의 외모에 실망하고 그다음에는 경시하는 태도를 보이기보다는 그녀의 외모를 걱정하는 것 같았다. 우팡의 눈길이 천밍량의 몸에서 테이블 위로 옮겨갔다. 녹차가 바로 앞에 놓여 있었다. 햇빛 아래 놓인 녹차는 아주 진한 초록빛이었다.

"제 친구 중에 찻잎으로 점을 칠 줄 아는 애가 하나 있어요."

우팡이 혼자 중얼거리듯이 말했다. 천밍량이 그녀를 쳐다보았다.

"그 애는 사람을 처음 만날 때마다 금세 대략적인 성격과 운명을 알아내곤 하지요."

천밍량이 조롱하듯 웃었다. 하지만 몸은 무의식적으로 귀를 기울이는 듯한 자세를 취했다.

"사실은 저도 그런 말을 완전히 믿지는 않아요."

우팡은 그의 마음을 꿰뚫고 있기라도 한 듯이 가볍게 웃었다.

"우린 서로 안 지 십 년이 넘었어요. 중학교 때부터 더없이 친한 친구였지요. 그런 친구가 갑자기 이런 능력을 갖게 되니 저는 놀라움을 금할 수 없었지요. 그런데 그 애가 다른 사람들만 점을 쳐주고 제 운명은 봐주지 않는 거예요. 그것도 주로 처음 만나는 사람들의 운명만 알아봐주더라고요. 많은 사람들이 그 애의 점이 정확하다고 말하더군요. 적지 않은 사람들이 나중에 가족이나 친구들을 데리고 점을 보기 위해 그 애를 찾아가기도 했지요."

천밍량의 표정이 빠르게 변하더니 결국 힘주어 입을 열었다.

"전 그런 것 안 믿어요."

우팡이 너그럽게 웃었다. 천밍량의 말이 너무 천진하다는 의미인 것 같았다.

"마음대로 편하게 생각하세요."

"저는 그런 걸 믿어본 적이 없어요."

천밍량은 잠시 생각에 잠겼다가 다시 입을 열었다.

"아니면 지금 당장 그 친구를 불러와 봐요. 점괘가 정확하면 저녁에 제가 밥을 살게요."

우팡은 천밍량이 방금 했던 것처럼 팔을 쭉 뻗었다.

"그 애가 종업원인 줄 아세요? 팔만 한번 흔들면 곧장 달려오는 줄 아시나보죠?"

"아마 겁나서 못 올 겁니다. 진실이 드러날까 두려운 거지요."

우팡이 가볍게 웃으며 말했다.

"생각은 자유지요."

"문제는 제가 어떻게 생각하느냐가 아니에요."

천밍량이 몸을 다시 편하데 주저앉히면서 조롱하듯 말했다.

"전 사기꾼을 가장 싫어해요."

"그 애는 사기꾼이 아니에요."

우팡이 마음을 가라앉히며 말했다.

"그 애는 그저 점을 칠 줄 아는 것뿐이라고요."

"그럼 와서 점을 쳐보라고 해요."

천밍량이 탁 하고 전화기를 우팡 앞에 내려놓으면서 말했다.

"그 친구한테 전화해 봐요."

"못 올 게 뻔해요. 지금 외지에 있거든요."

우팡이 빙긋이 웃으며 말했다.

천밍량도 자신만만한 표정으로 웃었다.

"속이는 게 아니라는 뜻이군요?"

우팡이 너그럽게 물러섰다.

"좋아요, 그 애를 사기꾼이라고 생각하세요."

천밍량은 갑자기 따분하고 재미가 없어졌다. 그의 몸도 께느른하게 의자 속으로 파묻혔다.

"무엇 때문에 맞선을 보러 나온 건가요?"

우팡은 잘 못 들었다는 듯한 표정으로 그를 쳐다보았다.

"뭐라고 하셨어요?"

"맞선을 보는 목적이 뭐냐고요?"

천밍량이 어투에 약간 힘을 주었다.

"결혼하고 싶으세요?"

"그럼 그쪽은 결혼하고 싶지 않은가요?"

천밍량은 무료한 표정으로 그녀의 질문에 대답했다. 두 사람은 잠시 침묵에 빠졌다. 우팡이 손을 들어 종업원을 불렀다.

"계산이요."

천밍량은 그녀를 바라보면서 말도 하지 않고 다른 동작을 취하지도 않았다. 우팡이 의자에서 가방을 들어 안에 있는 지갑을 꺼냈다. 지갑에서 돈을 꺼내는 순간, 천밍량이 손을 뻗어 그녀의 지갑을 가방 안으로 떨어뜨리며 말했다.

"제가 낼게요."

"아니 제가……."

천밍량이 돈을 꺼내 계산서 위에 내려놓았다. 그러고는 다시 잔을 들어 커피를 한 모금 마셨다.

4

두 사람은 앞뒤로 서서 커피숍을 나왔다. 천밍량이 담배에 불을 붙이면서 고개를 들어 우팡을 쳐다보았다.

"그럼…… 안녕히 가세요. 차 잘 마셨어요."

우팡이 공손하게 인사를 건넸다.

"천만에요."

천밍량이 담배연기를 내뿜으며 우팡을 비스듬히 쳐다보았다. 뭔가 말을 하려다 그만두는 모습이었다. 우팡은 그가 아무 말도 하지 않는 것을 보고는 몸을 돌려 멀어져 갔다.

"이봐요……."

천밍량이 그녀를 불러 세웠다. 우팡이 걸음을 멈췄다.

"할 얘기가 남았나요?"

천밍량이 뒤에 있는 호텔을 가리켰다. 우팡이 고개를 돌려 그의 팔이 가리키는 쪽으로 눈길을 옮겼다.

"우리 방을 하나 잡아 들어가는 게 어때요?"

우팡은 잠시 반응을 보이지 않았다.

"뭐라고요?"

천밍량이 미묘한 표정으로 그녀를 쳐다보았다. 그제야 우팡은 말뜻을 알아챘지만 화를 내지는 않았다. 마음속으로 잠시 주저하던 그녀의 손이 어느새 높이 들리더니 그의 뺨을 매섭게 후려쳤다. 천밍량은 약간 넋이 나간 채 멍하니 서 있었다. 우팡은 몸을 돌려 가던 길을 갔다. 그녀의 손가락이 심하게 떨렸다. 손가락에 아직 폭력의 맛이 남아 있었다.

"그럼 댁이 순결하단 말인가요. 처녀라고요?"

천밍량이 그녀의 등 뒤에 대고 소리쳤다. 우팡이 몸을 돌리자 그는 손에 들고 있던 담배를 집어던지고는 몸을 돌려 다른 방향으로 걷기 시작했다. 우팡이 그를 쫓아갔다.

"제가 순결하지 않은지 어떻게 알죠?! 제가 처녀가 아니라는 걸 어떻게 아냐고요?!"

우팡의 반문은 줄곧 천밍량의 얼굴에만 걸려 있었다. 천밍량은 그녀의 이런 반응에 눈만 멀뚱멀뚱 뜨고 있었다. 우팡은 가방을 열고 아주 거칠게 지갑을 꺼냈다. 지갑에서 오십 위안을 꺼낸 그녀는 '쉭' 소리와 함께 돈을 천밍량의 품에 던졌다.

"커피 값을 냈다고 아무 말이나 함부로 할 수 있는 게 아니에요."

우팡은 앞으로 걸어갔다. 천밍량이 그녀의 뒤를 몇 걸음 쫓아가 팔을 잡았다.

"화났어요? 악의로 그런 건 아니에요."

우팡은 힘 있게 몸을 흔들어 그의 손을 뿌리쳤다. 이어서 그녀의 팔이 들렸지만 천밍량의 목 앞을 휙 스치기만 했다. 천밍량이 한참을 웃다가 여전히 웃으며 말했다.

"아니, 댁이 처녀라 해도 따질 건 따지고 넘어가야겠네요. 제가 뭘 어쨌다고 이렇게 거칠게 손발을 휘두르는 겁니까?"

우팡은 대꾸하지 않고 지나가는 택시를 한 대 불러 세웠다. 천밍량은 돈을 우팡의 손에 쥐어주고 싶었다. 우팡이 거칠게 차 문을 닫아 천밍량의 손과 돈을 차 문 밖으로 거부해버렸다. 우팡은 기사에게 가고자 하는 곳을 말하고 차를 출발시켰다.

"젠장, 댁이 처녀인 게 그렇게 대단해요?"

천밍량이 뒤에서 소리쳤다. 우팡은 택시 백미러로 그가 팔을 휘두르는 모습을 보면서 저절로 웃음이 나왔다. 기사가 운전석 거울로 우팡을 힐끗 쳐다보았다.

5

천밍량은 자신이 우팡과 만났던 일을 장하오(張昊)에게 전부 들려주었다. 두 사람은 대학 동창으로 졸업한 뒤에도 함께 학교에 남아 강의를 하고 있었다. 장하오는 천밍량이 뺨을 맞았다는 얘기를 듣고는 무척 고소해 했다.

"너는 당해도 싸. 여자라고 우습게 여긴 결과가 어때? 저항에 부딪친 맛이 어떠냐고? 내가 보기엔 아주 괜찮은 여자 같군. 너 또 류잉(柳穎) 같은 여자 찾는 것 아냐?"

그가 이름을 대자 뭔가 예리한 것이 가슴을 찌르기라도 한 것처럼 천밍량의 눈이 갑자기 휘둥그레졌다.

"다 말했잖아. 그 얘긴 그만해."

"입에 올리지도 못해? 너 너무 유약한 것 아냐?"

장하오는 말을 못할 이유가 없다고 생각했다. 천밍량이 얼굴을 잡아당기며 말했다.

"서서 얘기하지 마. 허리 아프잖아."

"누가 서서 얘기한대? 네가 이런 얘기를 하는데 허리가 아프지 않을 수 있겠어?"

장하오는 이죽거리면서 먼 곳에 있는 운동장에서 훈련하고 있는 학생들을 바라보았다.

"대학 다닐 때 내가 류잉 그 여자는 안 된다고 말했잖아. 한번은 내가 너에게 농담으로 그녀가 너무 경박한 데다 남자들에게 잘 달라붙는다고 말했었지. 아예 그녀를 류잉이라고 부를 것이 아니라 류쉬(柳絮 : 버들가지)라고 불러야 한다고 말이야. 그때 내 말을 들었어야지. 충언은 귀에 거슬리는 법이라고 했는데, 너는 내 말을 듣지 않았을 뿐만 아니라 맥주병을 들고 싸우려고 덤비면서 확실한 태도를 보였었지. 그때 나는 확신했어. 너는 자신을 구할 수 없을 거라고 말이야. 류잉은 커다란 함정이었고 너는 조만간 풍덩 소리를 내면서 그 속에 빠질 것이 분명했지."

잠시 말이 없던 천밍량이 고개를 돌려 장하오를 쳐다보았다.

"그녀와 그 자식 사이에 있었던 일을 알아? 내겐 놀라운 일도 아니지만 말이야."

천밍량이 그를 응시했다. 진지할 때면 그는 어린 아이 같은 모습을 보였다.

"몰라."

장하오가 좀 더 자세히 설명해주었다.

"하지만 알고 나서는 나도 이상해하지 않았어. 류잉 같은 여자가 이런 일을 만들어내는 건 대단히 정상적인 것이거든."

축구공 하나가 그들을 향해 날아왔다. 반응이 가장 빠른 천밍량이 발을 내밀어 날아오는 축구공을 차려 했다. 학생 하나가 몇 걸음 달려와 천밍량을 향해 손을 흔들었다. 천밍량이 재빨리 발을 놀려 공을 그에게 차주었다.

"신발 끈 풀렸어."

장하오의 눈길이 그의 발 위로 떨어졌지만 공을 따라 함께 날아가지는 못했다. 천밍량이 고개를 숙여 내려다봤더니 정말로 신발 끈이 풀려 있었다. 그는 쭈그리고 앉아 신발 끈을 맸다.

"여인은 신발과 같아서 신고 신어도 발에 붙지 않을 때는 그녀를 따라가는 수밖에 없어."

장하오가 또 철학자의 얼굴을 했다. 하지만 그의 유머도 이번에는 공격이 되고 말았다. 천밍량은 그의 말이 아프기만 했다. 때때로 그는 어린 아이처럼 쉽게 격분하곤 했다.

"무슨 뜻이야? 여자들은 전부 발이 두 개니까 두 발을 전부 밟아야 합리적이라는 거야?"

"그런 비유로 한 말이 아니었어?"

장하오는 화도 잘 내고 웃기도 잘했다. 어투에 확실한 타협의 의지가 실려 있었다.

"왜 그래? 수학을 하자는 거야?"

"너는 걸핏하면 비유를 드는데, 그렇게 멋대로 비유를 들어도 된다고 생각해?"

장하오는 눈 하나 깜빡하지 않고 천밍량을 바라보았다. 천밍량도 그를 힐끗 쳐다보았다.

"너 어디 아프냐? 왜 눈을 소처럼 뜨고 그래?"

"내가 눈을 소처럼 뜬 걸 보고서도 멋대로 비유를 들어?"

장하오는 일부러 길게 한숨을 내쉬며 말했다.

"넌 너무 진지한 게 탈이야. 그건……."

천밍량이 경계하는 듯한 눈빛으로 그를 바라보았다. 장하오가 갑자기 웃었다.

"넌 어째서 단번에 방문을 열 생각을 하는 거야?"

"잘 생기지도 못한 게 왜 그리 오만하게 구는지 모르겠어."

천밍량이 투덜댔다. 장하오는 신이 나서 어쩔 줄 몰라 했다.

"잘 생겼으면 오만해도 된다는 건가? 류……."

천밍량이 주먹을 쥐고 장하오의 얼굴을 향해 휘둘렀다. 그는 더 이상 류잉의 일을 얘기하고 싶지 않았다. 장하오의 비유는 아주 훌륭했다. 그녀를 버들가지로 비유했다면 바람이 불어 깨끗이 씻어주면 그만이었다. 장하오가 두 손을 높이 들어 올렸다. 천밍량이 웃었다. 방금 맞선을 본 그 여자가 생각났다. 원래 판에 박은 듯한 표정에 우스운 안경까지 낀 모습이 마치 구소련 영화 <사무실 이야기>에 나오는 여성 간부 같았다. 눈빛도 상당히 비슷했다. 하지만 나중에 그 여성 간부는 다양한 모습과 성격을 보여주었다…….

이 여인은 뭔가 다른 사람과 달랐던 것이 생각났다. 몸에서 야릇한 신비감이 느껴졌었다. 천밍량이 팔로 장하오를 툭 치며 말했다.

"아, 소개자를 찾아서 그 여자를 다시 한번 만나게 해달라고 해야겠어."

"그 여자한테 흥미가 없었던 것 아닌가?"

"그 여자 돈을 내가 갖고 있거든."

천밍량이 말했다. 이유가 억지스럽다는 것을 모르지 않았지만 장하오는 꼬치꼬치 캐묻지 않았다. 그는 천밍량이 지금 황당할 정도로 한가하다는 것을 잘 알고 있었다. 그는 이미 그에게 붙잡혀 있는 것이 미칠 지경이었다. 그가 다른 사람에게로 눈을 돌린다면 그보다 더 반가울 일이 없었다.

6

우팡은 맞선의 미묘한 부분이 의외의 상황에 부딪치는 데 있다는 것을 모르지 않았다. 보아하니 이 남자는 돈이 많은 것 같지는 않았다. 음식을 주문하는 수준도 보통이었다. 하지만 전체적으로 부호인 듯한 분위기를 풍기면서 상당한 자신감을 보였다.

"왜 안 드세요? 많이 좀 드세요."

그가 우팡에게 음식을 권했다. 우팡은 공손하게 고개를 끄덕였다.

"댁 같은 지식인들은 물질에 대해서는 전혀 관심이 없고 오로지 정신만 중시하지 않나요?"

우팡이 빙긋이 웃었다.

"그건 어느 각도에서 보느냐에 달려 있지요."

그가 미소를 지으며 그녀를 바라보았다. 자신이 풍성한 식탁을 제공한 데 대해 무척이나 흐뭇해하는 것 같았다.

"……왜 그렇게 쳐다보세요?"

우팡이 물었다. 그는 대답은 하지 않고 대신 테이블을 가리켰다.

"좀 드세요."

우팡은 알았다고 하면서 채소 요리를 한 젓가락 집었다.

"제가 전에 만났던 여자들은 전부 돈을 아주 좋아했지요."

그의 표정은 항상 자신만만했다. 돈에 관해 얘기할 때는 곧 탄식이 나올 것처럼 득의양양했다. 우팡이 그를 쳐다보았다.

"제 생각에는 그것이 나쁘지 않은 것 같아요. 여자가 돈을 좋아하면 제 마음이 뿌듯해지거든요."

그가 빙긋이 웃었다. 우팡도 따라 웃었다. 그는 이 미소를 격려로 받아들였다. 그가 눈빛으로 그녀에게 이런 뜻을 전했다. 이어서 그가 당당하고 차분하게 말한 내용도 그녀에 대한 예의에서 자연스럽게 우러나온 것이었다.

"사람들에게 잘하는 것도 좋지만 저는 기준이 있는 것을 좋아합니다. 예컨대 저의 가게는 직원은 많지 않아 서너 명에 불과하지만 일사분란하게 크고 작은 일들을 기준에 맞춰 잘 처리하지요. 어떤 일들은 규정과 제도에 따라 정확하게 처리할 수 없을 때도 있지만, 그래도…… 뭐랄까요? 일정한 약정이 있어야 하지요. 그래야…… 목표를 갖고 일을 진행할 수 있거든요. 제 말뜻을 아시겠습니까?"

우팡이 가볍게 웃으면서 고개를 끄덕였다. 그는 그녀의 반응에 만족하는 것 같았다.

"아주 똑똑하신 분이군요. 첫눈에 알 수 있었습니다."

"똑똑한 여자를 좋아하지 않으시는군요."

"이것 보라니까요. 정말 똑똑하시네요."

그가 입을 벌리고 웃었다. 그녀의 말을 그는 사람 볼 줄 안다는 칭찬으로 받아들이는 것 같았다.

"하지만 그쪽이 좋지 않다는 것이 아니라……. 문제는 기준을 정할 수 없다는 겁니다. 아시겠어요?"

우팡이 고개를 끄덕였다. 두 사람은 잠시 침묵했다.

"좀 드세요. 왜 이렇게 안 드시죠?"

우팡이 또 채소 요리를 한 젓가락 집었다.

"계속 채소만 드시지 말고 이것도 좀 들어보세요……."

그는 접시 하나를 들어 우팡 바로 앞에 있던 것과 자리를 바꿔 주었다. 우팡이 빙긋이 웃었다

"우리 앞으로 친구가 될 수 있을 것 같군요. 혹시 어려운 일이

있으면 절 찾아오세요. 제가 최대한 도와드릴 테니까요. 혹시 경제적으로 어려움이 있으면…….”

“그렇게 신경 쓰지 않으셔도 돼요.”

우팡이 말을 끊었다. 그러고는 최대한 진지한 표정으로 이 촌놈을 바라보며 말을 이었다.

“남자가 돈이 있는 것이 얼마나 좋은 일이겠어요. 제 친구 중에 아주 예쁜 아이가 하나 있는데 항상 남자가 가난해선 안 된다고 말하곤 하지요. 너무 가난하면 고리타분해지고, 가난하면서 고리타분하면 갈수록 더 고리타분해지기 때문에 정말 참아주기 어렵다는 거예요.”

그의 얼굴에 즐거워하는 표정이 역력했다. 우팡도 유쾌한 듯 웃어주었다.

“그 애는 돈 있는 남자들하고만 사귀어요. 그 남자들은 전부 돈으로 그녀를 놀라게 하지요. 몰고 다니는 차는 전부 BMW 아니면 벤츠고, 입을 열었다 하면 수백 수천 만 위안이지요. 그쪽보다 돈이 훨씬 많아요. 하지만 그쪽처럼…… 뭐랄까, 기준이 있지요. 성공한 남자들은 전부 기준이 있는 것 같아요.”

그가 약간 멋쩍은 표정을 지었다. 그녀는 그가 제타(Jetta : 비교적 대중적인 중저가 승용차 브랜드)를 몰고 온 것을 보았다.

“하지만 저는 돈에 대해선 별로 관심이 없어요. 옷과 마찬가지로 좀 더 있어도 그만, 좀 모자라도 그만이지요. 방금 말한 제 친구는 이십 위안 주고 산 청바지를 입고 다니지만 많은 남자들이 그녀에게 반하지요. 그 애는 정말 예쁘게 생겼거든요. 하지만 저는 이만 위안짜리 옷을 입어도 남자들이 눈길 한 번 주지 않더라고요."

"그렇게 말씀하시면 안 되지요……."

그는 한참을 주저하다가 입을 열었다. 그녀는 그가 또 음식을 먹으라고 채근할 것이라고 생각했다.

7

우팡은 소개자의 전화를 받고 그녀의 질문에 대해 다소 놀라움을 금치 못했다. 소개자는 천밍량에 대한 우팡의 인상이 어떠냐고 물었다. 그냥 그렇다고 하자 그녀는 우팡에 대한 천밍량의 인상이 아주 좋았다고 말했다. 그래요? 생각지도 못한 일이네요. 우팡은 택시를 타고 서점에 가는 길이었다. 그녀는 전화를 받으면서 기사에게 서점 입구에서 차를 세워 달라고 말했다. 그러고는 택시비를 내면서 소개자에게 말했다.

"서점에 들어가야 해요. 서점 안에서는 전화하기 곤란하니까 나중에 다시 얘기해요."

소개자는 좀 아쉬웠는지 어느 서점이냐고 물었다. 우팡은 서점 이름을 말해주고 인사와 함께 전화를 끊었다. 한 시간 후 그녀가 책을 한 보따리 사가지고 나와 보니 천밍량이 손에 신문지를 몇 장 들고 입구에서 그녀를 기다리고 있었다. 우팡은 선글라스를 쓴 그를 알아보지 못했다. 그녀가 그의 앞을 지나는 순간 그가 그녀를 불러 세웠다.

"우팡 씨……."

우팡이 걸음을 멈추고 뒤를 돌아보다가 눈길이 천밍량의 몸에 멈췄다. 천밍량이 선글라스를 벗었다.

"천밍량입니다."

"어머, 안녕하세요."

"제가 들어드리죠."

천밍량은 자연스럽게 우팡의 손에서 책 보따리를 건네받았다. 두 사람이 아주 친한 친구 사이인 것 같았다.

"우아, 꽤 무겁네요."

"제가 여기에 있는 줄 어떻게 아셨어요?"

질문이 입 밖에 나온 이상, 우팡도 어찌 된 일인지 정확히 알고 싶었다. 천밍량이 우팡의 얼굴 앞으로 손을 들어 올리면서 말했다.

"손가락을 꼽아 헤아려 보면 금방 알 수 있지요."

"제가 들게요."

우팡이 손을 뻗어 책 보따리를 다시 들려 했지만 천밍량은 재빨리 그녀의 손을 피했다.

"이렇게 많은 책을 사면 언제 다 읽나요?"

"그쪽과 관계없는 일이에요."

"이거 봐요, 왜 그렇게 남에게 우호적이지 못한 거죠? 난 아주 힘들게 우팡 씨를 찾아 왔단 말이에요."

우팡이 정색을 했다.

"절 왜 찾는 거예요? 아직도 저랑 같이 방을 잡고 싶은 건가요?"

"참 나, 어떻게 입을 열자마자 그 얘기부터 할 수 있지요? 그건 교양 있는 여자가 할 수 있는 얘기가 아니라고요."

"그럼 무슨 얘길 해요?! 무슨 얘길 기대하시는데요!"

"이거 봐……."

천밍량은 얼굴 위에 미소가 응결된 채 목소리를 가다듬었다.

"책 이리 주세요……."

천밍량은 책 보따리를 뒤로 숨겼다. 우팡이 헛손질을 했다.

"도대체 뭘 원하시는 거예요?"

우팡이 그를 쳐다보았다.

"나중에 또 맞선을 보았나요?"

"네."

"적당한 사람을 만났어요?"

"그건 그쪽이 관여할 일이 아니에요."

"물론 저와는 관계없는 일이지요."

천밍량이 사방을 둘러보며 말했다.

"우리 어디 가서 커피나 한잔 하죠. 차를 마시는 것도 괜찮고요. 맞아요, 녹차로 점을 치는 친구도 있다고 하지 않았나요? 그런 기술은 좀 배워두지 그랬어요? 배웠으면 저를 위해 점을 좀 쳐주는 것도 괜찮을 것 같군요."

"알고 보니 그 일 때문에 온 거로군요."

우팡의 얼굴에 뭔가 알았다는 의미의 미소가 번졌다.

"저의 그 친구를 만나고 싶은 거로군요?"

"아, 아니에요……."

천밍량이 손을 내저었다.

"물론 만나서 안 될 것도 없지요. 하지만 절대로 오해하진 마세요. 이거 봐. 또 저런 눈으로 쳐다보네……. 제가 찾아온 주된 이유는 해명을 하기 위해서예요……."

우팡이 그를 쳐다보았다.

"그날 제가 너무 무례했어요. 하지만 제 따귀를 때렸잖아요. 우리 서로 비긴 걸로 치는 게 어때요?"

천밍량이 약간 어색한 어투로 말했다. 우팡이 웃었다.

"웃었어요? 그럼 비긴 걸로 치는 겁니다."

"누가 그쪽이랑 비겼대요?"

"제가 커피를 샀잖아요. 아니 우팡 씨가 산 셈이로군요. 지난번에 제게 던진 그 오십 위안으로 말이에요."

우팡은 어이가 없다는 듯이 가볍게 신음소리를 내뱉었다.

"여기서 한 시간 넘게 기다렸어요. 이렇게 냉혹하고 무정해선 안 되는 것 아닌가요?"

"누가 기다리라고 했나요?"

천밍량이 손을 내저으며 말했다.

"좋아요. 어쨌든 부탁이니 저랑 커피 한 잔만 마셔줘요."

우팡은 웃으면서 사방을 둘러보고 나서 저 앞에 있는 호텔을 가리켰다.

"저기로 가요. 커피숍이 있네요."

8

두 사람은 구이뚜(貴都) 호텔로 향했다. 인도를 따라 이어진 철제 울타리에 덩굴식물의 잎새가 붉게 물들기 시작했다. 그 색깔을 자세히 살펴보니 마치 녹슨 쇠 같았다.

"맞선을 다 합쳐서 몇 번이나 봤어요?"

천밍량이 우팡에게 물었다.

"그걸 어떻게 정확히 기억할 수 있겠어요?"

"잘 기억이 나지 않는다는 게 무슨 뜻인가요? 오십 번, 아니면……."

우팡이 웃었다.

"그쪽은요?"

"전 우팡 씨를 만난 게 처음이에요."

"조건이 그렇게 좋은데 굳이 맞선을 볼 필요가 있나요?"

우팡이 그를 힐끗 쳐다보며 물었다.

"제 조건이 좋다고요?"

천밍량이 쓴웃음을 지었다. 그러고는 잠시 후에 참지 못하고 다시 입을 열었다.

"전에 여자 친구가 있었어요. 여러 해 동안 사귀었죠. 결혼해서 살 집 인테리어까지 했는데 헤어지고 말았어요."

"왜요?"

천밍량은 잠시 망설이다가 결심한 듯 다시 입을 열었다.

"그녀가 절 찼어요."

우팡은 눈치 빠르게 얼른 입을 다물었다.

"알고 보니 그녀에게 저 말고 한 사람이 더 있었던 거예요. 제가 두 척의 배에 발을 한 짝씩 걸치고 있느냐며 욕을 해댔지요. 그녀는 전혀 기죽지 않고 말하더군요. 자기는 배고 우리……. 그러니까 저랑 그 남자는 노라고 말이에요. 그녀는 두 개의 노로 배를 젓다가 손이 가는 대로 하나를 고르려는 것이었어요. 그리 잘못된 생각도 아니지만 말이에요."

우팡이 웃었다. 천밍량이 그녀를 쳐다보자 그녀는 애써 웃음을 거둬들였다.

"지금 생각하면 참 우스운 일이에요. 당시에는 너무 화가 나서 아예……."

천밍량이 손으로 허공을 그었다.

"당시에는 누구를 만나든지 화를 냈지요. 우리는 오 년이라는 세월을 함께 했어요. 그런데도 제가 노에 불과했을까요? 저는 그녀를 설득할 수 없었어요. 그래서 뺨을 한 대 때렸지요. 우팡 씨가 나한테 그랬던 것처럼 말이에요."

"그게 어떻게 같을 수 있어요? 그쪽은 힘이 아주 세잖아요."

우팡은 그의 주먹을 힐긋 쳐다보았다.

"그건 그래요."

천밍량이 빙긋이 웃었다.

"그녀는 납작 엎드려 엉엉 울더군요. 제가 뭐가 그렇게 억울하냐고, 몰래 즐겁지 않았느냐고 따져 물었지요. 나를 노로 여겼기 때문에 따귀 한 대로 그쳤지 만일 나를 칼로 여겼다면 목숨을 부지하지 못했을 거라고 했어요."

"어떤 이유이든 간에 남자가 여자에게 손을 대는 것은 가장 비열하고 악랄한 행위에요."

"제가 비열하고 악랄하다고요? 그럼 그 여자는요? 그 여자는 악랄하지 않다는 겁니까?"

이때 두 사람은 이미 호텔 입구에 와 있었다. 회전문 앞에서 우팡은 뒤로 한 걸음 물러서 천밍량이 먼저 안으로 들어가는 것을 바라보았다. 그녀는 그 자리에 선 채 움직이지 않았다. 문은 계속 돌아갔다. 천밍량은 그녀가 오지 않는 것을 보고는 다시 문을 돌려 나왔다.

"왜 이러고 있어요?"

"커피 마시고 싶지 않아요."

우팡이 빙긋이 웃었다.

"커피 생각이 없으면 차를 드세요."

우팡은 웃지 않고 오히려 진지한 표정으로 천밍량을 바라보았다.

"차도 별로 마시고 싶지 않네요."

두 사람은 잠시 침묵했다. 두 사람 옆에서 회전문이 계속 돌아가고 있었다.

"왜 그래요? 저의 어떤 말이 또 잘못된 건가요?"

천밍량이 그녀를 쳐다보며 물었다. 우팡이 빙긋이 웃었다.

"웃지 말아요. 그렇게 웃으면 자신이 없어진단 말이에요."

우팡은 한동안 계속 이렇게 웃기만 했다.

"……무엇 때문에 절 다시 찾아온 거죠?"

천밍량이 잠시 생각에 잠겼다가 말했다.

"절 때렸잖아요. 어려서부터 어른이 될 때까지 절 때린 사람이 아무도 없었거든요."

"그래서 또 맞고 싶어서 찾아온 건가요?"

"맞고 싶기도 하고 돈도 갚아야 하고요."

천밍량이 고개를 끄덕였다.

"저는 저녁에 약속이 있어요."

우팡이 말했다. 천밍량은 그녀의 말 속에 담긴 의미를 유추해 보았다.

"……남자 친구가 있는 건가요?"

우팡이 또 웃었다.

"아직은 모르겠어요."

"모른다고요?!"

"꼭 만나봐야 적합한지 안 적합한지 알 수 있어요?"

천밍량은 갑자기 할 말이 없어졌다.

"그럼……."

우팡도 적당한 말을 찾지 못하고 천밍량을 향해 손을 흔들었다.

"안녕히 가세요."

그녀가 몸을 돌려 가려고 하자 천밍량이 갑자기 그녀를 불러 세웠다.

"저, 제가 같이 가면 안 될까요?"

"저랑 같이 간다고요?!"

"한가해서 할 일도 없거든요. 제가 가서 분위기도 띄우고 보디가드도 해드릴게요."

우팡은 울지도 못하고 웃지도 못하는 심정이었다.

"농담 하지 마세요."

"농담이 아닙니다. 정말이에요. 저는 멀리 떨어져 있을게요. 절대 방해하지 않을 겁니다."

9

맞선을 보기로 약속한 장소는 다관이었다. 장소를 정한 것은 그녀였다. 그녀는 다관을 좋아했다. 밝고 상쾌하고 투명하기 때문이다. 그녀는 항상 찻잎이 말을 할 수 있다고 믿었다. 자신이 찻잎이 말하는 것을 들을 수 있다고 믿었다. 신기하고 신비한 녹색 찻잎들은 단순하면서도 복잡했다.

하지만 이번에 정한 이 다관은 왠지 마음이 끌리지 않았다. 천밍량은 다관 입구 가까운 자리에 앉았다. 그녀는 고개만 들면 그를 볼 수 있었다. 그녀에게 우스운 생각이 한 가지 떠올랐다. 두 명의 남자와 한꺼번에 맞선을 보는 것 같았다. 이번에 만난 남자는 아주 온순하고 공손한 사람이었다. 우팡은 그의 어깨 너머로 천밍량과 재미있는 눈길을 주고받았다. 그가 그녀를 향해 미소를 보내면 그녀는 얼른 고개를 돌렸다. 우팡은 창밖의 풍경에서 눈길을 돌려 남자를 향해 미소를 지어보였다.

"오늘 날씨 정말 좋군요."

그가 꽉 졸라맨 넥타이를 매만지며 우팡을 쳐다보았다.

"좀 덥죠?"

"괜찮습니다."

잠시 침묵이 흘렀다.

"하루 종일 책을 읽고 수업을 하시면 좀 무미건조하다고 느끼지 않으세요?"

"괜찮습니다."

"음……. 요즘은 우팡 씨처럼 이렇게 내성적인 여자가 많지 않은 것 같아요."

"한 친구가 그러더군요."

우팡이 웃으면서 말했다.

"저의 장점은 보수적인 것이고 단점은 너무 보수적인 것이라고 말이에요."

"남자 친군가요 아니면 여자 친군가요?"

그의 질문이 그녀를 약간 놀라게 했다.

"여자 친구에요."

그는 그녀의 대답에 만족스런 표정을 보였다.

"그 애는 아주 예쁘게 생겼어요. 그래서 그런지 남자 친구를 날씨 변하듯이 빨리 갈아치우지요."

우팡이 그를 쳐다보았다. 고생을 많이 했는지 얼굴에 주름이 많이 나 있었다.

"그래요?"

천밍량이 손짓을 보내자 우팡이 고개를 들어 그를 바라보았다. 우팡의 눈빛을 유심히 살피던 그는 이내 고개를 돌렸다. 들어온 지 얼마 안 되는 젊은 여자 둘이 두 사람의 시선을 막아버렸다. 그녀들은 차가 나오기도 전에 담배를 한 대씩 피워 물었다.

"여자가 담배를 피우는 건 정말 우아하지 못한 것 같아요."

"그래요? 저는 그렇게 생각하지 않아요. 저의 그 친구도 담배를 피우는데 그 모습이 너무나 매력적이에요. 요즘 나오는 여성용 담배는 맛이 진하지 않아 담배를 피우고 나서 키스를 해도 남자들이 전혀 불쾌해하지 않는대요."

그는 그녀의 마지막 한마디에 놀라움을 금치 못했다. 그가 놀란 눈빛으로 우팡을 쳐다보았지만 우팡은 태연자약하기만 했다.

마치 그와 학술적인 일에 관해 얘기하고 있는 것 같았다.

"그 친구는 어떤 일을 하나요?"

"대학원생이에요."

천밍량이 흔들흔들 여유 있는 걸음으로 두 사람 쪽으로 걸어와서는 방금 우팡을 알아본 것처럼 얼굴 가득 놀란 표정을 지었다.

"우팡? 정말 우팡이네. 방금 낯이 익은 얼굴이라 생각했는데 정말로 우팡일 줄은 몰랐어."

우팡이 고개를 들어 천밍량을 쳐다보았다. 천밍량은 우팡 맞은편에 앉아 있는 남자를 쳐다보았다. 남자는 천밍량을 힐끗 쳐다보더니 다시 우팡에게로 눈길을 돌렸다. 우팡은 아무 말도 하지 않고 아무런 표정도 짓지 않았다. 하는 수 없이 그가 먼저 입을 열었다.

"아시는 분인가 보군요?"

그제야 우팡은 담담하게 말을 받았다.

"고등학교 동창이에요."

10

남자가 화가 나서 가버린 뒤, 우팡은 줄곧 음침한 얼굴을 하고 앉아 있었다. 천밍량이 조심스럽게 그녀의 표정을 살폈다.

"저는 우팡 씨를 위해 그 친구를 쫓아버린 겁니다."

우팡이 차가운 얼굴로 그를 쳐다보면서 아무 말도 하지 않았다. 천밍량은 몇 시간에 걸친 관찰을 통해 그녀가 갈수록 더 <사무실 이야기>에 나오는 여자 간부와 닮았다는 결론을 내리게 되었다. 머리 스타일과 의상은 좀 우스웠지만 총기가 넘쳤다.

"나 참, 그게 무슨 태도에요?"

천밍량이 배시시 웃었다. 방금 그가 고등학교 동창인 척하며 맞선 상대 남자를 쫓아버릴 때 그의 얼굴에는 흥미와 활력이 넘쳤다.

"좋든 싫든 우리는 동창이 되었잖아요."

"오늘 일은 여기까지로 끝내요. 앞으로는 각자 자기 길을 가면서 절대 마주치지 말기로 해요."

우팡은 결코 방금 자리를 떠난 남자를 아쉬워하는 것이 아니었다. 천밍량의 눈에 번득이는 빛이 그녀를 불안하게 했던 것이다.

"자신의 모습을 좀 똑똑히 보세요. 아주 조용한 외모에 안경까지 쓰고서 무슨 말을 그렇게 매정하게 하는 겁니까?"

우팡은 아무 말도 하지 않았다. 천밍량은 그녀의 눈치를 살폈다.

"그렇게 급하게 시집을 가고 싶으세요? 너무나 비현대적이군요."

"이게 제 모습이에요. 친구가 말한 것처럼 저의 장점은 보수적이라는 것이고 단점은 지나치게 보수적이라는 거예요."

천밍량이 웃었다.

"아주 재미있는 친구로군요."

"그게 재미있다고 생각하세요? 저는 그 애가 너무 냉소적이라고 생각해요. 엄마 손에 크다 보니 엄마의 경력이 적지 않은 영향을 미쳤지요. 그 애 엄마가 뭐 하는 사람인지 그쪽은 절대로 알아맞히지 못할 거예요……."

우팡은 자신의 실언을 의식하고는 재빨리 입을 다물었다.

"요컨대 겉으로는 얼마나 강인하든지 간에 그것이 유약함의 표현일 수 있다는 거로군요."

천밍량은 그녀의 말실수를 그냥 넘기지 않았다.

"그녀 엄마가 어떤데요? 무슨 일을 하지요?"

"아무 것도 아니에요."

"말을 그렇게 중간에서 잘라버리지 말아요."

천밍량이 얼굴을 가까이 들이댔다.

"정말 아무 것도 아니라니까요."

우팡이 잠시 주저했다.

"그 애 엄마는 화장사에요."

천밍량은 아무 말도 없었다. 얼굴에 "네겐 내가 필요해."라고 강변하는 듯한 표정이 스쳤다.

"죽은 사람의 얼굴을 고치고 꾸미는 일이지요."

천밍량이 천천히 한숨을 내쉬었다.

"결혼할 때 사실대로 말하지 않았대요. 간호사라고 말했다나요. 여러 해가 지나 애까지 낳고 나서야 남편이 아내의 직업이 화장사라는 것을 알았지요. 그 집에 일어난 사건은 영화보다도 신비해요. 아무리 훌륭한 작가도 구상해낼 수 없는 이야기지요."

우팡이 손목시계를 들여다보았다.

"가봐야 되겠어요. 저녁에 수업이 있거든요."

"이것 봐, 가장 재미있는 부분까지 얘기해 놓고……."

"전 정말 가야 돼요."

우팡이 몸을 일으켰다. 그러고는 테이블 위에 놓인 물건들을 내려다보았다.

"계산하세요. 그러면 피차 빚이 없어지는 셈이잖아요."

천밍량이 손을 뻗어 그녀를 붙잡았다.

"그럼 우리 내일 다시 만납시다."

우팡이 고개를 약간 돌려 천밍량을 힐끗 쳐다보았다.

"아직 볼일이 남았나요?"

"볼일이 없어도 얘기는 나눌 수 있잖아요. 오늘처럼 말이에요."

"안 돼요. 저 내일 아주 바빠요."

우팡은 천밍량의 대답을 기다리지 않고 총총히 걸음을 옮겼다.

11

장하오는 원래 혼자 무료한 밤을 보내게 될 거라고 생각했다. 만나는 동창들은 대학 동창들이지만 그는 2년만 다니고 자퇴해버렸다. 몇 년 못 본 사이에 별로 대단해 보이지 않던 녀석들이 큰돈을 벌었고, 큰돈을 번 뒤로는 종종 과거에 기숙사를 함께 사용했던 동창들과 만나 어울리곤 했다. 그러면서 술은 마시지 않고 커피만 마셨다.

그들의 동창은 정말 처치곤란이었다. 특별히 싫은 사람이라면 차라리 나을 텐데 그다지 싫지도 않았다. 물론 그렇다고 마음에 드는 것도 아니었다. 매일 몇 백 위안의 돈을 써가면서 커피를 마셔야 하는 데다 그들 모두 체육학과 출신이라는 것이 문제였다. 우스운 일이 아닐 수 없었다. 오늘 오후에도 장하오에게 전화로 저녁에 '놀라운 희소식'이 있다고 말했지만 그는 믿지 않았다. 자신을 불러내기 위한 미끼라고만 생각했다.

남자 둘, 혹은 여럿이 함께 커피를 마시면서 지난날을 회고한다는 것은 정말 참기 힘든 일이었다. 장하오는 천밍량을 끌어들일 요량이었다. 입이 하나 더해지면 화제도 많아질 것이고, 그만큼 분위기도 좋아질 것이기 때문이었다. 하지만 천밍량이 어디에 있는지 도무지 알 수가 없었다.

"밍량에게 전화해봤는데 아직 핸드폰을 켜지 않았더라고."

동창이 장하오에게 말했다. 그와 천밍량이 변함없는 단짝이라는 사실은 누구나 다 알고 있었다.

"그는 방금 류잉과 헤어졌잖아. 빌어먹을 그 친구에게 전화하는 건 정말 짜증나. 최근에는 항상 전화기를 꺼놓는다니까."

"연애하면서 서로 생각이 틀어지는 건 흔히 있는 일이야. 결혼도 안 했는데 왜 이리 호들갑인지 모르겠군? 나이가 몇인데 아직도 어린애 같이 구는 거야?!"

"이건 밍량을 탓할 일이 아니야. 전부 류잉의 잘못이라고. 하루 종일 이런 곳에서 피아노를 연주하고 있으니 숲이 큰데 어떤 새가 없겠어? 그녀의 그 부러진 버드나무에 얼마나 많은 새들이 둥지를 틀었는지 알 수 없으니 오히려 헤어지는 게 더 잘된 일이지. 정말로 결혼이라도 했다가 취두부(臭豆腐 : 두부를 발효시킨 음식)를 씹은 것처럼 삼키지도 못하고 뱉지도 못할 상황이 벌어지면 더 큰 문제가 아니겠어?"

동창들이 의미심장하게 웃었다. 그는 장하오에게 '놀라운 소식'에 관해 얘기했다. 장하오가 고개를 들어 피아노를 치고 있는 남자를 힐끗 쳐다보았다.

"정말이야?"

동창이 질책하듯이 말했다.

"내가 언제 널 속이는 것 봤어?!"

장하오의 눈동자가 등불 아래서 유난히 반짝거렸다. 종업원 하나가 그들 곁을 지나가자 동창이 그를 불러 세웠다.

"랑랑(朗朗)은 왜 아직 안 나오나요?"

종업원이 설명했다.

"랑랑의 연주시간은 매일 저녁 여덟 시부터 열 시까집니다."

"고마워요."

"천만에요."

종업원은 웃으면서 인사를 건네고 지나갔다.

"어때? 탐험해볼 생각 없어?"

장하오는 주저하는 표정으로 동창들을 쳐다보면서 애매하게 웃었다. 천밍량, 이 친구야, 네가 어떤 실수를 했는지 모르겠지? 장하오는 마음속으로 뭔가 느껴지는 것이 있었다.

12

이날 밤은 정말 말로 형용할 수 없는 밤이었다.

장하오는 구름 속에 안개가 더해진 것 같았다. 그녀의 몸에서 나던 향기가 떠난 뒤에 진실로 다가오기 시작했다. 보통 여자들처럼 사람을 혼미하게 만드는 그런 향기가 아니었다……. 뭐라고 할까? 장하오는 자신의 상상력 때문에 고민하고 있었다. 장하오는 천밍량이 엉덩이 밑에 신문지를 깔고 앉아 손에 맥주를 들고서 자기 기숙사 문에 기대어 있는 것을 보고는 표정이 금세 밝아졌다. 그가 천밍량에게로 달려가면서 먹고 버린 맥주 캔을 밟고 말았다. 그 소리가 복도를 가득 울렸다. 어느 문에선가 욕하는 소리가 들려왔다.

"한밤중에 죽고 싶어?"

장하오는 문을 열면서 낮은 목소리로 천밍량에게 물었다.

"저녁에 여러 번 전화해도 널 못 찾았는데 어떻게 여기에 와 있는 거야?"

"한가하고 할 일도 없어서 왔지."

천밍량은 원래 우팡과 얘기하면서 시간을 보낼 수 있을 것으로 기대했지만 그녀는 얼굴도 못생긴 데다 사람의 마음을 이해할 줄도 몰랐다. 보아하니 그녀는 앞으로도 아주 오래 맞선을 봐야 할 것 같았다.

"사실 나 오늘 저녁에 좀처럼 하지 않던 일을 한 가지 했어. 너무나 자극적이었지."

장하오는 약간 흥분하고 있었다.

"정말 끝내주는 여자를 만났어……."

천밍량이 머리를 장하오의 침대에 묻어버렸다. 그는 자신이 술을 얼마나 마셨는지 기억하지 못했다. 머리가 어지러웠다. 장하오는 그가 잠을 자는 줄 알고 다가가 몸을 툭 치면서 말했다.

"이봐……."

천밍량이 귀찮다는 듯이 말했다.

"듣고 있어. 오늘 저녁에 여신을 만났다며."

"여신?"

장하오가 푸웃 하고 웃음을 터드렸다.

"여신이 아니라 신녀겠지?"

13

장하오는 량량이라는 여자를 분명하게 묘사하지 못했다.

그녀는 '구이뚜' 호텔에서 피아노를 치고 있었다. 나이는 어린 편이지만 그렇다고 소녀는 아이었다. 그녀는 머리를 중간 부분에

서부터 뒤로 젖혀 늘어뜨리고 그 위에 셀 수 없이 많은 구슬장식을 꽂고 있었다. 등불 빛이 그녀의 머리를 비추면 하나로 연결된 수많은 구슬들이 눈부신 광채를 발산했다. 은색 치마가 허리를 꽉 조여 매력적인 허리선이 드러났다. 팔은 다 드러낸 채 팔목에도 머리에 한 것과 서로 잘 어울려 운치를 더해주는 장식을 했다. 빛나는 여자였다. 빛이 그녀를 비춰주는 것이 아니라 하얀 은이 불빛 속에서 스스로 빛이 나는 그런 모습이었다. 섬세하고 따스하고 부드러웠다. 피아노 위에는 아주 큰 유리 어항 같은 것이 놓여 있고, 그 안에는 액면가가 다른 각종 지폐가 잔뜩 들어 있었다. 그리고 작은 은색 집게 하나가 따로 놓여 있었다. 장하오가 다가가 집게에 백 위안짜리 지폐 두 장을 끼워놓자 그녀는 고개를 들어 그를 쳐다보았다. 그녀의 눈빛이 전류처럼 그의 몸에 흘러 들어갔다. 랑랑의 몸을 한 줄기 빛이 휘감았다. 하얀 피부와 은색 의상이 어우러져 물이 흐르는 듯한 인상을 주었다.

그녀가 연주한 곡은 <아드린느를 위한 발라드>였다. 예전에 류잉도 종종 이 곡을 연주하곤 했다. 그녀의 손가락이 건반 위를 질주했다……. 그랬다. 그녀의 손가락에 관해 언급하지 않을 수 없었다. 예전에는 류잉의 손가락이 세상에서 가장 아름다운 손가락이라고 생각했는데 이제야 하늘 밖에 또 다른 하늘이 있다는 것을 알게 되었다. 그녀의 손가락에는 마력이 있었다. 열 개의 정령이 하나로 뭉쳐 있는 것 같았다.

커피숍에서 커피를 마시면서 장하오는 자신이 그녀의 손가락을 만지고 있는 상상을 했다. 여자 친구가 없는 것이 더 좋을 것 같았다. 장하오는 천밍량이 화두를 받아줄 것이라 생각했는데 그는 그러지 않았다. 그는 이미 잠들어 있었다.

"이런 돼지……."

장하오가 천밍량의 몸을 가볍게 걷어찼다.

14

천밍량이 또 우팡을 불러냈다. 그가 만나기로 약속한 시각에 그녀는 이미 나와 책을 손에 들고 읽고 있었다. 그녀에게는 요즘 아가씨들에게서 찾아보기 어려운 우아함이 넘쳤다. 류잉과는 전혀 다른 유형의 여자였다. 류잉은 청순하고 아름다운 여자로 가까이 다가가면 광채가 났었다. 우팡은 그렇지 않았다. 우팡은 식물 같았다. 항상 사람들에게 무시당하지만 관심을 갖고 들여다보면 금세 좋아지는 그런 여자였다. 천밍량이 그녀에게 다가갔다.

"미안해요. 늦었네요."

우팡이 책을 옆으로 내려놓으며 말했다.

"괜찮아요."

천밍량은 테이블 위에 녹차가 한 잔 놓여 있는 것을 보고는 종업원을 불러 커피를 한 잔 주문했다.

"그 친구 말이에요, 엄마가 죽은 사람을 화장해주는 사람이라는 사실을 안 다음엔 어떻게 되었나요?"

"아주 중요한 일이 있다고 하더니 바로 이거였나요?"

우팡이 정색을 하면서 물었다. 천밍량이 장난기 가득한 표정으로 말했다.

"맞아요."

"좀 진지해질 수 없어요?"

"제가 어디가 진지하지 않다는 건가요?"

"이게 중요한 일이에요?"

"물론이지요. 이틀 동안 밥도 제대로 못 먹고 잠도 제대로 못 자면서 줄곧 이 일만 생각했어요. 이 일이 제 정상적인 생활을 완전히 장악하고 있었거든요. 이래도 중요한 일이 아니란 말입니까?"

우팡이 정색을 했다. 표정에도 각이 져 있었다.

"그쪽이 방금 실연을 해서 기분이 좋지 않다는 건 잘 알아요. 하지만 저는 매일 댁을 만나 농담이나 주고받을 시간이 없다고요."

"어째서 시간이 없다는 거예요. 매일 맞선을 보는 것으로 봐서는 시간이 충분할 것 같은데."

조롱이 대뇌를 거치지 않고 곧장 입 밖으로 나와 버렸다. 우팡이 차가운 눈빛으로 천밍량을 노려보았다.

"미안, 미안해요. 일부러 화를 돋우려고 그런 건 아니에요. 그런 사람들 만나 어색하게 앉아 있는 것보다는 저랑 이런 얘기를 하는 것이 낫다는 뜻이었어요. 안 그래요? 저녁에 제가 밥을 살게요."

"전 저녁에 수업이 있어요."

"에이, 어차피 나왔으니 그렇게 무서운 얼굴 하지 말아요."

우팡은 말을 하지 않았다. 천밍량이 종업원에게 말했다.

"여기 계신 이 아가씨께 가장 좋은 녹차 한 잔 가져다주세요."

"전 이미 차를 마시고 있어요."

"그럼 뜨거운 물이라도 더 따라주세요. 어서 우리 이 아가씨의 가장 좋은 녹차에 물을 좀 더 따라달라고요."

우팡이 웃었다.

15

"……그 애 아빠를 몇 번 뵌 적이 있었어요. 아직 중학교에 다니던 때였지요. 얼굴이 아주 특별했어요. 말로 형용하기 어려울 정도로……. 배추겉대를 본 적 있어요? 딱 그런 느낌이었어요. 아주 희면서도 희미하게 녹색이 섞여 있는 모습이었지요. 머리는 아주 길었지만 단정하진 않았어요. 말할 때도 음양이 뒤섞인 느낌이었고요. 한번은 이 친구 집에 갔는데 마침 점심때였어요. 그 애 엄마가 밥상을 차려놓자 그 애 아빠는 웃는 듯 마는 듯 그 애 엄마를 바라보면서 묻더군요. '음식에 독약을 넣은 것 아냐?' 저는 너무나 놀랐어요. 어떻게 음식에 독약을 넣을 수 있단 말인가 하는 생각을 했지요. 그 애 엄마는 아무 말도 하지 않고 고개만 숙이더군요. 그러자 그 애 아빠가 또 말했어요. '내 앞에서 그렇게 뻣뻣한 얼굴 좀 하지 말라고. 내가 어떻게 당신 같이 재수 없는 여자를 아내로 맞았는지 모르겠어. 매일 죽은 사람 얼굴 만지다 집에 돌아와도 말은 안 하고 천장만 바라보면서 죽은 사람 얼굴을 하고 있으니 원!' 그러고는 젓가락을 밥그릇 옆에 탁 내려놓고는 소리를 지르더라고요. '도대체 독약을 넣었다는 거야 안 넣었다는 거야?!' 그 애 엄마는 기어들어가는 소리로 독약을 넣지 않았다고 말했어요. 그 애 아버지는 음식을 바닥에 내동댕이치면서 소리를 질러댔지요. '독약도 안 넣은 음식을 먹으라고?!' 말을 마치는 순간 표정이 이상해졌어요. 곧 울음을 터뜨릴 것 같은 얼굴이었지요. 이어서 손으로 식탁을 내리치더니 쉰 목소리로 외치더군요. '제발 부탁이야. 조금이라도 자비를 베풀어 독약을 좀 넣어 달란 말이야. 독약 말고는 먹고 싶은 것이 없단 말이야.' 나는 완전히 넋이 나가버렸어요. 그런 사람을 본 적이 없었거든요. 나중에 학교에 가는 길에 그 친구가 말해주더군요. 아빠가 정신병을 앓고 있다고. 저는 그 말을 그대로 믿었어요."

천밍량은 넋을 놓고 이야기에 귀를 기울이고 있었다.

"그분이 정말 정신병이었나요?"

"아니에요. 일부러 그랬던 거예요. 사람을 괴롭히면서 쾌감을 느꼈던 거죠."

"완전히 변태로군요."

"그 애 아빠는 매일 자기가 눈이 멀어서 그 애 엄마 같은 여자를 아내로 맞았다고 투덜대지만 사실 억울한 사람은 그 애 엄마였죠. 그 애 엄마는 정말 아름답고 온화한 분이셨어요. 손도 너무나 예뻤지요. 저도 대학에 간 뒤에야 그 애 엄마가 죽은 사람에게 화장을 해주는 직업을 갖고 있다는 걸 알았어요. 사실 저는 그런 직업도 나쁘지 않다고 생각했지요."

"우팡 씨와 우팡 씨 친구 아빠는 서로 시각이 달랐군요."

천밍량이 웃으면서 말했다.

"그분들은 부부지간이잖아요. 어떤 부분에서는 저보다 민감할 수 있겠지요."

우팡이 천밍량을 뚫어져라 쳐다보았다.

"우팡 씨의 그런 눈빛이 별로 좋지 않네요. 마치 절 그런 사람으로 취급하는 것 같아서요."

"저는 이런 남자를 가장 싫어해요. 자신이 능력이 없으면서 여자에게 분풀이를 하는 남자들 말이에요. 그런 남자는 마누라를 때릴 뿐만 아니라 술이 취하면 아이들에게도 손찌검을 한다니까요."

우팡이 팔을 뻗어 천밍량에게 주먹질하는 흉내를 냈다.

"때로는 팔의 타박상을 소매로 가릴 수 없을 정도로 심하게 폭력을 쓰기도 하지요."

이런 이야기를 통해 천밍량의 주의력이 유도되었다. 그가 아주 진지하게 우팡의 팔을 살펴보면서 말했다.

"무척 마른 편이군요. 하지만 피부는 정말 좋네요."

우팡은 얼른 팔을 거둬들여 두 팔을 가슴 앞으로 교차시켰다. 천밍량이 웃으며 말했다.

"또 왜 그래요?"

우팡은 아무 말도 하지 않았다. 얼굴만 빨개져 있었다.

"정말 오랜만에 여자가 수줍어하는 모습을 보게 되는군요."

천밍량의 감개에 젖은 한마디였다.

"또 시작이군요……."

우팡이 한숨을 내쉬었다. 그녀는 무슨 병의 말기 환자를 보는 듯한 눈빛으로 천밍량을 바라보다가 책을 가방에 넣었다.

"시간이 다 된 것 같아요. 학교로 돌아가야 해요."

"또……."

천밍량이 다시 타협하는 듯한 어투로 목소리를 낮췄다.

"우리 내일도 여기서 만날 수 있을까요?"

우팡이 그를 향해 눈을 흘기며 말했다.

"농(隴) 땅을 얻더니 촉(蜀)나라까지 차지하려 드는군요……."

천밍량이 웃었다. 그는 애써 참으며 우스갯소리를 입 밖에 내지 않았다. 내가 무슨 땅을 차지하려 한다고 그래? 우팡이 그의 미묘한 심리를 읽었는지 힐끗 쳐다보았다. 문득 자신이 비교문학을 공부하고 있다는 것이 기억났다. 차라리 심리학을 했어야 한다는 생각이 들었다.

"확답을 하지 않으면 학교로 찾아가는 수밖에 없어요."

천밍량이 말했다. 우팡이 동작을 멈추고 천밍량을 쳐다보자 천밍량이 또다시 곤혹스런 질문을 던졌다.

"맞선을 자주 보는 이유가 뭔가요?"

"결혼을 해야 하기 때문이지요."

"왜 결혼을 해야 하는 거죠?"

우팡은 대답하지 않았다.

"외롭기 때문일 거예요. 나처럼 말이에요. 그렇다면 우리가 이렇게 커피를 마시면서 얘기를 나누는 게 얼마나 좋은 일이에요?"

천밍량이 웃으면서 말했다. 우팡이 천밍량을 바라보았다.

"처음 만났을 때부터 이미 그쪽이 무뢰한이란 걸 알았어요."

"그렇게 단정적으로 말하지 말아요. 상대방의 말을 들어보고 난 다음에 판단하란 말입니다. 사실 저는, 뭐라고 할까? 지금 우팡 씨가 마시고 있는 큐틴 차나 마찬가지에요. 한번 우려서는 그 맛을 뽑아낼 수가 없지요. 계속 물을 부으면서 우려내야 갈수록 녹색을 띄게 되거든요."

우팡은 그의 비유에 아연실색하여 웃었다.

"자기 얼굴에 금을 칠하는 기술도 갖고 계시네요."

"이게 어디가 금칠이에요. 그저 저를 좀 더 깊이 이해할 수 있게 해주려는 것뿐인데."

"저는 일찌감치 그쪽을 이해하고 있었다고요."

그녀가 담담하게 말했다.

"그럼 제게 우팡 씨를 좀 이해할 수 있게 해 봐요."

웃는 얼굴이 미묘해진 우팡이 백팩을 등에 메면서 말했다.

"안녕히 가세요."

"그럼 내일 만나는 겁니다. 올 때까지 기다릴 거예요."

천밍량이 우팡의 뒤를 따라가면서 한마디 덧붙였다.

"내일 정 시간이 안 되면 모레 만나도 돼요."

16

천밍량은 장하오의 말을 믿지 않았다.

"처음에는 나도 믿지 않았어. 하지만 사실은 사실이야."

장하오가 말했다. 천밍량이 피아노를 치고 있는 량량 쪽을 바라보았다. 그들이 앉아 있는 구석에서는 그녀의 한쪽 측면만 보였다. 량량은 머리 스타일을 바꿨지만 여전히 많은 장식품을 달고 있었다. 의상도 바뀌었다. 그녀가 피아노를 치는 모습은 마치 세상의 모든 일들이 자신과는 무관한 것 같았다.

장하오가 팔로 천밍량을 툭 쳤다.

"한번 해보는 게 어때?"

천밍량이 장하오를 힐끗 쳐다보았다. 가슴이 쿵쿵 뛰었다.

남자 하나가 일부러 그들의 맞수가 되려는 것인지 그들 앞을 지나 량량에게로 다가가서는 어항 속에서 은색 집게를 꺼내 지폐 두 장을 끼워 넣은 다음, 다시 피아노 위에 올려놓았다. 량량이 고개를 들어 그를 힐끗 쳐다보았다. 그를 줄곧 주시하고 있던 장하오가 한숨을 내쉬며 말했다.

"끝났어. 자넨 오늘 저녁 기회가 없을 것 같아."

천밍량도 고개를 들어 자리로 돌아오는 남자를 쳐다보았다.

"이런 일은 기회를 봐서 과단성 있게 움직여야 하는 거야. 주저해선 안 된다고."

장하오가 몹시 불쾌해했다.

"그럼 다음에 시도하지 뭐."

장하오는 다소 실망한 표정으로 술잔을 들어 단숨에 비웠다. 천밍량이 량량을 바라보며 말했다.

"어디선가 본 적이 있는 것 같은데……."

"나도 그럴 때가 있어. 천하의 모든 미인이 전부 내가 아는 사람 같거든."

장하오가 웃으면서 천밍량의 어깨를 툭툭 쳤다.

"그러고 보니 우린 아무래도 형제인 것 같다."

천밍량도 따라 웃었다.

"이런 망할 놈."

"저 여잘 보니까 확실히 알겠지? 류잉은 이렇게 한 걸음 한 걸음 심연을 향해 걸어 들어간 거라고……."

천밍량의 얼굴이 고약하게 일그러졌다. 이를 본 장하오가 눈치 빠르게 화제를 돌렸다.

"그 얘긴 그만 하고, 자네 그 대학원생에 대한 연구는 어떻게 되어 가고 있나?"

"왜 이렇게 갱년기 여자 같은 거야? 수다가 이만저만이 아니네.”

장하오는 금세 우울해졌다.

“개가 사람을 몰라보고 여동빈(呂洞賓)을 물었군.”

17

마침내 <아드린느를 위한 발라드>가 연주되었다. 장하오와 천밍량은 말을 멈추고 그녀의 연주에 귀를 기울였다. 아주 신비한 곡이었다. 음표가 들려주는 이야기 속에서 아드린느가 물가에서 말아 올린 것은 물결이 아니라 비단인 것 같았다.

한 곡이 끝났다. 조명이 꺼졌다.

량량이 일어서 밖을 나갔다. 한 남자가 그 뒤를 따라 나갔다.

천밍량은 약간 괴로웠다. 이상한 느낌이었다. 어떻게 낯선 여자에게서 이런 느낌을 받을 수 있는 것일까?

18

우팡은 친구 이야기를 하고 있었다.

“중학교에 다닐 때 그 애는 누구하고도 얘기를 잘 하지 않았어요. 그 애 별명이 샤오룽바오(小籠包 : 안에 육즙이 들어 있는 작은 바오즈)였어요. 한번은 국어 시간에 선생님이 농담을 하셨지요. 당신이 어렸을 때 얼굴이 매일 바오즈(包子 : 안에 다양한 소가 든 밀

가루 음식으로 크기가 매우 크다)처럼 주름이 잡혀 있었고 그때부터 별명이 바오즈였대요."

그녀는 천밍량을 쳐다보면서 말을 이었다.

"그쪽 반에는 그렇게 매일 유자 같은 얼굴을 하고 있는 친구가 없었나요?"

"우리 대원들은 하나같이 소처럼 건장했어요. 붉은 천을 찢으면 그들은 곧장 허리를 구부리고 달려들었다니까요."

우팡이 웃었다. 천밍량의 유머감각이 그의 성격과 잘 어울리는 것 같았다. 앞으로 용감하게 밀고 나아가는 힘이 있었다.

"그래서요?"

"어떻게 됐냐고요?"

우팡은 잠시 생각에 잠겼다가 말을 이었다.

"그 애 아빠는 안 좋은 성격이 갈수록 더 심해졌어요. 매일 엄마를 때렸지요. 엄마의 손을 참을 수 없다는 거였어요. 엄마가 무슨 일을 하든지 장갑을 끼고 하게 했지요. 잠을 잘 때도 장갑을 끼게 했어요. 그 애 집 담장 한 면에는 특별히 나일론 줄이 설치되어 있었지요. 그 위에 전부 장갑이 걸려 있었어요. 나중에는 장갑을 끼는 것으로도 그 애 아빠를 만족시킬 수 없었지요. 죽은 사람 냄새가 장갑을 뚫고 나올 수 있다나요. 그 냄새만 맡으면 당장 죽지 못하는 것이 한일 정도로 괴로웠대요."

천밍량은 정말로 화가 나기 시작했다.

"그럼 그에게 빨리 죽어버리라고 하지 그랬어요."

우팡이 웃었다.

"그쪽이 염라대왕이에요? 죽으라면 죽게 말이에요."

"죽지 않을 거면 이혼을 하든가."

"엄마가 정말로 이혼을 제기한 적이 있대요. 하지만 아빠가 받아들이지 않았지요. 엄마의 두 손이 자신의 행복을 액살해버렸다고 그랬대요. 엄마가 이혼을 하려면 두 손을 자르라고 했대요."

천밍량이 우팡을 바라보면서 잠시 침묵하더니 그녀에게 가까이 다가가 말했다.

"혹시 이야기를 지어내고 있는 것 아니에요? 세상에 어떻게 이런 일이 있을 수 있지요?"

우팡이 천밍량을 잠시 바라보다가 웃으면서 말했다.

"제가 어딘가 허점을 보인 모양이군요. 이야기를 지어내는 것처럼 들렸다니 말이에요?"

천밍량이 우팡에게 아주 가까이 다가가 웃었다.

"나는 우팡 씨가 말하는 것이 전부 진실이라고 믿었어요."

"왜요?"

"제 이전 여자 친구는 거짓말을 안 하면 말을 못하는 그런 사람이었어요. 덕분에 여자들이 거짓말을 할 때 어떤지 잘 알게 됐죠."

우팡이 웃으면서 말을 받았다.

"그쪽 경험이야말로 정말 남다르군요."

19

장하오는 천밍량이 랑랑을 한번 만나야 한다는 생각을 고집했다. 인생이란 특별한 것이어야 했다. 그는 천밍량에게 체험하지 않으면 안 되는 일이라고 권했다.

장하오는 이 일이 약간 이상하다는 느낌이 들었다. 그는 줄곧 자신의 냉정한 이성을 자랑스러워하고 있었다. 하지만 랑랑이 그를 제 정신이 아닌 상태로 만들어버렸다. 시간이 하루하루 흘러가면서 그는 이미 며칠 전의 그런 충동적인 상태에서 상당히 벗어나 있었다. 하지만 여전히 쉬지 않고 천밍량에게 랑랑을 한번 찾아가보라고 종용하고 있었다.

"절대 후회하지 않을 거야."

천밍량은 장하오의 웃는 얼굴을 보면서 그것이 좋은 아이디어라고 생각하지 않았다. 하지만 호기심은 있었다. 랑랑의 몸에서 발산되는 은처럼 신비한 숨결은 확실히 흡인력이 있을 것 같았다.

자리에 앉고 나서 장하오는 쉴 새 없이 천밍량에게 채근했다.

"오늘은 더 이상 실수하는 일 없도록 해. 그녀가 피아노 앞에 앉으면 곧장 다가가라고."

천밍량은 아무 말도 하지 않았다.

"내 말 들었지?!"

"들었어."

두 사람은 잠시 그렇게 앉아 있었다. 장하오가 갑자기 천밍량을 툭 쳤다. 그의 얼굴이 갑자기 환해지는 것 같았다.

"왔다."

천밍량이 고개를 돌려 량량이 느릿느릿 걸어오는 모습을 바라보았다. 수많은 남자들의 눈길이 함께 미끄러져 움직였다. 스포트라이트가 그녀의 몸에 집중되는 것 같았다. 그녀는 이 모든 것을 보고도 못 번 척하면서 곧장 피아노 앞으로 가서 앉았다. 어둠 속에 잠시 앉아 있던 그녀가 손을 가볍게 건반 위에 올려놓았다. 피아노 소리가 울리기 시작하자 불빛이 밝아졌다. 마치 등불이 피아노 소리에 놀란 것 같았다. 장하오가 천밍량의 어깨를 툭툭 쳤다. 어서 가보라는 뜻이었다.

"사실, 나는 호기심도 별로 없단 말이야……."

장하오가 천밍량을 응시하며 말했다.

"너가 남자냐? 그러니까 류잉한테도 차이지."

천밍량도 불쾌한 어투로 말을 받았다.

"내가 도대체 몇 번 말했어? 그만 하라고."

"정말 끝까지 이 모양이군. 그 고약한 뿔을 잘라내야겠어."

장하오가 량량을 가리키며 말했다.

"그녀와 약속을 해서 얘기를 나눠보면 류잉이 왜 그렇게 변했던 건지 알 수 있을 거야."

천밍량이 말을 하려 하자 장하오가 손으로 저지하면서 말을 못하게 했다.

"넌 류잉과 칠 년이나 잘 지냈잖아? 좋은 옷도 칠 년을 입으면 피부가 되는 법인데 하물며 감정은 어떻겠어? 이게 무슨 나쁜 짓도 아니잖아. 이 이백 위안은 세탁비라고 생각해. 낡은 옷에 원래의 색을 찾아줘서 새 옷을 만들어야지. 흰색 바탕 위에 가장 새롭고 아름다운 그림을 그릴 수 있으니 얼마나 좋아!"

천밍량이 장하오를 쳐다보며 말했다.

"너 같은 사람이 어떻게 코치가 될 수 있는 거냐? 넌 작가가 되는 게 좋겠어."

"내 능력이 어느 정도나 되는지 앞으로 토론해보자고. 우선 이 일부터 처리하고 보자."

장하오는 천밍량을 자리에서 일으켜 세우면서 어깨를 다독거렸다. 천밍량이 량량을 한번 쳐다보았다. 량량은 눈길 한 번 주지 않고 피아노만 쳤다. 긴 머리칼 위로 파광이 흔들렸다. 천밍량은 그녀에게 다가가 어항에서 은색 집게를 꺼냈다. 이백 위안을 끼워 피아노 위에 내려놓자 량량이 고개를 들어 그를 힐끗 쳐다보았다. 불빛 아래서 그녀는 너무나 눈부신 모습이었다. 천밍량은 잠시 멍하니 서 있었다. 량량은 재빨리 눈길을 피아노 위로 옮겼다. 천밍량도 갑자기 머릿속에 한 가지 생각이 떠오르면서 놀라움을 금치 못했다. 하지만 그녀가 정말로…….

"우팡 씨?"

량량은 말이 없이 피아노 연주에 열중했다. 종업원이 다가와 천밍량에게 자리로 돌아가 달라고 부탁했다. 천밍량은 아쉬운 듯 뒤를 돌아보면서 자기 자리로 향했다.

"방금 랑랑에게 뭐라고 했어?"

전혀 믿어지지 않는 일이었다.

"내가 어디선가 본 적이 있는 것 같다고 말했잖아. 내가 아는 사람이야."

천밍량은 자신의 흥분을 의식하지 못했다. 목소리가 높아졌다. 장하오가 사방을 두리번거리며 말했다.

"목소리 좀 낮춰."

"저 여잔 우팡이야."

장하오는 정확히 듣지 못했다.

"저 여자는 틀림없는 우팡이라고."

천밍량이 랑랑 쪽을 힐끗 쳐다보았다.

"나랑 만난 적 있는 그 대학원생이란 말이야."

장하오가 웃으면서 말했다.

"너무 긴장해서 눈이 흐릿해진 모양이군?"

"그럴 리 없어."

"어째서 그럴 리가 없다는 거야?"

장하오가 사방을 둘러보고는 낮은 목소리로 천밍량에게 말했다.

"여기 있는 남자들 전부가 그녀를 안고 싶어 한단 말이야. 그런 여자가 무엇 때문에 여기저기 맞선을 보러 다니겠어?"

천밍량은 잠시 할 말이 없었다. 고개를 돌려 다시 랑랑을 바라보았다. 불빛에 둘러싸인 피아노 선율이 뭔가를 말하는 듯 그녀의 손가락 끝에서 흘러나왔다.

그녀가 <아드린느를 위한 발라드>를 연주할 때 천밍량은 가슴이 터져 가루가 될 것만 같았다.

"이 곡이 끝나면 그녀를 쫓아가도 돼."

장하오가 천밍량의 귀에 대고 낮은 소리로 속삭였다. 이미 여러 번 한 말이었다. 홀에 수많은 청중이 보고 있는 가운데 그녀를 따라 나가라는 것이었다……. 천밍량이 몸을 일으키며 말했다.

"문 앞에 가서 그녀를 기다려야겠어……."

"바보 같은 짓 하지 마."

장하오가 그를 잡아끌었다. 또 뭔가 한마디 당부할 요량이었다.

"조금 있다가 사람들 앞에서 우팡, 우팡 하지 마."

한 곡이 끝나고 조명이 꺼졌다. 량량이 몸을 일으켜 밖으로 나갔다. 장하오가 천밍량에게 눈짓을 보내자 천밍량이 그녀를 따라갔다.

20

장소는 량량이 잡았다. 그녀는 커피숍의 종업원과 잘 아는 사이였다. 천밍량은 그녀가 다른 남자와 함께 이곳을 찾은 상황을 상상해보았다.

량량은 구석에 있는 자리를 골랐다. 아주 조용한 곳이었다. 가장 중요한 것은 그녀가 음료를 주문하면서 녹차를 주문한 것이었다.

녹차였다!

아하!

테이블 위는 조명이 어두웠다. 덕분에 여인의 피부가 한결 아름답고 투명하게 보였다. 랑랑이 담배에 불을 붙였다. 가늘고 긴 담배였다. 파란 연기가 두 사람 사이로 피어올랐다.

그녀는 눈을 아주 낮게 내리깔고 있었다. 긴 첩모가 눈빛을 가려주었다. 천밍량은 눈 한 번 깜빡이지 않고 그녀를 응시했다.

"피아노를 그렇게 잘 칠 줄은 몰랐네요."

랑랑이 고개를 들고 그를 쳐다보았다. 그러고는 빙긋이 웃으며 몇 모금 피우지 않은 담배를 비벼 꺼버렸다. 종업원이 두 사람의 음료를 가져왔다. 커피 한 잔과 녹차 한 잔이었다. 천밍량이 녹차를 내려다보며 말했다.

"항상 녹차만 드시네요."

"다이어트 때문이에요. 게다가 갈증 해소에 좋거든요."

랑랑이 차를 한 모금 마셨다.

"이미 충분히 날씬하신 걸요."

"돈 있는 사람들도 항상 더 많은 돈을 원하지요. 마른 여자들도 항상 더 마르고 깊어 안달인 법이에요."

랑랑이 웃으며 말을 받았다. 천밍량이 갑자기 물었다.

"우팡 씨죠?"

랑랑이 고개를 들어 그를 쳐다보았다.

"우팡 씨가 틀림없어요. 더 이상 아닌 척하지 말아요."

천밍량이 미소를 보였다. 량량이 그를 다시 한 번 힐끗 쳐다보고는 담배를 한 대 꺼낸 다음 담배 갑을 그에게 건네주었다.

"전 담배 안 피워요……."

천밍량이 담뱃갑을 받으며 말을 이었다.

"하지만 한 개비쯤 피우는 것도 나쁘지 않겠지요."

천밍량이 담배를 한 개비 꺼내 들자 량량이 그의 눈앞으로 불을 가져가 그에게 먼저 불을 붙여준 다음 자기 담배에도 붙였다. 그러고는 자연스럽게 손을 옮겨 테이블을 짚고 있는 천밍량의 손 위로 가져갔다. 천밍량이 그녀의 손을 바라보았다. 건반 위에서 아름다운 선율을 흐르게 했던 손, 가늘고 아름다운 손이었다. 예술 작품 하나가 자기 손 위에 놓여 있는 것 같은 기분이었다.

"우팡이 누구에요?"

그녀가 물었다. 천밍량은 하마터면 정말로 그런 일이 있는 것처럼 그녀의 물음에 웃음을 터뜨릴 뻔했다.

"그쪽이요."

량량이 그를 쳐다보았다. 얼굴에 아주 천천히 미소가 피어올랐다. 그러고는 얼른 화제를 바꿨다.

"여자 친구 있으세요?"

그걸 모른단 말인가!?

"지금은 없어요."

"과거에는 몇 명이나 있었죠?"

이건 새로운 질문이었다. 천밍량이 잠시 생각에 잠겼다가 입을 열었다.

"셋일 거예요. 세 명인 셈이지요."

"셋이라고요? 어떻게 헤어졌나요?"

"고등학교 때 사귄 여자는 다른 지역에 있는 대학에 진학하면서 자연스럽게 헤어졌어요. 원래 그다지 중요하지 않은 친구였거든요. 대학교 일학년 때도 한 명 사귀었었는데 매일 싸우다가 두세 달 만에 헤어졌지요. 나중에 한 명 더 있었지만 지난달에 헤어졌어요."

"이번에는 왜 헤어지게 되었나요?"

천밍량이 랑랑을 쳐다보며 말했다.

"이미 얘기했잖아요."

"정말 재미있는 분이로군요."

랑랑이 웃으면서 몸을 약간 뒤로 당겼다. 그녀의 웃는 모습은 우팡의 얼굴에서 보지 못한 것이었다. 우팡은 웃는 일이 아주 드물었다. 웃어도 너무 짧아 그 모습이 금세 사라졌다.

"하지만, 있잖아요, 제가 만나본 남자는 무수히 많거든요. 어떤 목적을 갖고 계신지 모르겠지만 제 앞에서 감언이설은 하지 않는 게 좋아요."

랑랑의 목소리는 무척이나 부드러웠지만 그 이면에 뭔가 강인한 힘이 감춰져 있었다. 샴푸 광고에서도 부드러우면서도 강한 머리칼이 진정으로 아름다운 머리칼이라고 했다. 요즘은 사람에 대한 형용사들이 거의 미친 것 같았다. 머리칼에도 '부드러움 속의 강인함'이라는 표현을 쓰고 있었다.

천밍량이 앞으로 몸을 숙여 랑랑의 눈을 뚫어져라 쳐다보았다.

"제가 감언이설한다고 하셨나요?!"

랑랑의 말투가 약간 위축되었다.

"그럼 그쪽이 하지 설마 제가 하겠어요?!"

두 사람은 눈빛으로 대치하면서 누구도 양보하려 하지 않았다.

"두 사람이 목소리까지 똑같아요. 내가 잘못 봤을 리가 없어요."

천밍량이 말했다. 마음은 말투처럼 그렇게 강경하지 않았다.

"저랑 누가요? 그쪽이 말하는 우팡하고요?"

랑랑이 다시 웃는 얼굴을 보였다. 그녀의 웃음은 여우같은 여자처럼 상대의 심장을 빨리 뛰게 했다. 하지만 천밍량은 이 순간 그녀가 얼굴에 정색을 하는 것을 놓치지 않았다.

"물론이지요."

"이렇게 저급하게 굴지 마세요."

랑랑이 연기를 한 모금 내뿜으며 말했다.

"우팡과 랑랑이라? 발음도 비슷하네요. 하지만 그쪽의 그런 농담은 정말 무료하네요."

"그럼 그쪽의 진짜 이름이…… 랑랑인가요? 다른 이름은 없어요?"

천밍량의 의혹은 여전히 풀리지 않았다.

"이제는 우리 집안 사정까지 살펴서 내가 나라는 것을 증명하려 하시는군요?"

그녀의 표정은 여전히 온화했지만 그 뒤에 애써 짜증을 숨기고 있었다.

"그쪽 말고도 예닐곱 명의 남자들이 그런 생각을 했었어요."

천밍량은 잠시 할 말이 없었다. 량량은 담배를 비벼 끄고는 손을 뻗어 자신의 손바닥을 그의 손바닥에 대면서 말했다.

"손이 정말 크군요. 제 손이 다 들어가네요."

천밍량도 손 두 개를 내려다보았다.

"장갑 같아요?"

량량도 손을 보면서 웃었다.

"그렇네요. 정말 장갑 같지 않아요?"

천밍량이 순간 짧은 신음을 내뱉었다.

"장갑에 관련된 이야기가 한 가지 있는데 들어 봤어요?"

"어떤 얘기인데요?"

"친구가 하나 있었어요. 음, 여자 친구였지요. 그녀의 엄마는 죽은 사람에게 화장을 해주는 일을 하고 있었지요. 그녀 아버지는 엄마가 그런 일을 하는 줄 모르고 있다가 나중에서야 알고는 심리장애를 갖게 되었어요. 엄마가 무슨 일을 하든지 반드시 장갑을 끼고 하게 한 거예요."

량량이 웃으며 물었다.

"정말이에요? 그런 이상한 일이 어디 있담?"

"정말이에요."

랑랑이 눈동자를 굴리면서 어투를 조금 늦췄다.

"그 여자가 방금 그 세 명 가운데 어떤 여잔가요?"

"셋 다 아닙니다. 얘기를 어디로 끌고 가고 싶은 거예요?"

"얘기하고 싶지 않으면 그만 두세요."

랑랑이 상대의 말을 좋게 받아들이겠다는 듯이 가볍게 웃었다. 그녀의 손은 시종 천밍량의 손을 떠나지 않았다. 그녀의 손가락이 그의 손을 둘둘 휘감고 있는 것 같았다. 한 손은 흰 옥 조각 같고 한 손은 커피색 나뭇잎 같았다. 선명한 대비였다. 자세는 좀 애매했다. 천밍량의 피가 빨리 돌기 시작했다.

"왜…… 이런 일을 하나요?"

랑랑이 눈을 가늘게 떴다. 화장을 한 속눈썹이 정말 귀엽고 앙증맞았다.

"뭐 말이에요?"

"그러니까…… 남자랑 이러는 거요."

"남자랑…… 어떤 거요?"

천밍량이 목소리를 가다듬은 다음 다시 말했다.

"남자랑 밖에 나와 술 마시고 얘기하는 거요."

"남자랑 술 마시고 얘기하는 게 뭐 잘못 되기라도 했나요?"

"……그런 뜻이 아니에요."

"그럼 무슨 뜻이죠?"

"……제 말뜻을 잘 아시잖아요."

랑랑이 웃었다. 그러고는 또 담배에 불을 붙인 다음 천밍량의 얼굴에 대해 연기를 한 모금 내뿜었다.

"이건 피아노 치는 것과 마찬가지로 제 일이에요. 힘들지도 않고 돈도 벌 수 있지요."

"그러다가 나쁜 사람을 만나면 어쩌려고요?"

랑랑은 졸렬한 농담을 들은 것처럼 웃는 것도 아니고 안 웃는 것도 아닌 표정을 지었다.

"어떤 사람이 나쁜 사람인데요?"

천밍량은 잠시 말이 막혔다. 랑랑이 가볍게 손가락을 튕겨 담뱃재를 재떨이에 털었다.

"이 세상에 나쁜 사람은 없어요. 장사꾼이 있을 따름이지요."

21

두 시간이 아주 빨리 지나가버렸다. 랑랑이 돌아가겠다고 하자 천밍량이 손목시계를 들여다보았다. 말하기 좋은 때가 되었기 때문이다. 사방을 둘러보니 시계가 없었다. 그녀의 손목에도 시계가 없었다. 그는 그녀가 어떻게 시간을 파악하는지 알 수 없었다. 천밍량이 계산을 하고 나서 둘이 함께 술집을 나왔다.

"밤에는 일을 하고 낮에는 뭘 하나요?"

랑랑은 대답하지 않고 되물었다.

"그럼 그쪽은 낮에 일하고 밤에는 뭘 하시나요?"

"물론 잠을 자지요."

"정말 귀여우시군요."

그녀는 천밍량의 얼굴에 가볍게 입을 맞추고는 몸을 돌려 길거리에서 택시를 잡았다. 택시가 서자 차 문을 열고는 천밍량을 향해 손을 흔들었다.

"저 갈게요."

천밍량도 따라가며 말했다.

"우리 또 만날 수 있는 거죠?"

량량은 가부를 얘기하지 않고 웃기만 하더니 기사에게 말했다.

"가요."

천밍량은 차가 출발하는 것을 멍하니 바라보았다.

22

천밍량이 맥주가 담긴 폴리백을 들고서 장하오의 기숙사 방문을 두드렸다. 여러 방에서 사람들의 기척이 들렸다. 장하오가 잠이 덜 깬 눈으로 문을 열었다. 천밍량이 큰 걸음으로 들어섰다.

"야, 이 미친놈아……."

장하오가 눈을 비비면서 욕을 해댔다. 천밍량이 익숙한 동작으로 불을 켜자 안에서 여자의 비명소리가 들려 나왔다. 천밍량은 침대 위에서 장하오의 여자 친구가 재빨리 이불을 뒤집어쓰는 것을 보고는 재빨리 몸을 돌려 손이 닿는 대로 전등을 다시 껐다. 어둠 속에서 장하오의 목소리가 또렷해졌다.

"여자 친구가 있는 걸 깜빡 잊고 얘기 안했군."

그가 천밍량을 밖으로 밀어내면서 말했다.

"할 말이 있으면 내일 하자고. 어서 이만 돌아가."

천밍량은 발에 힘을 주어 버티면서 장하오에게 자신을 내쫓지 말라고 애원했다.

"약속할게. 절대 침대 위는 쳐다보지 않을게. 난 그저 너랑 얘기를 나누고 싶은 것뿐이야. 하고 싶은 말이 배에 하나 가득이라 안 하면 답답해 죽을지도 몰라."

"이 미친놈, 지금 내가 얼마나 화나 나 있는지도 모르네."

장하오가 목소리를 낮춰 그에 귀에 대고 말했다. 천밍량이 두 손으로 장하오의 손을 막았다.

"이렇게 하자. 넌 침대 위에 누워 있고 난 바닥에 앉아 있을게. 불도 켜지 않고 얘기하면 되잖아?"

"이런 빌어먹을 놈이 완전히 미쳤군. 당장 나가. 안 나가면 경찰 부를 거야."

천밍량이 엉덩이 한쪽을 소파에 걸치고 앉았다.

"그럼 불러. 경찰 불러서 나 잡아가라고 해. 뱃속 가득한 말은 경찰에게 하지 뭐."

장하오가 갑자기 천밍량에게 다가가서는 그의 몸 가까이에서 숨을 들이마셨다. 천밍량이 뒤로 물러서며 물었다.

"뭐 하는 거야?"

"술도 안 마셨네. 술도 안 마시고서 웬 주정이야?! 나가. 꺼지라고. 어서 나가란 말이야."

"나를 환자로 생각해. 정신이 좀 오락가락하는 환자 말이야?! 난 열 시 넘어서 사람들과 커피를 마시면 정신이 안 좋아지거든."

천밍량은 계속 밍기적거리면서 가려고 하지 않았다. 장하오가 어둠 속에서 목소리를 높였다.

"지금이 얘기를 할 때야?"

"알아, 안다고. 내가 그런 것도 모르겠어? 나는 단지 혼자 집에 돌아가고 싶지 않은 것뿐이야. 너무 외로워서 참을 수 없다고. 난 여기서 멍하니 앉아 있을 테니까 너희는 하고 싶은 짓 해. 날 그냥 망가진 가구라고 생각하면 되잖아?!"

천밍량은 이렇게 말하면서 폴리백에서 캔 맥주를 꺼냈다. '피쉭' 맥주 캔 따는 소리가 났다. 장하오는 정말 방법이 없다고 판단하고는 고개를 돌려 이불 속에 있는 사람에게 물었다.

"들었지? 이게 사람이 할 소리야?"

이불 속에서 장하오의 여자 친구가 웃는 소리가 들렸다.

23

천밍량이 춤추듯 손과 팔을 흔들어댔다. 우팡이 그를 향해 다가왔다.

"제가 늦은 건 아니죠?"

"아니에요. 제가 일찍 왔어요. 제가 우팡 씨 몫으로 녹차를 주문해 놓았습니다."

"고마워요."

우팡이 사방을 둘러보며 말했다.

"최근에는 이 집이 마음에 드시나 봐요?"

"이 집은 빛이 좋아요. 보통 커피숍들은 조명이 흐릿한 것이 꼭 침실 같지요. 제대로 된 사람이 오래 앉아 있으면 마음이 불량해지는 것을 피할 수 없을 거예요."

우팡은 원래 단정히 앉아 있었지만 천밍량의 말을 듣고는 표정까지도 단정해졌다. 천밍량이 우팡을 쳐다보며 말했다.

"사실 자세히 보니 우팡 씨도 꽤 미인이군요."

"뭐라고요? 절 위로하는 건가요?"

우팡이 부자연한 모습을 보였다.

"아니에요. 우팡 씨는 얼핏 보면 그저 그런 것 같지만 볼수록 예뻐지는 그런 유형이에요."

우팡이 가볍게 한숨을 내쉬며 말했다.

"항상 이렇게 촐랑대면서 어떻게 남들을 가르치세요?"

천밍량이 정색을 하면서 말을 받았다.

"저는 덕으로 사람들을 대합니다."

우팡이 웃었다. 천밍량이 갑자기 손을 뻗어 그녀의 안경을 벗겼다. 우팡이 중얼거리며 재빨리 손으로 얼굴을 감쌌다.

"뭐 하는 거예요?"

"우팡 씨가 안경을 끼지 않은 모습이 어떤지 보고 싶어서요."

우팡이 한 손으로 눈을 가리고 손을 앞으로 내밀면서 말했다.

"돌려주세요."

"한 번만 보고요."

"빨리 주세요!"

"딱 한 번만이요. 거짓말 하면 절 우팡 씨 손자로 여기세요."

우팡의 어투가 바뀌었다.

"어서 달란 말이에요!!!"

천밍량은 말을 하지 않고 침울한 얼굴로 우팡이 뻗은 손을 바라보았다. 창백하고 뼈의 감촉이 느껴지면서도 부드러운 손이었다. 심하게 떨리지만 않았다면 어젯밤의 손과 너무나 비슷했다. 우팡이 손을 놓았다. 눈이 약간 붉어지면서 눈 주위가 검게 변했다. 극도의 분노로 천밍량을 바라보고 있었다.

"미안해요."

천밍량은 조심스럽게 안경을 자기 쪽으로 뻗은 그녀의 손 위에 놀려놓았다. 우팡은 안경을 쓴 다음 손을 뻗어 가방을 집어 들고는 몸을 일으키다가 음료를 가지고 온 종업원과 부딪쳤다. 차와 커피가 그녀의 옷 위로 쏟아졌다. 그녀가 비명을 질렀다.

24

우팡이 화장실로 가서 옷에 묻은 것들을 닦아내는 동안 천밍량은 화장실 입구에 서서 문 안쪽을 바라보며 기웃거리고 있었다.

"미안해요. 정말 고의가 아니었어요……. 그냥 장난을 좀 치려 했던 것뿐이지 우팡 씨를 어떻게 하려는 건 아니었어요. 우리가 아직 친한 사이는 아니지만 어쨌든 친구잖아요. 커피를 마시면서 얘기를 나눈 것도 여러 번이고요. 우팡 씨는 똑똑하니까 사실 제가 꽤 친절한 사람이란 걸 잘 아실 거예요. 나쁜 마음은 없어요. 그냥 장난을 좀 좋아하는 것뿐이죠. 안 그래요? 정말이에요. 화내지 말아요. 우팡 씨가 화를 내면 정말 가슴이 무너진단 말이에요. 화만 안 내시면 제가 뭐든지 다 할게요. 어때요?"

그는 아무 생각 없이 고개를 돌렸다가 깜짝 놀라고 말았다. 우팡이 바로 뒤에 서 있는 것이었다.

"어떻게 귀신처럼 걸음을 옮기면서 소리도 내지 않지요? 놀라서 죽으면 책임지실 건가요?"

우팡이 차가운 눈으로 천밍량을 쳐다보며 말했다.

"말했잖아요. 제가 화만 안내면 뭐든지 하겠다고. 아닌가요?"

"맞아요. 그랬죠."

"말로만 그치는 거예요?"

"그럴 리가요. 남아일언중천금이잖아요."

"우리가 친구하는 건 여기까지예요. 이제부터 그쪽은 알아서 밝은 길을 가세요. 저는 저의 외나무다리를 갈 테니까요. 이제부터 우린 서로 모르는 사이에요."

천밍량이 잠시 주저하다가 말했다.

"좋아요. 하지만 한 가지 조건이 있어요."

우팡이 그를 쳐다보았다.

"우팡 씨가 밝은 길을 가세요. 제가 외나무다리를 갈게요. 외나무다리는 위험하기 때문에 우팡 씨 혼자 가게 할 수 없어요. 게다가 대학원생이니 근시안일 것 아니에요? 걷기 안 좋은 길을 제가 가는 게 낫지요."

우팡이 정색을 하고 있다가 마침내 버티지 못하고 웃음을 터뜨리고 말았다.

25

두 사람은 방금 앉았던 자리로 돌아와 다시 차와 커피를 주문했다. 그의 몸에 넘치는 열정과 힘은 거부하기 힘들었다. 맞선을 본 사람들은 많았지만 이렇게 집착하는 사람은 그가 처음이었다.

"그쪽은 가끔씩 정말 참을 수 없을 때가 있어요."

우팡이 한숨을 내쉬며 말했다.

"그렇게 말씀하시면 안 되지요. 우팡 씨 같은 신비한 친구의 망할 자식 같은 아빠도 있잖아요. 세상에 어떻게 그렇게 나쁜 남자가 있을 수 있겠어요?"

천밍량이 희죽거리며 말했다.

"그쪽이 잘못했잖아요."

그녀가 냉정하게 말했다.

"설마……."

그의 눈썹이 치켜 올라갔다.

"그 애 아빠는 죽은 지 십 년이 넘었어요. 애당초 나쁜 남자가 아니라 악귀였지요."

"……어떻게 돌아가셨는데요?"

"살해당했어요."

"정말이요?"

우팡이 천밍량을 바라보았다. 그의 즐거워하는 모습이 받아들이기 어려웠다.

"왜 그렇게 동정심이 없는 거예요? 사람이 죽었다는 얘기를 들으니까 그렇게 즐거우세요?"

"동정심이 없는 게 아니네요. 누구에게 베풀어야 하느냐가 문제지요. 중요한 대목에서 말을 끊지 말아요. 도대체 누가 백성들을 위해 해악을 제거하나요?"

그가 커피를 한 모금 마시고서 말했다. 우팡이 의미심장하게 웃으면서 손목시계를 들여다보았다.

"뭐 하러 시계는 봐요? 장회소설처럼 재미있는 대목에 이를 때마다 다음 회에 얘기하겠습니다 할 건가요?"

"해답이 없어요."

"해답이 없다고요?!"

"저는 없다고 봐요."

"그쪽은요?!"

우팡이 잠시 생각에 잠겼다.

"이 일은 당시에 대단한 충격을 일으켰어요. 오래도록 사람들 입에 오르내렸지요. 남편을 죽인 사건이니 얼마나 자극적이겠어요. 하지만 한가한 얘기도 일단 전해지기 시작하면 쉽게 모양이 변한다니까요. 그 애 엄마가 손에 날카로운 칼을 들고 아버지에게 다가가 서른 번 넘게 찔렀대요. 그 애 엄마가 도끼로 아빠를 육장으로 만들어버렸다는 얘기도 있고요. 다른 얘기는 고사하고 그 애 엄마가 아빠가 자고 있는 사이에 목을 상하게 했다는 얘기도 있어요. 벽이 온통 피로 물들었대요. 어차피 소문은 전해지면서 미친 듯이 증폭되는 법이니까요. 사건이 발생했을 때 제 친구도 그 자리에 있었대요. 전 과정을 직접 목격한 것이지요. 그 애 말로는 그날 아침 일찍 눈꺼풀이 몹시 떨렸대요. 아예 통제할 수 없는 정도라 몹시 당황했었다는군요. 아빠가 죽은 뒤에 그 애는 학교에서 쫓겨났대요. 모두들 등 뒤에서 손가락질을 해댔지요. 아주 긴 시간이 지나 한번은 이 얘기를 다시 꺼내더니 자신이 아버지를 죽였다고 하더래요."

"그 친구가 죽인 사람은…… 그 친구는 당시에 아주 컸었나요?"

"열너덧 살쯤 되었었지요. 왜요?"

"왜냐고요?"

천밍량이 웃었다.

"아직 법정 연령이 되지 않았잖아요. 아무리 살인을 했어도 목숨으로 갚아야 하는 입장은 아니지요."

"하지만 그 애가 제게 이런 얘기를 하기 전에 그 애 엄마가 이미 과실치사로 인해 감옥에 가 있었어요."

천밍량이 우팡을 쳐다보았다.

"엄마는 법정에서 자신이 사람을 죽인 것을 인정했대요."

"증거가 있었나요?"

"과정만 얘기했지 증거가 있는지는 잘 모르겠어요? 그 애 아빠는 부엌에서 피살되었어요. 당시 그 애 엄마는 음식을 하고 있었거든요. 그 애 아빠는 술을 많이 마시고 엄마를 강간하려 했대요. 그 애 엄마가 거부하면서 몇 차례 반항하자 아빠가 화가 나서 엄마의 머리채를 잡아 솥에 부딪쳤대요. 아빠가 너무 세게 미는 바람에 엄마는 머리가 깨지고 말았지요. 피가 흐르기 시작하더니 순식간에 얼굴을 뒤덮었어요. 제 친구는 놀라서 울면서 아빠에게 달려들어 다리를 잡아당겼지요. 그 애 아빠는 이미 미쳐 있었어요. 아빠를 끌어내지 못한 것은 물론이요, 아빠의 발에 가슴을 차이고 말았지요. 그렇게 널브러져 일어서지 못했대요. 그 애 엄마가 그 모습을 보고 너무 다급한 마음에 쇠로 된 솥을 들어 아빠의 머리를 내려쳤지요. 이때까지만 해도 괜찮았는데 아빠가 넘어지면서 감자 깎는 칼에 찔리고 말았어요. 그 바람에 목의 정맥이 절단되면서 아빠가 죽게 된 것이었어요."

천밍량이 멍청하게 서서 우팡을 바라보았다.

"제 친구는 자기 아빠가 실수로 칼에 찔린 것이 아니라 자신이 칼을 집어 아빠의 목을 향해 찌른 것이라고 하더군요."

천밍량은 아무 말도 나오지 않았다.

"왜 그래요?"

우팡의 표정이 몇 차례 아주 바르게 변하더니 마지막으로 천밍량을 향해 빙긋이 웃었다.

"그냥 지어낸 이야기일 뿐이에요. 정말 사실로 믿는 거예요?"

"……그 다음엔 어떻게 됐죠?"

"전부 지어낸 건데 무슨 뒷이야기가 있겠어요?"

"지어낸 이야기라도 결말이 있을 것 아니에요. 그 다음에 어떻게 되었어요?"

우팡이 한숨을 내쉬며 말했다.

"그 애 엄마가 과실치사로 이십 년 형을 받았대요."

26

이야기가 끝났으니 두 사람은 다시 만날 필요가 없었다.

하지만 천밍량은 그렇게 생각하지 않았다. 그는 우팡과의 만남이 싱겁긴 하지만 꽤 즐겁다는 것을 깨달았다. 그는 이런 관계를 중단하고 싶지 않았다. 그녀가 나가자 그는 그녀 뒤를 따랐다.

처음에는 우팡도 개의치 않다가 정말로 천밍량을 떨쳐내기 어렵다는 것을 깨닫고는 걸음을 멈췄다.

"저랑 아직 할 일이 남았나요?"

"저녁 같이 먹는 게 어때요?"

"수업이 있다고 말했잖아요."

"거짓말인 것 알아요."

우팡이 정색을 했다.

"우팡 씨의 그런 표정만 봐도 거짓말이라는 걸 알 수 있어요."

우팡이 가볍게 웃었다.

"여자 친구한테서 시비와 진위를 가리는 법을 배운 모양이군요?"

"그럼 같이 학교에 가서 확인해 봐야겠네요. 정말 수업이 있는 거라면 이제부터 귀찮게 굴지 않겠다고 약속할게요. 우팡 씨 말대로 얘기도 다 끝났으니까요."

"또 시작이군요."

천밍량이 대단히 엄숙한 표정으로 말했다.

"맹세할 수 있습니다."

우팡은 그를 믿지 않았다.

"그쪽은 항상 이렇게 농담만 하잖아요. 재미있으세요?"

"전 농담한 적 없는데요."

우팡은 달리 방법이 없었다.

"좋아요. 인정해요. 저녁에는 수업이 없어요."

천밍량의 얼굴에 찬란한 미소가 번졌다.

"하지만 저 정말 약속이 있어요."

"맞선 보는 거요?"

우팡이 고개를 끄덕였다. 천밍량은 한동안 말을 하지 못했다.

"이제 가도 되죠? 그럼, 바이바이."

우팡이 몸을 돌려 가려고 하자 천밍량이 또다시 그녀를 붙잡았다. 우팡이 화를 내려 하자 천밍량이 자신을 가리키며 말했다.

"저를 어떻게 생각하세요?"

우팡이 그를 쳐다보며 물었다.

"뭐가 어떠냐는 거예요?"

"절 어떻게 생각하느냐고요? 저랑 연애할 마음이 있느냐는 말입니다."

우팡은 힘껏 팔을 내저었다. 그에게서 벗어나고 싶다는 몸짓이었다.

"사람이 왜 이렇게 싱거워요?"

"전 지금 진지하게 얘기하는 겁니다."

"그럼 좋아요,"

우팡은 몸부림을 포기하고 천밍량의 눈을 똑바로 쳐다보면서 대답했다.

"저도 진지하게 얘기할게요. 저는 그쪽과 연애하고 싶은 마음 전혀 없어요."

"왜죠?"

"그쪽은요? 그쪽은 왜죠? 제 어디가 그렇게 좋은가요?"

"잘 모르겠어요. 아마 말할 때의 어투인 것 같아요."

천밍량이 애매모호하게 대답했다.

"어투라고요?"

우팡이 쓴웃음을 지으며 말을 받았다.

"제가 결혼을 하고 싶어 하고 자주 맞선을 보러 간다는 건 인정해요. 하지만 이 모든 게 제 개인적인 일이고 제가 원하는 일이에요. 저는 자신이 못생겼고 남자들이 좋아하지 않는다는 것도 잘 알아요. 하지만 남자들에게 거절당할지언정 그쪽의 그런 제안은 받아들이고 싶지 않군요. 사람을 뭘로 보는 거예요? 절 동정의 대상으로 여기는 건가요?!"

"전 그게 아니라……."

"더 이상 아무 말도 하지 말아요. 저도 더 이상 그쪽과 얘기하고 싶지 않으니까요."

우팡은 지나가는 택시를 세운 다음 얼른 타고 자리를 떴다.

27

장하오는 기숙사에 있지 않았다.

천밍량은 말할 상대를 찾고 싶었다. 그는 지금 혼자 멍청하게 앉아 있는 것이 힘들었다. 그는 자신이 걸핏하면 정색을 하는 우팡을 마음에 두고 있다는 것을 깨달았다. 오늘 저녁 무렵 그녀가 곁에서 떠나갈 때 그는 심한 상실감과 실의를 느꼈다. 이런 느낌은 얼마 전의 실연이나 또 다른 감정 때문이 아니었다. 오로지 그녀 때문이었다.

그녀에게 어떤 장점이 있는 걸까? 그녀를 데리고 음식점에 가서 식사를 하면 틀림없이 남성들의 관심을 끌 것이다. 이전에 류잉을 데리고 나갈 때와 다른 점이 있다면 그녀는 항상 가장 주목받는 여자가 된다는 것이었다. 그녀와 우팡은 완전히 다른 두 가지 유형의 여자였다.

천밍량은 나중에 누구를 찾아가야 하는지 생각났다.

랑랑을 보았을 때 그의 심장이 미친 듯이 뛰기 시작했다. 그는 자신이 왜 혼자 지내지 못하는지, 왜 반드시 누군가를 찾아야 하는지 생각해보았다. 반드시 누군가를 찾아야 한다면 왜 이전처럼 장하오의 문 앞에서 그가 돌아오기를 기다릴 수 없는 것일까?

그는 자신이 랑랑을 보고 싶어 한다는 사실을 인정하고 싶지 않았다. 그는 스스로에게 자신은 그저 대화 상대를 찾고 싶을 뿐이라고, 우팡과 얘기하고 싶을 뿐이라고 말했다. 랑랑은 피아노를 치는 것 외에 사람들과 이야기 상대가 되어주는 일에 종사하고 있었다.

랑랑의 웃는 얼굴이 등불 아래서 꽃처럼 요염하고 아름다웠다. 천밍량은 그녀의 웃는 얼굴이 업무적인 것이 아니기를 희망했다.

"왜 그래요? 기분이 안 좋아요?"

천밍량이 쓴웃음을 지었다.

"어서 말해 봐요."

랑랑이 부드러운 말로 권했다. 그녀의 얼굴이 화장한 얼굴이 아니라면, 그녀의 머리가 파마하지 않는 머리라면, 그녀가 이런 옷을 입고 있지 않았다면, 그리고 안경을 썼더라면……. 랑랑이 손을 천밍량의 눈앞에 대로 흔들었다. 천밍량이 정신을 차렸다.

"전 갈수록 여자들을 이해하지 못할 것 같아요. 칠 년을 함께 지낸 여자 친구가 결혼을 앞두고 다른 사람의 아내가 되어버렸어요."

량량이 웃었다.

"이전에는 여자들을 원망하는 사람이 많았는데 지금은 갈수록 남자 쪽을 원망하는 사람들이 많아지는 것 같아요."

"저는 결코 그녀를 원망하지 않아요. 정말이에요. 미워하긴 하지만 원망하진 않아요. 이번 일로 제게 가장 큰 아픔을 준 사람은 그녀가 아니라 저 자신이었어요. 매일 저와 함께 생활하는 여인이 다른 마음을 품고 있었고 게다가 이를 행동으로 옮겼지요. 일 년은 아니지만 거의 반년에 가까운 시간이었는데 저는 아무런 낌새도 알아채지 못했지요. 제가 어느 정도로 멍청했는지 알겠죠?!"

"그건 멍청하기 때문이 아니에요. 너무 믿어서 그런 거죠."

"하지만 지금 제 친구들의 눈에 저는 영락없는 웃음거리에요. 멍청함의 대명사가 되었지요."

"다른 사람들 눈에는 저도 닭(몸 파는 여자를 상징하는 은어)이겠군요?"

량량이 담담한 어투로 말했다. 표정도 자연스러웠다.

"사실은 제가 심리상담사 역할을 담당하고 있는 거죠. 안 그래요?"

천밍량이 웃었다.

"랑랑 씨는 제가 만난 가장 아름다운 심리상담사에요."

랑랑이 손을 뻗어 그의 코를 짓눌렀다.

"줄곧 그쪽을 진실한 사람으로 여겼는데 뜻밖에도 생각에 없는 아첨을 꽤 잘하시네요?"

"저의 예전 여자 친구도 피아노를 쳤어요."

랑랑의 어투가 천밍량의 말에 대해 확실한 불신을 드러냈다.

"정말이에요?"

"정말이에요. 그녀 이름은 류잉이었어요. 못 들어봤죠? 우리는 사범대학 동창이에요. 그녀는 음악과였고 저는 체육학과였죠. 졸업한 뒤에 그녀는 학교에 남아 선생님이 되었고 저는 축구 코치로 일하게 되었지요. 우리는 결혼하기로 결정했어요. 그녀는 틈틈이 술집에서 피아노를 쳤지요. 이런 시간이……. 아마 일 년 반쯤 되었을 거예요. 그녀는 정말 적지 않은 돈을 벌었어요. 우리는 은행 대출을 받아 집을 사서 인테리어를 했지요. 웨딩사진까지 다 찍었어요. 그런데 갑자기 그녀가 내게 헤어질 것을 요구했어요."

"아마 연분이 없어서 그럴 거예요."

"연분이 없었던 거로군요."

"어쩌면 잠시 후에 우리가 술집에서 나가면 그쪽도 꿈속의 연인을 만날 수 있을지 몰라요."

랑랑의 달콤한 어투에 천밍량이 그녀를 힐끗 쳐다보았다.

"그러면서 제가 입에 기름칠을 했다고 그래요? 랑랑 씨야말로 입에 기름을 잔뜩 칠했네요."

"입에 기름칠을 한 것이 아니라 제 직업상의 도의일 뿐이에요. 저랑 얘기를 나누면서 남자들은 돈을 내잖아요. 남자들이 봄바람을 쐰 것 같은 느낌을 받게 하는 것이 제 임무거든요."

천밍량의 얼굴에 미소가 사라졌다. 약간 침울한 모습이었다.

"그렇게 자꾸 일깨워주지 않아도 돼요. 저도 무슨 나쁜 생각을 갖고 있진 않으니까요."

량량이 손가락 끝으로 그의 얼굴을 가볍게 어루만지면서 낮은 목소리로 말했다.

"이렇게 잘 생겼는데, 제가 좋은 아이디어를 제공할 수 없는 게 한이네요."

그녀의 직업적인 습관이라는 걸 뻔히 알면서도 마음이 흔들린 천밍량이 쓴웃음을 지었다.

"그렇게 갸륵한 마음을 갖고 있다면 절 집으로 데려가요."

량량이 빙긋이 웃었다.

"마침내 여우 꼬리가 드러났네요!"

"지금 저는 가장 싫은 것이 우리 집이에요."

그가 잠시 망설이더니 량량의 담뱃갑에서 담배를 한 개비 꺼냈다.

"집 인테리어를 정말 멋지게 잘 해놨어요. 전부 최고급 자재를 사용했지요. 가전용품들도 전부 최고급이었어요. 하지만 집에 있으면 온몸이 부자유스러워요. 여자 친구가 아직 그 집에 사는 것 같아서요. 그녀는 지금까지도 저와 그 집에 큰 영향을 미치고 있지요.

"여자 친구를 그렇게 묘사하니까 은근히 질투가 나네요."

랑랑이 잠시 입을 다물었다가 빙긋이 웃었다.

"여자 친구가 정말 예뻤나 보죠?"

"랑랑 씨만큼 예쁘진 않았어요."

랑랑이 애교를 부리듯 그의 어깨를 툭 쳤다.

"여자 친구 이름이 우팡인가요?"

"아, 아니에요. 우팡은 또 다른 사람이에요."

"새 여자 친군가요?"

"아니에요. 그냥 친구에요."

"이미 새 친구가 생겼는데 저한테 그렇게 벌레 씹은 표정을 짓는 이유가 뭐에요?"

"오늘 그녀에게 프러포즈했다가 거절당했어요."

랑랑은 즉시 무한한 동정을 나타냈다.

"그랬군요."

그녀의 태도에는 허위의식이 적지 않았다. 하지만 그러는 게 밉지는 않았다.

"두 사람이 정말 이상해요. 외모가 서로 닮았으면서도 전혀 다르거든요. 그런 느낌을 어떻게 설명해야 할지 모르겠네요."

천밍량은 시비를 가릴 수 없었다.

"그녀도 녹차를 마셨어요."

"정말 제 호기심을 자극하시는군요. 나중에 그녀를 한번 데려와서 보여주시면 안 될까요?"

"한번 해보지요."

천밍량은 우팡이 떠나면서 단호하게 거절하던 몸짓이 떠올랐다.

"하지만 아는 건 별로 없어요. 오늘 오후에도 두 번이나 매몰차게 미움을 샀거든요."

량량이 웃었다.

"그래요? 그 얘기 좀 해 봐요."

28

우팡이 사라졌다.

천밍량이 전화할 때마다 수화기 저쪽에서는 녹음된 안내만 들렸다.

"지금 거신 전화는 이미 수화기가 꺼져 있습니다……."

천밍량은 정신을 차릴 수 없었다. 자신의 감정을 알 수가 없었다. 이게 사랑일까? 아닐 것이다. 두 사람이 그렇게 자주 만났지만 돌이켜보면 의미심장한 응시는 한 번도 없었던 것 같았다. 우팡은 속을 알 수 없는 여자였다. 계속되는 이야기를 제외하면 그는 그녀에 관해 아무 것도 이해하지 못했다. 이야기도 다른 사람들에게 일어난 것들이었다. 장하오도 그가 평소 같지 않다는 것을 알아챘다.

"너 지금 진지한 거야? 정말 그 마른 빵 같은 여자 석사를 찾고 싶은 거야?"

"누가 마른 빵이라는 거야? 네 여자 친구야말로 마른 빵이다. 신경 쓰지 마. 사발면 같은 네 여자 친구 파마머리나 신경 쓰라고."

"알았어. 끝난 거야. 네 말만 들어도 어찌 된 일인지 알겠다."

장하오가 천밍량을 쳐다보면서 말했다.

"넌 여자한테 빠졌다 하면 자기 본분을 잊어버린다니까. 항상 색을 중시하면서 우정을 경시하지."

"그녀가 어디에 색기가 있다고 그래? 비쩍 마른 여자가……."

장하오가 웃었다.

"뭘 웃어?"

"완전히 정신병자로군. 내가 웃건 말건 왜 간섭이야?"

천밍량은 핸드폰을 꺼내 어디론가 전화를 걸면서 장하오를 노려보았다.

"웃지 말란 말이야."

장하오는 그를 무시해버렸다. 전화는 연결되지 않았다.

29

천밍량은 우팡을 찾지 못하고 하루 종일 장하오의 독신자 기숙사를 찾아와 귀찮게 굴었다. 장하오는 이런 천밍량만 보면 머리 아픈 표정을 지었다.

"이 봐, 나 좀 봐주면 안 되겠어?"

천밍량은 그에게 손에 든 아이스크림을 보여주었다.

"날이 너무 더워서 너에게 아이스크림 좀 가져다주려고 온 거란 말이야. 이 똥하고 된장도 가리지 못하는 친구야."

"아이스크림 먹고 싶지 않아. 좀 혼자 있고 싶을 뿐이라고. 안 되겠니?"

"되고말고. 네가 매일 나와 같이 있어 달라고 해도 들어주지 않을 거야."

장하오는 머리를 파묻고 계속 잠을 청했다. 천밍량은 전혀 개의치 않고 소파 위의 옷을 한쪽으로 치운 다음 앉아서 아이스크림을 먹었다. 장하오는 눈을 감은 채 잠시 누워 있다가 결국 참지 못하고 일어나 앉았다. 천밍량이 웃으면서 아이스크림 한 통을 건네자 장하오도 받아서 먹기 시작했다.

"너랑 한 가지 상의할 일이 있어. 우리 집을 바꿔보는 게 어때?"

"집을 바꾸자고?"

"내가 이리 이사해 올 테니까 넌 내 방으로 옮겨 가."

장하오가 천밍량을 쳐다보았다. 그의 집은 신혼을 위해 준비한 신방이었다.

"너 정말 미쳤구나."

"이런, 방 세 개에 거실 하나인 집과 이 낡은 방하고 바꾸는 게

싫다는 거야?!"

"그래, 싫다."

"그렇다면 방법이 없지. 그냥 와서 신세지는 수밖에."

천밍량이 갑자기 당당한 태도를 보이기 시작했다. 장하오는 어떻게 화를 내야 할지 몰라 답답하기만 했다.

"정말 못 참아주겠네. 류잉 하나로 부족해서 그래? 목이 휜 나무가 없다고 목을 매지도 못한단 말이야?!"

천밍량이 고뇌로 가득한 얼굴로 말했다.

"문제는 다른 나무에는 목을 맬 수 없다는 거야."

30

장하오가 여자 친구와 만날 약속을 할 때, 천밍량은 우연히 량량을 찾아갔다. 량량을 생각하자 피아노 위에 놓여 있던 그 정교한 집게가 떠올랐다. 천밍량의 가슴이 움찔했다. 그녀는 다른 남자와 있을 때에도 자신과 함께 있을 때와 같은 모습이었을까? 그 남자들이 백 위안짜리 지폐를 두 장이 아니라 스무 장을 끼워놓았던 것은 아닐까? 량량은 그 남자들과도 이야기만 나눈 것일까? 장하오가 량량을 본 것은 그때뿐이었고 지금은 꿈에서 깬 듯이 이지적인 태도를 보이고 있었다. 그는 천밍량이 량량을 찾아가는 데 대해 그다지 찬성하지 않았다.

"내가 일부러 널 공격하려는 게 아니야. 그녀에 대해 너는 일찌감치 마음을 접었어야 해. 이 여자는 보통 여자들과 달라. 그녀는 숲 같은 여자라고. 겉으로 보기에는 도처에 길이 있는 것 같지만 실제로는 아무리 돌아다녀도 그 숲 안을 맴돌고 있을 뿐, 길이 없다는 것을 깨닫게 되지."

천밍량은 마음속으로는 이 말을 인정하면서도 입으로는 수긍하지 않았다.

"네가 어떻게 알아?"

"잊지 마. 내가 너보다 먼저 숲에 들어가 둘러보고 나온 사람이라는 걸 말이야."

"또 다른 유형의 여자가 있지 않을까? 겉으로 보기에는 길이 없을 것 같지만 실제로는 도처에 길이 나 있는 그런 여자 말이야."

"맞아."

장하오가 빙긋이 웃으면서 말했다.

"바로 그런 여자들을 로마형 여자라고 하지. 모든 길은 로마로 통하거든."

천밍량도 따라 웃었다.

"둘 중 하나를 취한다면,"

장하오가 말했다.

"너는 그 대학원생에게 더 신경이 기울겠지. 못생긴 아내가 집안일도 잘하고 집안의 보물이 되는 법이야. 노인네들의 말은 귀에는 거스르지만 인생에 큰 도움이 된다는 걸 명심해야지."

"누가 못생긴 아내란 말이야?!"

천밍량이 눈을 크게 뜨고 장하오를 노려보았다.

"그녀는 갈수록 예뻐 보이는 그런 여자라고."

31

랑랑도 장하오와 의견이 같았다. 천밍량이 최근에 한번 그녀를 찾아가 보았을 때, 그녀는 따스하지만 강경한 어투로 권했다.

"앞으로 다시는 절 찾아와 얘기 나눌 생각 하지 말아요."

"왜죠?"

"그쪽에겐 이런 한담이 지나친 사치예요."

랑랑이 단호하게 말했다. 천밍량은 반박하지 않았다. 우팡 앞에서 보였던 그의 유머감각도 완전히 맥을 추지 못했다. 그는 사람들의 이야기 상대가 되어주고 돈을 받는 여자에게 사람을 긴장시킬 만한 것이 뭔가 있겠느냐고 생각했다. 하지만 그는 긴장하고 있는 것이 분명했다.

"외로우면 여자 친구를 잘 찾아보세요."

"제가 외롭다고 누가 그래요?"

랑랑이 빙긋이 웃었다.

"……제게 여자 친구가 하나 있어요. 석사지요. 지난번에 해드렸던 이야기가 바로 그 친구 부모님에 관한 얘기였어요. 그 애는 또…… 녹차로 점을 칠 줄도 알지요."

랑랑은 몹시 놀라는 모습이었다.

"정말이에요? 아주 놀라운 일이군요."

랑랑이 그를 쳐다보며 말했다.

"표정을 보니까 그 여자를 많이 좋아했다는 걸 알 것 같네요."

"뭐랄까, 그녀의 몸에는 친밀감을 느끼게 하는 뭔가가 있어요. 배추두부 같다고나 할까?!"

우팡에 관해 언급하자 천밍량은 가슴이 확 뚫리는 듯한 기분이었다.

"그녀는 랑랑 씨와 완전히 달라요."

"어떻게 다르던가요?"

랑랑이 그를 쳐다보았다. 조명 아래서 그녀의 얼굴에 눈부신 광채가 어렸다.

"랑랑 씨는 남자들을 기절시킬 것 같아요."

랑랑은 너무 기뻐서 어쩔 줄을 몰랐다.

"그럼 제가 아닌 밤중의 홍두깨인가요 아니면 마약인가요?"

천밍량은 웃지 않았다.

"남자 친구 있어요?"

"몇 백 명이나 있지요."

랑랑이 대범하고 호탕하게 대답했다.

"제가 말하는 건……."

랑랑이 손수건으로 테이블에 걸쳐 있는 천밍량의 손을 톡톡 쳤다.

"바보 같은 얘기 하지 마세요."

확실히 바보 같은 얘기였다. 천밍량은 그렇게 생각했다. 그는 몹시 서글픈 기분이었다. 랑랑도 말을 하지 않았다. 그녀는 손으로 손에 든 찻잔을 받치고서 안에 든 찻잎을 들여다보았다.

"제가 얘기 하나 해드리지요."

천밍량이 침묵을 깼다. 랑랑도 이에 호응하듯이 웃음을 지어 보였다. 천밍량은 그녀에게 우팡이 자신에게 들려준 얘기를 해주었다. 마지막으로 자신의 관점을 밝히는 것도 잊지 않았다.

"그녀의 엄마는 고의 살인죄로 이십 년 형을 받았어요. 아주 불공평한 일이었지요. 사실 정당방위로 처리됐어야 했어요. 형량을 아무리 높인다 해도 과잉방어면 족한 일이었지요."

"어떻게 그렇게 말할 수 있지요? 사람이 목숨을 빼앗은 일인데 말이에요?"

"그녀의 아빠 같은 인간 말종을 어떻게 사람이라고 할 수 있겠어요? 모두가 나서서 처단해야 마땅한 사람이었다고요."

랑랑이 한순간 깊은 신음을 내뱉었다.

"사실 우리 아빠는 정말 쓸모없는 남자였어요. 현성(縣城)에서 태어나 아주 우연한 기회에 희곡을 썼지요. 당시는 문혁(文革) 때라 운 좋게 한동안 이름을 날리게 되었어요. 풍류재자(風流才子)가 된 아버지는 성(省)으로 배치되었지요. 그 시절에도 스타들을 추종하는 사람들이 있었어요. 지금처럼 광적이지는 않지만 말이에요. 우리 엄마는 젊었을 때 무척 미인이셨지요. 우리 아빠가 수백 명의 아가씨들 가운데서 고른 상대거든요. 아빠는 그 극본 한 편 쓰고서 몇 달 동안 멋진 세월을 보냈어요. 반면에 엄마는 아빠랑 결혼한 뒤로 복이라고는 눈곱만큼도 누리지 못한 반면 무수한 화를 당했지요. 엄마는 항상 저에게 당신이 호두 같은 목숨이라고 말해지요. 결혼하기 전에는 싱싱하고 맛이 좋아 사람들의 사랑을 받다가 결혼한 뒤에는 딱딱하고 거무튀튀한 모습이 드러나 보기 흉한 데다 딱딱하고 뾰족한 성질을 지니고 있어 결국 사람들 손에 깨진 뒤에야 그 안에 든 속살 덕분에 사랑을 받게 된다는 것이 엄마의 설명이었어요."

"그럼 랑랑 씨가 바로 그 속살이로군요?"

랑랑이 웃었다.

"맞아요."

"어머니는 어떤 일을 하시나요?"

"지금은 장갑 공장에서 공장장으로 일하고 계세요."

"그럼 아빠는요? 아빠는 뭘 하고 계신가요?"

랑랑은 눈길을 돌려 다른 쪽을 바라보더니 몹시 견디기 어려운 듯한 표정으로 말했다.

"돌아가셨어요."

"돌아가셨다고요?"

"뜻하지 않은 사고로 돌아가셨지요."

랑랑이 손으로 목을 휙 긋는 시늉을 하면서 "차칵" 하고 소리를 냈다.

"그쪽이 말한 그 남자처럼 말이에요."

천밍량은 멍한 표정으로 량량을 바라보았다. 량량이 웃었다.

"지금 절 놀리는 거로군요. 그 말을 믿으라고요?!"

천밍량은 한동안 적절한 대답을 찾지 못했다.

"아니에요……. 저는 그저……. 절 그렇게 압박하지 말아요."

"내일부터 전 다른 곳에 가서 일해요. 더 이상 절 찾아오지 말아요. 와도 절 찾지 못할 거예요."

"왜…… 일자리를 바꾸는 건가요?"

"줄곧 이래 왔어요. 어느 정도 시간이 지나면 한 번씩 바꿔주는 거죠."

"……저 때문은 아니겠죠?"

"물론 아니에요."

량량이 웃으면서 말했다.

"여자들은 누구나 변화를 좋아해요. 끝없이 변하는 거죠. 그래서 남자들이 여자들을 요정으로 비유하곤 하는 거예요."

천밍량이 눈을 깜빡이며 량량을 쳐다보았다. 량량이 손가락 하나를 들어 천밍량의 눈앞에 호선을 그어 그를 웃게 만들었다.

"오늘 밤이 지나면 요정은 가벼운 연기처럼 사라지고 맙니다."

32

두 사람은 밤 열두 시에 길거리에서 헤어졌다. 매번 그랬다. 량랑은 이전처럼 재빨리 택시를 잡아타고 가버리지 않았다. 그녀가 몸을 돌려 천밍량에게 말했다.

"저 좀 안아줘요."

천밍량은 너무나 뜻밖이었지만 그녀를 가볍게 안아주었다. 그녀의 몸은 너무나 부실하고 가냘펐다. 조금만 힘을 주면 와르르 부서져 내릴 것만 같았다. 그의 동작은 무척 조심스러웠다. 이전에 류잉이 두 팔을 교차하여 그의 목을 감을 때면 그녀가 한 마리 뱀 같다는 생각이 들곤 했다. 너무나 요염하고 자극적이었다. 그를 휘감고 놓지 않는 무언가가 있었다.

"우팡이 했던 그 얘기에서 만일 제가 그녀의 동창이었다면 그 모살은 고의적인 것이었을 거예요. 과실이 존재할 수 없지요."

랑랑이 그의 품에 안긴 채 희미하게 말했다. 그녀의 입에서 이런 말이 나오리라곤 생각지도 못했던 천밍량은 한동안 적절한 화제를 찾지 못했다. 이내 그의 품에서 벗어난 랑랑은 손을 흔들어 택시를 한 대 세워 재빨리 차에 탔다. 택시가 출발하는 순간 랑랑은 차창으로 몸을 내밀고는 천밍량을 향해 손을 흔들었다.

"안녕."

33

랑랑이 떠나기 전에 했던 말이 천밍량을 한없이 슬프게 했다. 그는 차도 타지 않고 대로를 따라 앞을 향해 걸었다. 한밤중의 거리에는 사람들이 거의 없었고 공기는 청량하기만 했다. 천밍량은 습관처럼 핸드폰으로 전화를 걸었다. 뜻밖에도 우팡의 목소리가 들려왔다.

"여보세요?"

"저, 저 천밍량이에요."

천밍량의 한마디에 그녀도 놀랐다.

"요 며칠 동안 어디 갔었어요? 핸드폰도 꺼져 있고 사람도 보이지 않으니 말이에요."

"회의가 있어서 갔다가 지금 막 돌아왔어요."

"회의라고요? 무슨 회의요?"

"펜클럽 회의요."

"펜클럽이요?"

"제가 무슨 볼일이라도 있나요?"

"일이 없으면 찾아선 안 된다는 건가요?"

"볼일이 없으시면 좀 쉴 게요. 하루 종일 차를 탔더니 몹시 피곤하네요."

"이봐요, 물어볼 게 있어요."

천밍량은 이렇게 전화를 끊고 싶지 않았다.

"우팡 씨 친구의 엄마가 고의로 남편을 죽였을 가능성은 없나요? 일부러 남편을 격노하게 한 다음 딸과 합세하여 죽인 것이 아닐까요?"

"미쳤어요? 어떻게 그런 생각을 하세요?"

"하루 종일 학대를 당했으니까 틀림없이 남편을 죽이고 싶었을 거예요."

우팡이 잠시 침묵하다가 입을 열었다.

"아니에요."

"뭘 근거로 그렇게 확신하는 건가요?"

"……이야기는 제가 지어낸 거니까요. 제게는 애당초 그런 친구가 있지도 않았어요. 있었다면 일찌감치 그쪽에게 보여주었겠죠."

34

두 여자 사이의 비슷한 점은 녹차뿐만이 아니었다. 두 여자 모두 아주 가볍게 사람을 존재하지 않는 허구의 상황으로 끌어들였다. 남들이 그 안에 깊이 빠져들면 그녀들은 갑자기 몸을 돌려 지어낸 얘기라고 했다. 노래 가사처럼 '날 우물 바닥으로 끌고 간다면 밧줄을 끊고 나오는' 수밖에 없었다. 천밍량은 자신이 우물 바닥으로 끌려간 남자라는 생각이 들었다. 우팡은 그에게 미안하다고 말하면서 얼굴을 붉혔다.

"우팡 씨는 자신이 아주 착실하고 조용한 사람이라면서 입 안 가득 거짓말이고 그것도 아주 그럴듯하게 잘 하시네요."

천밍량이 한숨을 내쉬며 말을 이었다.

"우팡 씨는 제 세계관을 바꿔 놓았어요."

"그건 그쪽의 변별력이 떨어지는 탓이지요."

천밍량이 쓴 웃음을 지었다.

"그래도…… 끝까지 할 말이 있다 이거로군요?"

우팡은 녹차가 든 자신의 잔을 천밍량 앞에 놓아주었다.

"이 찻잎이 보이세요?"

"물론이죠."

"찻잎의 색깔과 모양을 잘 보세요. 그리고 잔에 담긴 물도요."

천밍량은 차를 내려다보고 또 우팡을 쳐다보았다.

"이게 바로 제가 말한 이야기에요."

어안이 벙벙해진 천밍량이 앉은 자세를 고치면서 말했다.

"에이, 날 그만 가지고 놀아요. 저는 공부도 우팡 씨만큼 하지 못했고 머리도 우팡 씨만큼 복잡하지 못해요. 그렇게 구름 속 안개처럼 굴지 말고 간단하게 설명을 좀 해달라고요."

우팡이 빙긋이 웃었다.

"원래는 아주 간단해요."

그녀는 찻잎이 든 통에서 다시 약간의 찻잎을 꺼내 찻잔과 함께 천밍량에게 보여주었다. 그러고는 아직 우리지 않은 찻잎을 가리키면서 말했다.

"이게 사건의 진상이에요."

그러고는 또다시 찻잔을 가리켰다.

"이게 제가 말한 이야기라고요."

천밍량이 찻잔을 좌우로 살펴보다가 고개를 들어 우팡을 쳐다보았다. 우팡이 미소를 짓고 있었다. 천밍량이 고개를 끄덕였다.

"조금은 알 것 같군요."

우팡이 웃었다.

"그럼 사건의 진상은 어떤 건가요?"

"사건의 진상은 제가 들려 드린 이야기 안에 있어요."

"어째서 돌고 돌아 다시 제자리로 오는 건가요?"

"돌고 돌 리가 없지요. 사람은 똑같은 강줄기에 몸을 담지 않는 법이에요."

"제발 이러지 좀 말아요. 지어내기의 달인이로군요. 게다가……"

천밍량이 약간 우중충한 얼굴로 우팡을 바라보았다.

"우팡 씨에게 부족한 게 뭔지 알아요?"

우팡이 그를 쳐다보았다.

"여자의 맛이에요. 우팡 씨가 남자들에게 남기는 인상은 항상 딱딱하단 말입니다."

우팡이 화를 내며 말을 받았다.

"뭐가 딱딱하다는 거예요? 저를 죽은 사람 취급하시는 건가요?"

"우팡 씨가 죽은 사람 같다고 말한 적 없어요."

그가 우팡을 쳐다보며 말을 이었다.

"도대체 어떻게 된 거예요? 책을 너무 많이 읽어 멍청해진 건가요? 민감할 때는 안 민감하고 민감하지 말아야 할 때는 특별히 민감하니 말이에요."

우팡은 발작 직전이었다. 천밍량이 손을 내저으며 말했다.

"우팡 씨 얘기를 하는 게 아니에요. 우팡 씨 같은 모습으로는 맞선을 천 번을 봐도 이뤄지기 어려울 거예요. 방법을 바꾸는 것이 좋을 거예요."

우팡이 웃었다. 그가 맞선 얘기를 꺼내기를 기다리고 있었던 것 같았다.

"저는 이번에 항저우에 가서 맞선을 보고 왔어요. 상대는 포스트닥터 과정을 밟고 있는 평론가였지요."

천밍량이 그녀를 쳐다보며 말했다.

"맞선에 인이 박혔군요. 여기저기 닥치는 대로 맞선을 보고 다니니 말이에요?"

우팡이 또다시 정색을 하면서 그를 째려보았다.

"그쪽이 관여할 일은 아닌 것 같은데요?"

"관여할 수 없지요. 하지만 우팡 씨한테 관심이 있어서 그래요. 늘상 맞선을 보고서 차인다고 투덜대면서 자신이 남의 자존심에 상처를 주는 것은 걱정하지 않는 것 같군요……."

우팡이 천밍량을 쳐다보았다. 천밍량이 약간 말을 더듬었다.

"제, 제 말뜻은 우팡 씨 눈앞에 무지개가 있는데 뭣 때문에 계속 비바람을 맞으며 돌아다니느냐 하는 겁니다."

두 사람은 아주 짧은 순간 서로를 응시했다.

"그렇게 노상 맞선 보러 다니지 말아요. 우팡 씨는 정말 남들과 다르다고요. 지금 사회가 얼마나 복잡한데 그래요. 만에 하나 나쁜 사람을 만나기라도 하면 어쩌려고 그래요? 우팡 씨는 남들처럼 그렇게 강인하지도 못하잖아요."

"제가 강인하지 못한지 어떻게 알아요?"

"입이 센 걸 보면 알 수 있지요. 강인한 여자가 어떻게 우팡 씨처럼 그렇게 말을 잘할 수 있겠어요? 강인할수록 말이 가볍고 약하기 마련이라고요."

"그쪽이 이 분야에 그렇게 경험이 있는 줄은 몰랐군요."

"이건 경험의 문제가 아니라 안목의 문제에요. 제가 혜안을 갖고 있다는 뜻이죠."

우팡이 웃으면서 찻잔을 단정하게 들고 차를 마셨다. 천밍량이 그녀의 차 마시는 모습을 쳐다보았다.

"친구 엄마는 감옥에 들어간 뒤에 어떻게 되셨나요? 출소하셨나요?"

우팡이 찻잔을 내려놓으며 그를 바라보았다.

"제가 지어낸 얘기라고 하지 않았나요?"

"알아요. 그런 계속 지어내서 얘기해 봐요."

우팡이 웃으면서 잠시 생각에 잠겼다.

"그 애 엄마는 작년에 조기석방되셨어요."

"그래요? 어떻게요?"

"감옥에서의 수형태도가 좋았기 때문이지요."

"그 다음엔 어떻게 되셨나요?"

"십오 년이란 세월 동안 세상이 완전히 변한 것을 확인하셨지요. 보고 듣는 것이 전부 낯설었어요. 결국 실면증으로 인해 잠을 자지 못하다가 나중에는 신경쇠약에 걸리고 말았지요. 결국 제 친구랑 상의한 끝에 다시 감옥으로 돌아가셨대요."

천밍량은 놀라움을 금치 못했다.

"감옥으로 돌아갔다고요?"

우팡이 웃으면서 말했다.

"그래요. 지금 감옥애서 편안한 세월을 보내고 계세요. 감옥에는 공장도 있어요. 이전에 공장의 모범노동자였던 덕분에 감옥으로 돌아가자마자 공장장이 되셨대요."

"무슨 공장인데요?"

우팡이 잠시 주저했다.

"무슨 공장이냐고요? 맞다, 감옥에서 운영하는 공장이 무슨 공장이었더라?"

그녀가 천밍량을 쳐다보며 말을 이었다.

"혹시 감옥에 어떤 공장이 있는지 알아요?"

천밍량이 우팡의 눈을 똑바로 쳐다보며 말했다.

"장갑 공장은 어때요? 장갑을 만드는 공장이요."

"아, 그거 좋군요. 장갑 공장이라고 해두지요."

천밍량이 그녀를 쳐다보았다.

"친구가 어떻게 생겼나요?"

우팡이 그를 쳐다보았다.

"제 말뜻은 그녀가 우팡 씨의 상상 속에서 어떤 모습이냐 하는 겁니다?"

우팡이 신음소리를 냈다.

"그쪽이 알아서 생각하세요. 생각하고 싶은 대로 생각하라고요."

천밍량은 또다시 "그대가 날 우물바닥으로 끌고 간다 해도, 나는 밧줄을 끊고 도망치리라."라는 시구가 생각났다.

35

"량량이 일을 그만뒀대……."

장하오가 달려와 천밍량에게 이런 소식을 전했다. 천밍량은 그저 웃기만 했다. 그가 걱정하는 것은 우팡이 사라지는 것이었다. 장하오는 친구들을 대거 이끌고 가보자고 했다. 천밍량이 우팡에게 전화를 했지만 그녀는 그의 요구를 받아들이지 않았다.

"……그 시각은 제가 자기수련을 해야 하는 때에요."

"또 수련을 한다고요? 그러다가 정말 수녀가 되겠네요."

"용건이 없으시면 전화 끊을게요."

우팡은 전화로 많은 얘기를 하고 싶지 않았다.

"있어요. 용건이 있단 말이에요."

천밍량이 목소리를 약간 낮추면서 말했다.

"한 번만 예외를 허용하면 안 될까요? 친구들한테 전부 약속을 해두었거든요. 제발 제 체면 좀 세워주세요."

"저녁에는 정말 시간이 없어요."

"맞선 한번 보는 걸로 치면 되잖아요?"

"그쪽은 정말 이상한 사람이네요……. 친구들이랑 식사를 하는데 제가 가야 한다는 게 무슨 의미에요?"

"무슨 의미일 것 같아요?! 아직도 제 말뜻을 모르겠어요?!"

이 두 마디를 힘주어 하고 나서 천밍량이 다시 목소리를 낮췄다.

"사람이 왜 그 모양이에요?"

"저는 원래 이렇습니다."

"맞아요. 그쪽은 원래 그래요. 문제가 있는 사람은 저겠죠."

천밍량은 화가 극에 달하자 오히려 웃음이 나왔다.

"지금 전 우팡 씨보다 더 영험한 묘약을 찾을 수가 없어요. 저를 죽음과 상처로부터 한 번만 구해주시면 안 되나요?"

장하오가 사무실에서 나와 썩은 미소를 지으며 그에게 물었다.

"어때? 잘 안 통해?"

천밍량이 그를 향해 빙긋이 웃었다.

"누가 그래? 문제없어."

그가 전화기에 대고 말했다.

"저기요. 제가 친구랑 시간을 정하려고 하는데 몇 시에 오실 수 있죠?"

"전 가겠다고 한 적 없어요."

천밍량이 자문자답했다.

"여덟 시요? 너무 늦지 않을까요?"

그가 고개를 들어 장하오를 쳐다보며 물었다.

"좀 늦어도 되겠지? 저녁에 수업이 두 시간 있어서 그게 끝나야 올 수 있다네."

"천밍량 씨……."

천밍량은 그녀의 말을 무시해버렸다.

"그럼 그렇게 정하죠 뭐. 제가 저녁에 학교로 모시러 갈게요."

우팡은 전화 속에서 침묵했다.

"그럼 안녕히 계세요."

천밍량이 전화를 끊었다.

"무슨 수업이래?"

천밍량이 약간 허탈한 듯이 웃었다.

"내가 어떻게 알겠어? 뭘 비교한다는 것 같더군."

장하오가 키득키득 소리 내어 웃었다.

"저녁에 수업을 하면서 비교를 한다? 뭘 비교한대?!"

"이런 망할 자식, 개 주둥이에서 상아가 나올 리가 없지."

장하오가 웃으며 말을 받았다.

"너는 감히 못하는 거잖아. 나한테 한번 해보지 그래."

36

천밍량은 학교에서 나오는 우팡을 기다리고 있었다. 천밍량이 우팡을 향해 환하게 웃었다.

"또 진구렁에 빠뜨려서 미안해요."

우팡은 아무 말도 하지 않았다. 천밍량이 손목시계를 들여다보았다.

"우리 먼저 쇼핑몰에 좀 들렀다가 식사하러 가는 게 어때요?"

"쇼핑몰에는 가서 뭐 하게요?"

"우팡 씨를 다시 포장해 드리려고요."

"그럴 필요 없어요. 전 이 모습이 좋아요."

"지금 그 모습이 안 좋다는 것이 아니라 더 좋게 만들고 싶다는 겁니다."

그가 손을 뻗어 우팡을 잡아끌었다. 우팡이 바깥쪽으로 몸부림을 치면서 말했다.

"어머, 어서 이 손 놔요……."

천밍량은 손을 놓지 않고 우팡을 노려보았다. 우팡도 더 이상 몸부림을 치지 않고 천밍량을 노려보았다. 못 가겠지요? 천밍량이 그녀의 손을 놓았다. 우팡이 잠시 침묵하다가 말했다.

"가요."

37

그날 저녁 우팡이 시험 삼아 천밍량을 만나러 나왔을 때, 그는 자신이 착각을 하고 있는 것이 아닌가 하는 생각이 들었다. <사

무실 이야기>보다 더 놀라웠다. 건물을 내려가면서 그가 그녀의 손을 잡았다. 가는 팔과 긴 손가락이었다. 두 사람은 서로를 쳐다보지도 않고 말도 하지 않았다.

38

음식점에는 장하오와 장하오의 여자친구, 그리고 남자 친구 딩(丁)과 딩의 여자 친구가 앉아 있었다. 그들은 모두 천밍량이 휘황한 광채를 발산하는 우팡을 데리고 들어서는 모습을 놀란 표정으로 바라보고 있었다. 우팡은 티셔츠와 청바지를 입고 있었고 머리에는 아무런 장식물도 달지 않아 곧장 어깨까지 흘러내리고 있었다. 너무나 청순한 모습이었다. 너무 놀라 거의 입을 다물지 못한 장하오가 고개를 돌려 입모양으로 말했다.

"그럴 리가 없지?!"

천밍량은 아무 말도 하지 않았다. 옆에 있던 장하오의 여자 친구가 그를 힐끗 쳐다보았다. 모두들 서로를 소개하느라 장내가 무척 소란스러웠다. 장하오가 우팡과 악수를 하면서 잠시 미묘하게 동작을 멈췄다. 하지만 우팡은 다른 사람을 대하는 것처럼 웃으면서 손을 빼냈다. 이렇게 여러 명이 한자리에 앉았다. 모두들 웃으면서 서로를 쳐다보았다. 특히 우팡에 대해 모두들 관심이 많았다. 장하오가 우팡을 가리키며 사람들에게 말했다.

"우팡은 석사에요. 정말로 능력과 미모를 겸비한 셈이지요."

"우리 한잔 합시다. 밍량과 밍량의 밍량(明亮 : 밍량의 이름은 한자로 밝게 빛난다는 뜻이다)한 여자 친구를 위하여."

누군가 이렇게 제안하자 장하오가 적극 찬성한다는 듯이 그를 쳐다보았다.

"너 언제부터 이런 형용사를 쓸 줄 알았던 거야?"

"미녀를 만나면 언제든지 쓸 수 있지."

모두들 웃으면서 일제히 잔을 들어 각자 한 모금씩 마시고는 다시 잔을 내려놓았다. 장하오의 여자 친구가 말했다.

"미녀가 한 분 오니까 남자들이 일제히 말이 많아지는군요."

천밍량이 우팡을 힐긋 쳐다보면서 말했다.

"미인은 무슨 미인이야? 그냥 보통인걸 뭘."

우팡이 가볍게 웃었다.

"이런 나쁜 놈, 왔으니까 됐다 이거로군……."

장하오는 하고 싶은 수많은 말들을 어디서부터 시작해야 할지 모를 기분이었다. 그의 여자 친구가 옆에서 차갑게 말을 받았다.

"오늘 평소보다 말이 많아진 것 같아?"

"너도 말을 많이 하잖아."

"알았어. 내가 잘못했어."

장하오의 여자 친구가 그의 얼굴을 가볍게 토닥거리며 말했다.

"미안해, 자기야."

장하오는 말을 하지 않았다. 천밍량이 분위기가 다소 어색해진 것을 보고는 우팡을 가리키며 모두를 향해 말했다.

"맞아, 찻잎으로 점을 칠 줄 안다고 하지 않았나요? 우리 모두에게 점을 좀 쳐주는 게 어때요?"

"제가 무슨 점을 친다고 그래요?……."

천밍량이 탁자 밑으로 우팡을 발로 가볍게 찼다. 우팡이 천연덕스럽게 말했다.

"기껏해야 사랑점밖에 칠 줄 몰라요."

"그럼 사랑점을 쳐주면 되잖아요. 우리가 가장 관심을 갖는 것이 바로 사랑이거든요."

"어떻게 치나요?"

우팡이 입을 열려는 순간 천밍량이 말을 가로챘다.

"각자 찻잔 안에 있는 찻잎을 보면 돼요."

술 테이블 위가 갑자기 온통 도자기 부딪치는 소리로 가득했다. 장하오가 가장 먼저 찻잔을 우팡의 면전에 가져다 놓았다. 하지만 장하오의 여자 친구가 자기 찻잔을 장하오의 찻잔 위에 놀려놓았다. 장하오의 여자 친구가 장하오를 힐끗 쳐다보자 장하오가 찻잔을 거둬들였다. 우팡은 찻잔 속의 찻잎을 살펴보더니 다시 고개를 들어 장하오의 여자 친구를 쳐다보았다. 장하오의 여자 친구도 우팡을 응시했다.

"아주 똑똑한 여자로군요."

우팡이 눈길을 찻잎 위로 던지면서 뭔가를 생각하는 듯 천천히 말했다.

"수완도 대단하네요. 남자의 마음을 잘 파악하여 남자가 자신의 뜻대로 움직이면서 자기 주변을 맴돌게 하는 능력을 지니고 있군요. 하지만 일 처리는 너무 조급한 것 같아요. 남자를 쉽게 정복할 수 있지만 동시에 자신의 결점을 쉽게 드러내지요. 실제로 겉으로는 매우 강해 보이지만 속이 메마른 유형이라고 할 수 있어요. 감정에 있어서는 지나치게 호방하다 보니 남자들의 반감을 사기도 하지요. 남자들이 서서히 벗어나려는 노력을 보이기도 할 거예요. 정합하자면 남자들이 한눈에 반하지만 오랫동안 관계를 유지하기에는 적합하지 않는 유형이라고 할 수 있어요. 오래 변하지 않는 사람을 얻기가 어렵다는 뜻이지요."

장내가 갑자기 조용해졌다. 테이블 위에서 훠궈(火鍋) 국물만 요란하게 끓고 있었다. 장하오 여자 친구의 안색이 안 좋아졌다. 그녀는 찻잔을 자기 앞으로 가져가 물끄러미 들여다보더니 모두를 향해 일부러 일그러진 표정을 지어 보였다.

"보아하니, 빨리 시집가지 않으면 안 될 것 같네요."

"그래도 소용없어요. 형식이 운명을 바꾸진 못하거든요."

우팡이 담담한 어투로 말했다. 장하오의 여자 친구가 결국 참지 못하고 말했다.

"운명이 뭔데요? 이까짓 찻잎 몇 조각이 운명이라고요?"

"종종 운명이 찻잎 몇 조각일 때가 있지요."

천밍량이 또 테이블 밑으로 우팡을 가볍게 발로 찼다. 우팡이 고개를 돌려 그를 쳐다보았다.

"왜 저를 자꾸 발로 차시는 거예요?"

천밍량이 얼굴이 빨개지면서 여러 사람들의 눈치를 살피더니 어색하게 웃었다.

"계속 해요……."

"저더러 점을 쳐보라고 하지 않았나요?"

그녀가 다시 고개를 돌려 장하오의 여자 친구를 향해 웃으면서 말했다.

"심각하게 받아들이지 말아요. 방금은 제가 장난을 친 거예요. 거짓말을 한 거라고요."

"전 원래 심각하게 받아들이지 않았어요."

"그럼 다행이네요."

천밍량이 술잔을 들면서 말했다.

"모두를 서로를 축복하는 의미에서 한잔 할까요?"

모두들 일제히 잔을 들었다. 천밍량은 특별히 장하오의 여자 친구와 잔을 부딪쳤다.

39

이날 저녁 많은 일들이 제대로 되어 가지 않았다. 통제 불능이었다. 장하오의 여자 친구는 대단하게 잔을 들어 천밍량에게 건배를 청했다. 그녀는 몹시 격앙되어 있었다. 방금 한 잔을 들이키고도 다시 잔에 술을 가득 채웠다.

"천밍량 씨, 한 잔 더 해요."

장하오가 그녀를 쳐다보았다.

"그만 마시면 안 되겠어?"

그녀는 장하오를 거들떠보지 않고 천밍량만 응시했다.

"자요, 건배."

"나 좀 도와줘, 난 정말 주량이 안 된단 말이야."

"건배 할 거예요 말 거예요?"

천밍량이 장하오를 힐긋 쳐다보고는 하는 수 없이 잔을 들었다.

"이게 마지막 잔이에요."

두 사람은 잔을 비웠다. 장하오의 여자 친구가 또 술병을 들려고 하자 장하오가 그녀의 손을 막았다.

"술 없어."

장하오의 여자 친구가 손을 흔들며 외쳤다.

"여기요, 맥주 다섯 병 더 가져다주세요."

장하오가 그녀의 손을 끌어내리면서 말했다.

"미쳤어, 너?!"

"미친 건 자기 아니야? 우리는 식사하면서 술을 마시려고 여기 온 거잖아?"

"너무 지나치니까 그러지."

"누가 지나치다는 거야?"

그녀가 술을 가져온 종업원에게 말했다.

"전부 따주세요."

"따지 말아요. 우린 안 마셔요."

"누가 안 마신대? 자기는 안 마셔도 나는 마실 거야. 따요. 전부 따라고요. 이 사람이 돈 안 내면 내가 낼 테니까."

종업원이 술병을 전부 따주고 갔다. 장하오의 여자 친구는 자기 잔에 술을 가득 따른 다음 천밍량에게도 따라주려 했다. 천밍량이 재빨리 손을 뻗어 잔 입구를 막았다. 장하오의 여자 친구는 포기하지 않고 술을 직접 천밍량의 손 위에 부었다. 천밍량도 어쩔 수 없어 손을 치웠다. 장하오는 화가 나서 말도 나오지 않았다.

"자요, 천밍량 씨."

장하오의 여자 친구가 배시시 웃으며 천밍량을 향해 잔을 들며 말했다.

"건배."

"전 정말 안 되겠어요……."

"빌어먹을 건배를 못하면 남자도 아니에요."

천밍량이 장하오를 쳐다보았다. 그의 얼굴이 파랗게 질려 있었다. 그의 바로 옆에 앉아 있던 우팡은 아무런 표정도 없었다. 눈앞에서 벌어지고 있는 일들이 그녀와는 전혀 무관한 것 같았다. 천밍량이 잔을 비웠다. 장하오의 여자 친구도 잔을 비우고 나서 손을 뻗어 술병을 집었다.

"제발 부탁이야. 그만 좀 하면 안 되겠어?"

장하오의 여자 친구는 막무가내였다. 자기 잔에 술을 가득 채

운 그녀는 또 천밍량에게도 술을 따라 주었다. 장하오가 자기 잔을 여자 친구 앞에 가져다 놓으면서 말했다.

"자. 그럼 내게도 따라 봐. 나도 같이 마셔주지."

"자기가 나랑 마신다 해도 난 자기랑 안 마셔. 오늘은 밍량 씨하고만 마실 거야. 밍량 씨, 건배."

"전 정말 더 이상 못 마셔요. 토할 것 같다고요."

"안 마시면 남자도 아니에요."

"저 남자 아니에요. 그럼 됐죠?"

장하오의 여자 친구를 잠시 그를 쳐다보더니 피식 웃었다.

"좋아요. 남자도 아니군요. 술 이리 줘요. 내가 대신 마실 테니까."

그녀가 손을 뻗어 천밍량의 술잔을 받으려 하자 천밍량이 잔을 들고 피하면서 장하오를 힐끗 쳐다보았다. 장하오가 손을 뻗어 여자 친구의 어깨를 어루만졌다.

"이쯤 해둬. 많이 마셨잖아."

"안 돼. 인생의 즐거움 가운데 금 술잔에 술을 채워 달과 대작하는 것 만한 게 없지."

"소란 떨지 말고 그만 하지 그래?"

장하오의 인내심이 다해 가면서 목소리가 높아졌다.

"지금 나한테 소리 지르는 거야? 내가 가장 싫어하는 게 남자들이 나한테 소리 지르는 거란 말이야."

장하오는 사람들을 둘러보고는 애써 참았다.

"좋아, 소리 지르지 않을 테니까 좀 얌전히 앉아 있어."

"내가 어디가 얌전하지 않다는 거야? 내가 누구 때문에 이렇게 술을 마시는 건데? 자기 때문이잖아. 자기는 밍량 씨 여자 친구를 좋아하고 있지? 난 순전히 자기 때문에,"

그녀가 목소리를 낮추더니 뭔가 밀모하기라도 하듯이 장하오의 귀에 대고 남들이 다 들을 수 있는 소리로 말했다.

"내가 천밍량을 취하게 만들고 말 거야. 남자가 패기도 없이 말이야. 그래야 자기한테 기회가 돌아오지……."

장하오가 손을 뻗어 여자 친구를 잡아당겼다.

"갈수록 제멋대로 구는군!?"

사람들이 재빨리 달려들어 장하오를 붙잡았다. 천밍량이 장하오를 한쪽으로 끌어내면서 말했다.

"왜 이러는 거야?"

장하오의 여자 친구가 멍하니 장하오를 바라보다가 술기운을 빌어 웃으면서 말했다.

"누가 제멋대로라는 거야? 누가 제멋대로냐고? 내가 어쨌다고? 나는 그저 술을 좀 마시고 싶은 것뿐인데 자기 기대가 너무 지나친 것 아니야?"

줄곧 침묵하고 있던 우팡이 갑자기 술잔을 들었다.

"자요, 내가 함께 마셔줄게요."

모두들 놀란 눈으로 우팡을 쳐다보았다. 장하오의 여자 친구도 우팡과 우팡의 술잔을 쳐다보더니 빙긋이 웃고는 자기 술잔을 내려놓으며 말했다.

"안 마실래요. 더 마시면 우리 자기가 별로 안 좋아할 것 같아."

장하오의 여자 친구가 장하오의 코를 한 번 긁어주었다. 장하오가 그녀의 손을 잡으면서 우팡에게 해명했다.

"신경 쓰지 마세요. 오늘 너무 많이 마셔서 그래요."

우팡이 빙긋이 웃었다.

"제가 방금 여자 친구 분한테 찻잎으로 심한 장난을 쳐서 그런 것 같군요. 모두들 절대로 사실로 받아들이면 안 돼요."

"우팡 씨 탓이 아니에요. 제가 먼저 얘기를 꺼냈으니까요."

천밍량의 말에 장하오가 웃음을 보였다.

"괜찮아요. 정말 괜찮아요. 전 절대로 심각하게 받아들이지 않았다니까요."

"전 사실로 받아들였어요."

장하오의 여자 친구가 손을 내저었다. 그러고는 우팡을 향해 웃으면서 말했다.

"점괘가 아주 정확했어요. 너무나 정확했어요. 정말이에요."

40

우팡을 밥 먹는 자리에 데려온 것이 실수였다. 두 사람은 쇼핑몰에서 나와 따로 장소를 잡아 얘기를 나눴어야 했다. 그는 하고 싶은 말이 너무 많았지만 단 한마디도 하지 못했다. 뜻밖의 상황이 벌어져 모두들 밖으로 나왔지만 한데 모여 누구 하나 먼저 떠나지 못하는 것과 마찬가지였다. 그는 너무 흥분하여 뭘 어떻게 해야 할지 몰랐다. 결국 그 불똥이 다른 사람에게로 튀었다. 장하오의 여자 친구는 애꿎은 희생물이 되었다. 그녀의 평정을 잃은 태도는 원래 천밍량이나 우팡의 몫이어야 했다. 우팡이 택시를 잡아탔다. 이번에는 천밍량도 주저하지 않았다. 그는 재빨리 차문을 열고 함께 택시에 탔다.

"뭐 하는 거예요?"

우팡이 물었다.

"우리 얘기 좀 합시다."

천밍량이 말했다.

"아직 무슨 할 얘기가 남았다고 그래요?"

그녀가 그윽한 어투로 말했다. 그는 입을 열지 않고 대신 자신의 손을 꼭 움켜쥐었다.

41

천밍량은 기사에게 두 사람이 처음 만났던 커피숍으로 차를 몰게 했다. 두 사람, 확실히 말하자면 천밍량에게는 두 잔의 차가 필요했다.

"량량은 지금 어디 있나요?"

천밍량이 물었다.

"랑랑이 누군데요?"

우팡이 물었다.

천밍량이 빙긋이 웃었다.

"누구일 것 같아요?"

"몰라요."

우팡이 말했다. 오늘 그녀의 태도는 과거 여느 때와 전혀 달랐다. 얼굴을 들 때 그녀의 모습은 과거의 우팡 같지 않았다. 표정이 정색을 할 때처럼 엄숙했다. 그녀가 잔잔하게 웃을 때는 랑랑 같지도 않았다. 눈을 깜빡거리는 모습이 너무나 뇌쇄적이라 정신을 잃을 것만 같았다. 천밍량은 전에 들었던 우팡의 이야기를 기억했다. 그런 다음 똑같은 얘기를 랑랑에게 들려주었다. 그는 허우대가 제법 큰 남자였지만 탁구공처럼 우팡과 랑랑 사이를 쉬지 않고 뛰어다녔던 것이다. 그가 웃기 시작했다. 하하, 하하하, 하하. 남들이 보면 술에 취해 주사를 부리는 사람으로 보였을 것이다. 하지만 아니었다. 방금 마신 맥주는 커피나 다름없었다. 아니, 커피보다 더 정신을 또렷하게 해주었다. 그는 오늘처럼 정신이 말짱했던 적이 없었다. 한 번도 없었다.

하하, 하하하. 그는 생각할수록 웃음이 나왔다. 하늘 아래 자신보다 더 우스운 사람이 없는 것 같았다. 그의 웃음소리도 자기 입에서 나오는 것 같지 않았다.

"웃지 말아요."

우팡이 말했다. 천밍량은 여전히 웃었다. 웃음을 참지 못하는 것 같았다. 그녀가 손을 뻗어 그의 입을 막고는 가볍게 탄식했다.

"이런 바보!"

달빛

달빛

두 개의 가녀린 발이 바닥을 밟고 다가왔다. 그녀가 몸에 걸친 것이라고는 바닥에 끌리는 긴 잠옷뿐이었다. 흰 비단이 부드러운 몸 위에서 파광이 물결치듯 반짝거렸다. 달빛 아래서 발꿈치 뒤를 붙어 다니는 그림자 같았다.

그녀는 달빛 말고는 아무것도 없는 방으로 들어갔다. 그녀의 얼굴이 주위의 어두컴컴하고 희미한 환경에 잘 스며들었다. 그녀는 손에 정교한 녹음기 하나를 들고 만지작거리고 있었다. 손가락 하나가 PLAY 버튼을 눌렀다. 녹음기 안에서 마그네틱 테이프가 돌아가는 소리가 일사분란하고 질서 있게 다가오는 몹시 초조한 발짝 소리 같았다.

내가 너의 어떤 점을 좋아하는지 알아?

내가 널 좋아하는 것은 내 말을 잘 들어주기 때문이야. 내 말이 얼마나 길고 지루하든 간에 시종 인내심을 갖고 귀를 기울여주는 너의 모습에 늘 감동을 받곤 하지. 너는 기계제품이지만 아주 치밀한 인정과 기질을 갖추고 있어. 너의 이해력은 이기적이고 자기만 잘났다고 생각하는 사람들을 훨씬 능가하지. 너는 한줄기 강이라 나의 서술과 함께 천천히 흘러가지. 자 봐, 창밖의 달빛이 얼마나 아름답니.

내 마음은 은색이야. 달과 같은 색조에 속하지. 달은 금속처럼 아주 강인해 보이지만 사실은 대단히 부드러워. 언젠가 너는 내가 지금 너에게 하는 말을 완전무결하게 다른 사람들에게 반복하게 될 거야. 그때가 되면 지금 내가 너를 감동시키는 것처럼 너도 그들을 감동시킬 수 있을 것이라고 장담해.

나는 올해로 스물세 살이야. 어떤 기준으로 평가해도 젊은 계층에 속한다고 할 수 있지. 나는 이런 사실만으로도 기분이 좋아. 젊다는 것 자체가 많은 것들을 증명할 수 있고, 그 가운데 대부분이 좋은 것들이지. 나는 아직 젊고 앞으로 많은 일들을 할 거야. 이 일들은 예외 없이 올바른 것과 잘못된 것의 두 가지 요소로 이루어지겠지. 다행스러운 것은 젊은이들의 잘못에 대해 진지한 사람들이 거의 없다는 거야. 내가 말하고 싶은 것은 그런 것들과 법률은 그런 잘못들에 크게 신경 쓰지 않는다는 거야. 사실 이것

자체가 착각이지. 보통 착각이 아니라 아주 큰 착각이야. 이는 사람들이 나이 그 자체만 보고 우리가 젊다고 단정하는 오류를 범하는 것과 같지.

내 몸에 한 그루 식물이 자라길 바라는 사람들이 많아. 그 종자가 어떻게 내 몸에 들어갈 수 있는지는 모르지. 그러나 나는 그것들이 분명 내가 몸에 대해 소홀할 때, 예컨대 일에 치일 때나 담소를 나눌 때, 남자들과 눈빛을 주고받을 때 살그머니 몸속으로 들어왔다는 것을 알아. 낮에는 그것들을 감지하기 힘들지. 나의 소망들은 모두 음성의 식물들이야. 그것들이 태양을 피하는 방식은 휴면이지. 그리고 일단 달빛이 살랑살랑 창밖에서 춤을 추며 방 안으로 들어오는 밤이 되면 그것들은 자라기 시작해. 그것들이 성장하는 자세는 마치 내가 침대에서 일어날 때마다 습관적으로 하는 자세 같지. 나의 팔다리가 자유롭게 펼쳐지고 내 입에서 흡족한 하품이 나오면 형체 없는 꽃 한 송이가 공기 중에 빠르게 나타났다가 다시 사라지지.

그리고 나서야 나는 정신이 들었어.

이제, 말해줄게. 지금 이 순간 나의 몸속에 있는 식물의 가장 큰 소망은, 이 순간 내 침대 위에서 자고 있는 저 남자가 비명횡사하는 거야.

내 소망들은 내가 자고 있는 사이에 내 몸속에서 꿈을 꾸지. 내 삶이 꿈과 현실 사이에서 혼란해 하고 있는 사이, 명암이 불명확한 시간에 나는 몸을 뒤척거리며 뉴스를 방송해. 외모는 단정하게 하고 발음은 또박또박하게, 그리고 표정은 엄숙하게 하고서 시청자들에게 각종 뉴스를 전달하지. 그러나 나를 참을 수 없게 만드는 건 나의 뉴스에 단 한 번도 흥미를 보이지 않는 사람들이야. 나는 화면을 통해 나이를 불문하고 여러 업계에 종사하는 수많은 사람들을 보지. 그들은 내가 진지하게 뉴스 방송을 진행하고 있을 때 우리 주변에 일어났던, 그리고 일어나고 있는 대단히 의미 있는 일들에 대해서도 전혀 관심이 없어. 그들은 평소처럼 떠들고 밥 먹고 음악을 들으면서 몇몇 사람들만 서로에게 관심을 갖지. 아니면 아예 눈에서 광선을 뿜어대면서 뚫어져라 한곳을 바라보기도 해. 그들은 내 뉴스를 보지 않는 것만 빼고 거의 모든 것을 다 하는 것 같아.

내 직업은 아나운서야. 매일 저녁 여섯 시부터 여섯 시 십오 분 사이에 텔레비전 화면에 나와 뉴스를 전하지. 화면을 통해 무게 있고 의미 있는 소식을 시청자들에게 전하는 것은 상당히 중요한 일이라고 생각해. 나는 내 목소리가 어떻게 들리는지는 신경 쓰지 않아. 오히려 간과해서 안 될 중요한 문제는 시청자들의 무관심이지.

그래서 아나운서는 사람들이 생각하는 것만큼 그렇게 좋은 직업이라고는 할 수 없어. 나는 이 직업에 대한 고대인들의 이해력이 현대인보다 훨씬 뛰어나다고 생각해. 당시 사람들은 아나운서를 소를 위해 음악을 연주하는 사람들이라고 생각했었지.

내가 아나운서 일을 할 수 있었던 것은 순전히 우연이었어. 내 말은 아나운서를 하기 전에 한 번도 아나운서가 되고 싶다는 생각을 해 본 적이 없다는 거야. 방송국에서 아나운서를 채용한다고 하기에 남자 친구를 따라 아나운서 시험장에 갔지. 남자 친구의 꿈이 사람들의 주목을 받는 사람이 되는 거였거든. 그는 빨리 명성을 얻을 수 있는 효과적인 방법이 아나운서가 되는 것이라고 생각했어. 그래서 그는 아나운서 채용시험에 합격하기 위해 만반의 준비를 했지. 산사나무 색 면접용 양복도 샀어. 하루 종일 입고 있는 겨자색 바지와 아주 잘 어울렸지.

밖에서 면접 순서를 기다리는 동안 우리는 다른 커플들처럼 손을 잡고 복도 벽에 등을 기대고 앉아 있었어. 남자 친구의 입술이 나의 귓가에 다가와서는 부드러운 목소리로 “봄잠에 날 새는 소리, 곳곳에서 들려오는 새소리”라는 구절을 속삭였지. 그의 정확한 표준어 발음을 들으니 나도 모르게 웃음이 나오더군. 우리와 함께 면접을 기다리는 사람들은 대부분 자신감이 넘쳐 보였어. 우리를 곁눈질하는 그들의 눈길에서 적나라한 짜증을 읽을 수 있었지. 한눈에 봐도 우리보다 나이가 많아 보이는 남자 하나가 우리 앞으로 오더니 “아나운서 시험 보러 왔나요, 아니면 예능프로

MC에 지원하러 왔나요?" 하고 묻더라고. 나를 뚫어져라 쳐다보면서 말이야. 당시 그가 누구인지 전혀 몰랐던 나는 배시시 웃으면서 "시험 보러 온 게 아니라 그냥 놀러 온 거예요."라고 대답했지.

남자의 표정은 입고 있는 옷만큼이나 근엄했어. 그가 명령하듯 내게 말했지. "시험을 보세요." 그러고는 몸을 돌려 면접장으로 들어가더군.

그래서 면접시험을 보기로 했어.

나는 아나운서와 관련된 그 어떠한 교육도 받은 적이 없고 학력도 고졸밖에 되지 않아. 내가 면접을 볼 때 다른 면접자들은 나 하나쯤은 별 것 아니라는 표정을 지었지. 내 남자 친구 역시 그랬어. 그는 사범대 중문과 학생이고 생긴 것도 곱상했거든. 우리는 클럽에서 처음 만났어. 미친 듯이 춤을 췄던 그날 밤, 사회자가 수많은 사람 중에서 나를 '오늘의 여인'으로 뽑았지.

나는 마치 뱀처럼 조명 아래서 잠시 몸을 흔들었지. 박수 소리와 휘파람 소리를 뒤로 하고 무대에서 내려오는데 그가 제일 먼저 다가와 귀에 대고 자기소개를 하더군. 그러고는 나와 친구가 되고 싶다고 했어. 나는 한눈에 이 남자가 무슨 속셈을 갖고 있는지 알아챘지. 하지만 클럽에 울려 퍼지는 강렬한 음악이 나를 끊임없이 꼬드기고 또 부추겼어. 스스로를 억제하지 못하고, 해선 안 되는 일을 하고 싶게 만들더군. 게다가 나는 공부하는 사람에게 호감을 갖고 있던 터라 어두운 조명 아래 비친 그의 얼굴을 좋아하지 않을 수 없었어. 그래서 친구하자는 그의 제안을 받아들이기로 했지.

우리 둘의 관계는 급진전되었어. 클럽에서 침대까지 모든 것이 자연스럽게 이뤄졌지. 내가 처녀가 아니라는 사실에 남자 친구는 좀 섭섭해 했지만 그 밖의 거의 모든 것에 만족스러워했어.

개인적으로 나는 그의 여자 친구가 된 것에 자부심을 느꼈어. 나는 내가 아나운서가 된 것에 대한 그의 태도가 끊임없는 칭찬에서 진즉에 선의의 비웃음으로 변했다는 사실에는 전혀 신경 쓰지 않았어. 나는 그의 모든 단점을 억지로 참지는 않았지. 사실 이것이 우리가 계속 만날 수 있는 이유이기도 했어.

그녀는 잠시 멈춰 시선을 돌려 창밖을 응시했다. 테이프가 제멋대로 돌아가는 소리를 듣더니 손을 뻗어 STOP 버튼을 눌렀다.

다시 방에 들어왔을 때 그녀는 바닥에 자리를 잡고 앉아 있었다. 방금 막 샤워를 하고 나온 것 같았다. 그녀의 머리카락 끝에서 물이 뚝뚝 떨어졌다. 그녀는 물에 젖은 잠옷도 크게 개의치 않았다. 그녀는 허리를 굽혀 앞에 놓인 라디오의 PLAY 버튼을 누르더니 잠시 생각에 잠겨 말했다.

아나운서 면접을 봤어. 만약 내 일이 아니라 한 편의 소설 같은 것이라면 여기에 한마디 더 덧붙였겠지. "살아가면서 일어나는 모든 일들은 운명으로 정해져 있는 것이다."라는 따위의 작가들이 입버릇처럼 하는 말을 말이야.

나는 사람들 앞에서 요즘 유행하는 노래를 부르고 산문을 낭송했어. 다른 사람이 어떻게 보든지 크게 신경 쓰진 않았지. 왜냐하면 나는 원래 기대라는 것을 하지 않았고 그저 이 일이 재미있고 매력적이라고 생각했기 때문이야. 모든 심사위원들(나에게 면접을 보라고 했던 그 남자까지 포함하여) 앞에서 혀를 놀리고 나서 나는 토끼처럼 두 다리로 껑충 뛰어 남자 친구 곁으로 갔지.

면접 결과가 나오자 나는 놀라움을 금치 못했어.

남자 친구는 떨어지고 내가 붙었거든.

"어떻게 이럴 수가 있지?" 남자 친구가 물었어.

나도 그에게 똑같이 물었지. "그러게 말이야, 어떻게 이럴 수가 있지?"

우리는 방송국이 우리 둘을 착각했다고 생각했어. 그래서 남자 친구는 신바람이 나서 방송국으로 갔지. 나와 그의 관계를 바로 잡으려고 말이야. 그가 방송국으로 떠난 후 나는 집에서 요리도 하고 술도 준비하여 그를 대신해 자축했어. 하지만 남자 친구는 해가 저물고 한참이 지나서야 집에 돌아오더군. 집에 들어왔을 때 그는 이미 술을 잔뜩 마신 상태였어. 그는 방문에 등을 기댄 채 한참동안 한마디도 하지 않았어. 얼굴은 벌겋고 눈은 깜빡이지도 않은 채로 나를 뚫어져라 바라보고 있었지. 나는 그에게서 나는 술 냄새 뿐만 아니라 역겨운 담배 냄새까지 맡아야 했어. 내가 무슨 일이냐고 물었지.

그는 웃기 시작했어. 웃으면서 내 앞을 서성거렸지. 두 손으로 내 어깨를 잡더군. 그의 웃음소리가 내 얼굴을 향해 마구 쏟아졌어. 입에서 음식 썩는 냄새를 풍기면서 두 손으로 내 어깨를 잡고 마구 흔들어대는 바람에 몹시 역겨웠지. 그에게서 벗어나고 싶었어. 하지만 그는 나를 꽉 붙들고는 노려보면서 말했지.

"그날 복도에서 우리랑 얘기를 나눴던 그 남자가 방송국 국장이래. 널 합격시킨 것도 그놈이고, 합격자 명단에서 내 이름 뺀 것도 그놈이래."

"왜?"

내가 물었지. 그는 나에게 되묻더군.

"왜냐고?"

나는 모르는 일이라고 말했어. 정말 아무것도 모른다고 했지. 이 모든 것이 꿈을 꾸고 있는 것만 같았어.

"너 그놈이랑 무슨 사이야? 잠이라도 잤어?"

그가 내게 말했어. 나는 그를 뚫어져라 쳐다봤지. 나는 그가 그렇게까지 취하지 않았다는 것을 알았어. 눈빛은 꽤 멀쩡했거든. 나는 최대한 평정심을 유지하며 그에게 말했어.

"네가 면접 볼 때, 나 너랑 계속 같이 있었던 거 잊었어? 떨어진 적 없었잖아."

"화장실에 한두 번 갔었잖아?"

그는 최대한 그날을 기억하려고 애썼어.

"무슨 뜻이야?"

나는 온 힘을 다해 어깨 위의 손을 뿌리쳤어. 마침내 그의 손아귀에서 벗어날 수 있었지. 그동안 나는 그의 앞에만 서면 열등감이 생겼었어. 그가 내게 사랑을 고백한 것은 내가 아직 어리고 예쁘기 때문일 뿐, 나이가 들어 추해지면 틀림없이 내 곁을 떠날 것이라고 생각했지만 그래도 그렇게 감격스러웠어. 그래서 그에게 어울리는 사람이 되어 사람들 앞에서 창피 당하지 않으려고 계속 공부했지.

그녀는 잠시 얘기를 멈추고 밖으로 나갔다. 다시 돌아왔을 때는 손가락 사이에 불이 붙여진 담배가 들려 있었다. 그녀는 담뱃재를 그녀 옆에 있는 책 위에 털었다.

나는 정말 많은 책을 읽었어. 그 책들은 맛이 아주 끝내주는 독약 같았지. 책 속에 들어 있는 독의 양은 한 치의 오차도 없이 정확해서 매혹되는 도중에 고통스러운 문자의 늪에 빠지게 했어.

"너 같은 여자들은 남자 잘 유혹하니까 몸뚱아리 말고는 아무것도 내세울 게 없겠지"

남자 친구는 이렇게 말했어. 나는 고개를 떨어뜨린 채 아무 말도 하지 않았지. 당시 남자 친구는 자신이 뱉은 말 때문에 내가 화났다는 사실을 알아차리지 못했어. 어쩌면 내가 아예 자신의 말에 담긴 의미를 이해하지 못했다고 생각했을 수도 있겠지. 그래서 내 화를 더 돋우는 말을 했던 거야.

"내가 너한테 편견이 있는 게 아니야. 너 자신을 잘 봐. 그 잘난 몸뚱아리 말고 내세울 게 뭐가 있어?"

나는 고개를 들어 그를 바라보았어. 손을 들어 방금 이런 말을 뱉은 그의 주둥이를 후려쳐 이를 다 부숴버리고 싶었지. 하지만 끝내 그렇게 하지 못했어. 책을 많이 읽었다고 말하지 않았던가. 책을 많이 읽는 여자는 쉽게 사람을 때리지 않아. 나는 아주 듣기 싫게 웃으며 그에게 말했지.

"맞아, 맞아. 나는 뭐하나 내세울 것 없는 사람이야."

나는 이 말을 함과 동시에 오후 내내 준비한 음식들로 가득한 식탁을 엎어버렸어. '장성(長城)' 와인 한 병과 열두 가지 정도 되는 음식이 동시에 바닥에 흩어져버렸지. 소리가 꽤 요란했어. 그걸로 여리기만 했던 내 첫 번째 사랑을 미련 없이 끝내버렸지.

다음 날, 나는 방송국에 가서 말했어. 이번 아나운서 채용시험에 합격한 사람이라고 말이야. 하지만 솔직히 말해서 나는 이 직업에 대해 눈곱만큼의 관심도 없었고, 지금까지 단 한 번도 유명인이 되고 싶다는 야심도 없었어. 내 전 남자 친구가 그런 몹쓸 말만 하지 않았더라면 나는 그에 대한 의리에 보답하기 위해서라도 미련 없이 이 기회를 포기했을 거야. 하지만 내 모든 것을 바친 사랑을 잃었다는 것은 그런 기회를 포기할 의미도 잃었다는 것을 의미했지. 그리하여 나는 레스토랑에서 종업원으로 일하던 것을 그만두고 방송국으로 출근하기로 결정했어.

테이프 뒷면.

내가 방송국에 입사 접수를 위해 도착하니 경비원이 입구에서 막더군. 노인네의 얼굴에 아주 오만한 표정이 가득하더라고. 마치 뒤에 있는 이십구 층짜리 건물이 자기 집인 것 같더라고. 그가 아주 무뚝뚝한 어투로 내게 무슨 일로 왔느냐고 묻더군. 내가 그에게 접수용 통지서를 건넸더니 아주 진지하게 한참을 들여다보더니 아주 길게 "아아" 하고 이상한 소리를 내더니 손을 휘저으며 안으로 들어가라고 하더라고. 내가 내친김에 방송국 국장 사무실이 어디냐고 물었더니 그는 나를 한참이나 뚫어져라 쳐다보더니 야릇한 미소를 짓더군. 그 모습에 나는 무척이나 놀랐지. 그는 뒤에 보이는 유리로 된 건물의 어느 한 지점을 가리키며 한동안 설명을 늘어놓더라고.

위층으로 올라가 국장을 만나기 전까지 나는 계속 불안에 떨었어. 내가 면접 볼 때 복도에서 했던 동작이나 말들도 꼼꼼히 되돌아보았지. 국장이 그때 내게서 어떤 점을 보았기에 이렇게 심혈을 기울여 나를 자기 곁으로 불러들인 건지 알 수 없었어. 나는 전 남자 친구가 말한 것처럼 내게 도대체 어떤 특별한 점들이 있는 건지 도무지 알 수가 없었거든.

호화롭게 꾸며놓은 국장의 사무실 안에는 눈부신 햇살이 펼쳐져 있었어. 국장은 벽의 높고 긴 창문 바로 앞에 햇살을 등지고 앉아 있었지. 강렬한 햇살 때문에 나는 도저히 그의 표정을 읽을 수 없었어.

"이곳에서 함께 일하게 되어 참 기쁘군요."

국장은 마치 생동적이고 강렬한 빛 사이로 끊임없이 흔들리는 평면의 사람 모양 전지(剪紙) 같았어. 목소리가 요란한 햇빛 사이로 흩어졌지. 공허하고 감정적인 분위기가 결여되었다는 것이 너무나 확연했어.

나는 머리가 조금 어지럽고 눈앞이 캄캄했지. 무미건조한 어투로 그에게 아무것도 모르겠고, 아무것도 할 수 없다고 했어.

"그런 건 문제 되지 않아요."

국장이 말하더군. 그의 얼굴은 만장의 빛줄기 속에서 형태를 파악하기 어려웠어. 그는 내 말에 반응하지 않고 더 부드러운 어투로 한마디 덧붙이더군.

"문제는 여기에 있는 게 아니에요, 알아들어요?"

잘 이해가 되지 않았어. 국장의 여비서도 내가 이해하지 못 할 것이라고 말했지.

여비서는 삼십대 초반의 단아하고 우아해 보이는 여자였어. 동시에 내가 여태껏 만나보았던 사람들 중에 화장을 가장 잘 한 여자였지. 그녀는 내가 국장과 얘기하는 동안 노크 한 번 안 하고 드나들었어. 그녀는 국장의 마지막 한마디를 들었지. 그리하여 그녀는 고개를 돌려 웃는 얼굴로 날 바라보면서 국장에게 집안 식구 같은 어투로 한마디 하더군.

"그녀가 이해할 리가 없어요."

나는 그녀를 향해 웃었어. 이제 막 방송국에 와서 일하기 시작한 터라 사람들에게 좋은 인상을 주고 싶었거든.

내가 보기에 그 여비서가 국장에서 보고한 몇 가지는 순전히 쓸데없는 것들이었어. 문을 나서기 전에 그녀는 눈을 가늘게 뜨고 국장에게 말하더군.

"어머, 옷깃이 그다지 단정하지 못한 것 같네요."

이 아름다운 여자는 이렇게 말하면서 나를 등지고 까치발을 한 채 몸을 국장의 사무실 책상 쪽으로 기울이더군. 그러고는 두 손가락으로 친근하게 국장의 목을 더듬었지. 나는 그녀의 뒤에서 그녀의 미니스커트가 엉덩이 쪽으로 치켜 올라가는 것을 보았어. 내 눈 앞에 검정색 스타킹을 신은 두 개의 허벅지가 선명하게 드러났지.

여비서가 사무실을 나가자 국장은 뭔가 생각하는 듯이 나를 빤히 쳐다보면서 내 반응을 살피더군.

기분이 조금 풀어진 내가 국장에게 말했지. 상당히 뛰어난 비서를 두고 있다고 말이야.

그는 기이한 표정으로 웃더니 내게 새로운 직장의 환경에 대한 느낌이 어떠냐고 묻더군. 나는 방송국이 매우 신기하다고 하면서 방금 전에 경비원이 하마터면 날 들여보내주지 않을 뻔했다는 얘기를 했어.

내가 국장의 사무실에서 나온 지 십 분도 채 되지 않아 국장은 비서를 자료실로 보내버렸어. 이유는 행동거지가 가볍고 태도가 경박하여 지금의 일을 감당하기 어렵다는 것이었지.

이 일은 방송국 안에서 내부적으로 떠도는 빅뉴스가 되었어. 평소에 사회에서 발생하는 다양한 뉴스보다 더 입체적이고 생동감이 넘치는 뉴스였지. 나의 새 동료들은 이 일에 대해 의견이 분분했지만 내가 나타나기만 하면 곧바로 입을 다물었지. 나는 그들 하나하나와 인사를 나눴어. "안녕하세요. / 좋은 아침입니다. / 안녕하세요." 그들은 평소에 겉으로만 고개를 끄덕이는 것으로 내 인사에 대응했어. 때로는 알 수 없는 미소를 짓기도 했지.

나중에 그들은 원점에서 뻗어 나온 동그라미처럼 제각기 흩어져 자기 위치에서 조명을 켜고 촬영을 하고 녹음을 했어. 그들의 시선은 내 몸에 집중되었고 모든 사람들이 깊은 침묵 때문에 무척 깊이 있는 모습을 보였지. 그렇게 큰 방에서 오로지 나만 말을 했어. 나는 완전한 침묵을 마주하고서 뉴스방송을 시작했지.

"시청자 여러분, 안녕하십니까! 지금부터 도시뉴스를 시작하겠습니다."

그러던 어느 날, 그 재수 없는 여비서와 마주쳤어. 며칠 전 화사하게 빛나던 모습과는 달리 아주 어둡고 초췌해 보이더군.

내가 그녀에게 웃으면서 말했지.

"안녕하세요."

그녀는 비스듬한 눈길로 나를 쳐다보더라고. 눈길 속에 아주 날카로운 칼날이 담겨 있었지. 그 날카로운 눈길을 내 얼굴 위로 천천히 움직이면서 칼집을 냈어. 그런 다음 입술을 모으고는 웃는 것 같기도 하고 신음하는 것 같기도 한 모습으로 한마디 하더군. 나를 놀라게 하는 말이었어.

"좋든 나쁘든 당신이 한마디 하면 그대로 되는군요."

그러고는 몸을 돌려 가버렸지. 그녀의 뒷모습을 바라보다가 스타킹의 종아리 부분에 조금한 구멍이 난 것을 발견했어. 스타킹 전체에 올이 나가 있어 그녀의 모습 전체를 깎아 내리더군.

나는 마침내 여비서가 나 때문에 자료실로 쫓겨났다는 것을 알에 되었어. 게다가 이런 인사조정을 받은 사람은 그녀 혼자였지. 내가 출근하던 첫날 만났던 그 경비원도 내가 무의식중에 국장에게 했던 말 때문에 해고당했더라고.

그 여비서와 마주쳤던 다음 날, 녹음실에서 나오는 순간 그날 그 경비원이 내 쪽으로 덤벼들 듯 다가오더군. 아주 오래 날 기다리고 있었던 것 같았어. 깜짝 놀란 나는 혹시 나를 해치지나 않을까 겁이 나서 재빨리 뒤쪽으로 피했지. 하지만 나는 녹음실에서 나오던 다른 동료들과 연이어 마주쳤고 그들이 하나의 울타리를 만들어 나의 퇴로를 만들어주었어.

경비원은 나를 향해 곧장 무릎을 꿇고 말하더군. "부탁입니다. 제발 해고되지 않게 좀 해주세요. 저와 제 늙은 마누라가 이 일로 먹고 살고 있습니다. 제발 부탁드립니다!"

머리와 수염이 하얗게 쉰 노인이 무릎을 꿇은 채로 나를 따라 두 걸음을 옮기더군.

내가 힘껏 손을 휘저으며 말했지.

"제가 그런 게 아니에요. 어르신! 제가 해고한 게 아니라고요!"

경비원은 여전히 내 말을 믿지 않았다.

"제가 알아보았더니 아가씨가 저를 해고 했다고 하더군요. 그 날은 제가 일부러 못 들어가시게 막은 게 아니었습니다. 정말 제가 모르는 얼굴이었지요. 용서해주세요. 제발 해고만 하지 말아주세요. 여기가 아니면 저는 더 이상 일할 곳이 없습니다." 노인이 울기 시작했어. 그의 얼굴 위로 눈물이 사방으로 번지더군.

주위를 둘러보니 동료들 모두 팔짱을 낀 채 냉담하게 구경만 하고 있더라고.

진퇴유곡. 머릿속으로 이 말밖에 생각나는 게 없더군.

더 이상 숨을 곳이 없었어. 그저 끊임없이 그 경비원에게 강조해서 말하는 것 밖에는 달리 방법이 없었지.

"제가 아닙니다, 어르신 정말 제가 그런 게 아니에요."

내가 말할 때마다 그는 무릎으로 걸어 내게 더 가까이 다가와 애걸했지. "아니에요, 바로 아가씨라고요."

결국 국장이 사무실에서 나왔어. 그의 모습에는 뭔가 알 수 없는 분위기가 서려 있었어. 그가 복도로 나오자마자 시끌벅적하던 상황이 한순간에 조용해졌지. 누구도 그에게 설명하지 않았지만 그는 이미 모든 상황을 알아채고 있었어. 그는 무릎을 꿇고 있는 경비원을 훑어보더니 내게 겸손한 어투로 방법을 상의하더군. "기왕에 이렇게 됐으니 다시 와서 일하게 하는 게 어떨까요? 어차피 경비원은 필요하니까 말입니다."

나는 눈이 휘둥그레지고 입이 굳어버렸어. 내 눈앞에서 도대체 무슨 일이 벌어지고 있는 건지 알 수 없었어. 그 순간 내게 한숨 돌리게 해준 것은 경비원이 마침내 몸을 일으킨 것이었어…….

그녀는 다른 방 어디선가에서 들리는 외침 소리에 STOP 버튼을 누르고 밖으로 나갔다. 그러고는 거의 한 시간쯤 지나 다시 돌아왔다.

PLAY :

그 남자는 처음부터 나를 특수한 높이로 밀어 넣었어. 그는 나를 아주 수월하게 방송국의 특별한 인물로 만들었지.

그와 나 사이에는 뭔가 평범하지 않은 일이 일어나도록 결정되어 있는 것 같았어. 그는 날 처음 본 순간부터 이런 사정을 알고 있었고, 나는 모든 것들을 돌이킬 수 없을 때가 되어서야 그의 속셈을 제대로 알게 됐지.

물론, 그와 나는 연인 사이가 아니었어. 만일 그랬다면 수많은 일들이 아주 간단해졌겠지.

말이 나온 김에 한마디 더 하자면 내 생각에는 애인이란 말이 무척이나 아름다운 말이야. 사람들을 서로 아주 조심스럽게 대하게 만드는 관계지. 한 남자와 한 여자 사이에 결혼 관계 이외의 육체관계가 있다면 그건 그저 육체관계일 뿐이야. 다른 것들과는 아무런 상관도 없지. 매번 남들이 뻔뻔스럽게 어떤 이성을 가리키면서 그가(그녀는) 자기 애인이라고 말하는 소릴 들을 때면 쫓아가서 그(그녀)의 따귀를 때리지 못하는 게 한이었어. 그들은 사람들에게 수많은 단어들을 이용하여 자신들 사이에 존재하는 그 애매한 관계를 표현할 수 있을 거야. 예컨대 '샤오미(小蜜 : 90년대 유행어로 애인을 지칭한)'나 '라오티에(老鐵)'라고 할 수도 있고 '지야(鷄鴨)'라는 말을 쓸 수도 있지. 굳이 애인이라는 아주 좋은 단어를 사용할 필요가 없단 말이야.

국장의 애인은 내가 아니라 그의 전 여비서처럼 아름다운 여자들이야.

그녀는 잠시 얘기를 멈추고 다른 방의 동정을 살폈다. 그런 다음 담배를 찾아 불을 붙여 한 모금 빨았다.

국장은 방송국에서 아주 위엄 있는 존재였지. 아마 그가 함부로 웃을 수 없는 이유도 여기에 있을 거야. 이리하여 그가 있는 자리에서는 그도 웃지 않고 다른 사람들도 함부로 웃지 못하지. 오직 나만이 방송국에서 유일한 예외였어. 처음 왔을 때는 아무것도 모른 채 항상 하고 싶은 대로 다 했지. 한편으로는 내 성격이 원래 그렇기 때문이기도 하고, 다른 한편으로는 이 자리가 내게는 아주 뜻밖에 굴러들어온 것이라 다시 잃는다 해도 그다지 아쉽지 않을 것이기 때문이었지.

나에 대한 국장의 보살핌은 거의 비굴할 정도였어. 그는 방송국 안의 모든 사람들로 하여금 내가 아주 유명하고 경력이 많은 인재이고, 내 배후의 후원자가 방송국 전체를 붕괴시킬 수 있을 정도로 대단한 사람이라고 믿게 만들었지. 처음에는 이런 일들이 그저 사람들에게 나를 고용한 이유를 알리기 위한 것이라고 생각했지만, 나중에는 그가 이러는 것을 즐긴다는 사실을 알게 되었어.

국장은 사람들 앞에서 연기하는 것을 좋아했어. 그의 연기가 핍진할수록 사람들은 더 철석같이 믿었고, 이를 통해 그가 얻는 즐거움도 더 커져 갔지. 그래서 사람들이 많은 장소일수록 나를 더 조심스럽게 대했고 내 안색을 살폈어. 나중에는 방송국 사람들 모두 나를 조심스럽게 대하면서 끊임없이 내 눈치를 살폈지.

이 얼마나 희극적인 일인가? 정말 믿을 수 없는 일이지. 하지만 모든 것이 확실한 사실이야. 우리의 삶에는 이런 상황들이 늘 발생하지. 진실할수록 사람들은 더 믿지 못하는 것 같아.

나는 국장이 하고 싶지만 할 필요성이 충분치 않아 쉽게 할 수 없었던 일들을 할 수 있게 하는 구실이 되었지. 예컨대 그 여비서 또한 사실은 국장 자신이 싫증이 났지만 나를 구실로 삼아 내보낸 것이었어.

다른 수많은 일들도 정황은 이와 마찬가지였어. 국장은 이제까지 자신이 무엇을 싫어하는지 말하지 않았지. 그는 그저 사람들에게 내가 무엇을 싫어하는지만 말했어. 그가 할 수 있는 일은 아무 것도 없고, 그가 하는 모든 일은 내가 하고 싶어 하는 일인 것 같았지.

내 동료들은 누구도 감히 나와 가까워지려 하지 않았어. 나는 방송국 안에서 한 마리 무늬 화려한 독사가 되었지. 어느 곳에서도 쉽게 관심의 초점이 되었고 사람들에게 피하고만 싶은 존재가 되었어.

이런 업무 분위기는 정말 받아들이기 힘들었어. 난 순진하게 국장에게 달려가 왜 이런 상황을 만드는 거냐고 따져 물었지.

국장은 냉담한 얼굴로(일단 둘만 있게 되면 그는 다시 평소의 모습으로 돌아왔다. 항상 정색을 하고 함부로 말하거나 웃지 않았다.) 대답하더군. 필요하기 때문이라고.

나는 지금 모든 사람들이 나에 대해 큰 오해를 하고 있다고 말했어. 방송국 안에는 나를 제외하면 아무도 없다고, 어째서 아직도 이런 사실을 이해하지 못하는 거냐고 따졌지.

나는 모두들 내 등 뒤에서 듣기 안 좋은 얘기를 한다고 말했어.

못들은 척 하면 돼요

사람들이 제게 침을 뱉어요.

못 본 척 하면 돼요.

전 할 말이 없어요.

국장은 무슨 일을 해도 희생을 피하기 어렵다고 말했어. 중요한 건 거기서 뭘 얻을 수 있느냐 하는 거라고 말이야.

방송국에서 일한 지 석 달이 되자 직장에서 집을 하나 제공해 주더군. 시내 중심에 위치한 거실 하나에 방이 세 개인 집이었어. 집은 흠 잡을 곳이 없었지. 처음 집에 들어가 보니 마치 꿈속에 있는 것 같더군. 그렇게 드넓어 보이는 공간을 앞으로 나 혼자 지배하게 된다는 사실이 잘 믿어지지 않았어.

국장이 내 옆에 앉았어. 그의 조용함과 나의 어수선함이 선명한 대비를 이루었지. 그는 줄곧 내 표정을 관찰했고 나는 그에 대한 고마움을 조금도 감출 수 없었어. 나는 내심 그가 나를 위해 하는 모든 일들에 감격했지. 그때 그가 내게 뭔가를 요구했다면 나는 그것이 무엇이든지 거부할 수 없었을 거야. 단지 그 거실 하나에 방 세 개짜리 집 때문만은 아니었어. 그때는 그가 나를 사랑하기 때문에 그렇게 해주는 거라고 오인했기 때문이기도 했어.

그녀가 손으로 벽을 두드렸다. 그런 다음 벽에 귀를 가까이 대고서 가만히 자신이 벽을 두드리는 소리를 들었다.

입주하던 첫날 저녁, 나는 놀라서 잠을 깼어.

한 남자가 내 침대 옆에 서 있었어. 얼굴에 희미한 미소를 지으며 말없이 나를 노려보고 있더군. 자신의 시선이 나를 꿈에서 깨게 할 수 있다는 것을 일찌감치 알고 있는 것 같았어.

나는 놀라고 불안한 상태에서 아주 바보 같은 질문을 했지.

"여긴 어떻게 들어온 거죠?"

남자는 내게 손을 내밀었어. 그의 손바닥 위에는 구리 재질의 열쇠 하나가 빛을 발산하고 있더군.

나는 놀랍고 두려워서 봉인용지로 입을 봉해버린 것만 같았어. 그런 상황에서 어떻게 하는 것이 가장 옳은 건지 알 수 없더군. 유일하게 분명한 것은 혹시 그가 나를 해치려 한다 해도 내겐 아무런 방법이 없다는 것이었어. 그가 나를 죽일 수도 있다는 생각도 들었지. 나는 절망의 주변에서 내 생각을 되돌릴 수가 없었어. 눈앞의 상황에 너무 놀라 쓰러질 지경이었지.

"그 침대 위에서 자고 싶군요." 달빛 속에서 그 크고 늠름한 그림자가 입을 열었어. 그의 치아 사이로 쏟아져 나오는 말들이 푸른빛을 발하면서 반짝거리더군. 그런 다음 그는 내 얼굴을 가린 채 옷을 한 겹씩 벗기 시작했어.

나는 꼼짝도 하지 않고 그가 옷을 벗는 모습을 바라보았지. 나는 그의 말을 다른 의미로 이해했어. 그가 벗을 수 있는 옷이 속옷밖에 남지 않게 되자 그는 이불처럼 내 몸을 덮은 것이 아니라 그저 온화한 말투로 내게 잠을 잘 수 있도록 침대의 절반을 비워 달라고 요구할 뿐이었어. 그제야 나는 깨달았지.

그가 말한 '자고 싶다'는 말이 그냥 평범한 의미의 잠이었다는 것을.

그날 밤 나는 내 침대 전부를 국장에게 빌려주었어. 그는 조금도 사양하지 않고 잠이 들었고 새로 산 흰 타월 천 이불 안에서 몹시 혼탁하게 코고는 소리를 내기 시작했어.

국장이 자는 모습은 마치 한 마리 돼지 같았어.

나는 잠옷을 입은 채 맨발로 방 세 개에 거실 하나짜리 집 여기저기를 서성거렸어. 침대 위에서 흘러나오는 요란한 코고는 소리에 사방으로 쫓기다 보니 초조하고 불안했지. 이불이 차지하고 있는 침대 이외에는 나의 수면을 안치시킬 만한 곳이 없었어. 심지어 앉고 싶은 자리 하나 없었지.

달빛이 나의 높고 긴 창문 안으로 소리 없이 비춰 들어왔어. 마음이 쓰릴 정도로 맑고 밝았지. 나는 그 달빛 아래 오랫동안 서 있었어. 눈을 감고 달빛의 애무를 느꼈지. 남자의 코고는 소리가 점점 내게서 멀어져 갔어. 대신 물결 부딪치는 소리와 파도 일렁이는 소리가 차 들어왔지. 나는 달빛 속에서 신선한 바닷물의 향기를 맡았어. 나는 여태 바다를 본 적이 없었지만 그것이 분명 다른 물건이 아닌 바다에서 나는 향기라는 걸 알았지.

나는 방 안에서 흐르는 달빛 속을 끊임없이 걸었어. 피곤해지면 화장실에 변기 덮개를 내리고 잠시 앉아 있었지. 일곱 시간 안에 나는 모든 일의 전후 관계를 세밀한 부분까지 빠뜨리지 않고 진지하게 정리해 보았어. 끝내 국장이 대체 무엇을 하려고 하는 것인지는 알아낼 수 없었지.

지금 내가 방송국 안에서 그를 싫어하는 사람들을 제거하는 수단이 되어 버리긴 했지만, 솔직히 말하자면 나는 있어도 되고 없어도 되는 핑곗거리에 지나지 않았어. 그 한 가지 이유 때문에 나에게 이처럼 많은 도움을 줄 필요도 없었고 그럴 가능성도 없었지. 내 눈앞에서 벌어진 일들이 그가 나를 위해 한 이 모든 것들이 나의 몸을 얻기 위한 것이 아니라는 것을 증명하고 있었어. 하지만 나는 줄곧 이것이(내 전임 남자 친구의 말에 따르면) 그가 내게서 얻고자 하는 유일한 것이라고 생각했었지.

갖가지 미궁과 생각들이 달빛 속에서 나를 어지럽게 만들었어. 어쩌면 나는 이 집과 내 침대에서 잘 자고 있는 이 남자에게서 도망쳐 이미 손에 넣은 직장과 집, 월급, 남들의 존중(내 동료들은 사람들 앞에서는 내 말대로 하지 않았지만 제삼자가 없을 때에는 모두들 내 비위를 맞추느라 쩔쩔맸다.) 등을 포기하고 다시 레스토랑으로 돌아가 영원히 얼굴이 미소를 걸고 조심스럽게 주머니에 돈을 넣고 있는 모든 고객들의 시중을 드는 일을 해야 했는지도 몰라. 이런 생각을 하다 보니 금세 마음이 아파오더군. 이것들을 포기한다는 것이 너무나 아까웠거든.

우리는 지금 물질의 시대를 살고 있어. 그렇지 않아?

무슨 근거로 내가 더 나은 삶을 살 수 없다고 하는 거지? 무슨 근거로 내가 이미 얻은 좋은 것들을 다시 돌려보내야 한다는 거야? 지금 내가 좋아하지 않는 남자가 내 침대에 누워있다는 것은 인정할 수 있어. 하지만 결론적으로 난 아무것도 잃은 것이 없다고. 심지어 앞으로도 잃을 것이 없어. 그렇다면 내가 원망해야 할 것이 또 있을까?

녹음된 부분이 다 돌아가 테이프가 멈췄다. 그녀는 녹음기에서 테이프를 꺼낸 다음 다른 통에서 방금 뜯은 새 테이프를 끼워 넣었다. 그러고는 바깥 날씨를 한 번 살펴보고 나서 얘기를 계속했다.

날이 밝아올 때쯤 나는 옷을 다 갈아입고 부엌으로 가서 국장과 내가 먹을 아침을 만들었어. 그가 욕실에서 씻고 나오길 기다렸다가 우리는 마치 한집에서 한평생 살아온 사람들처럼 자연스럽게 식탁에 앉아 아침을 먹었지. 밤을 샌 탓에 내 얼굴은 창백해졌지만 반면에 국장의 얼굴에서 광채가 났어. 그의 거친 피부에서는 내 클렌징을 사용한 덕분에 섬세하고 은은한 향이 났지.

"몇 년 만에 아주 편안한 잠을 잤네." 국장이 싱글거리면서 내게 말하더군. "나는 항상 잠을 제대로 자지 못했어. 잘 먹어도 소용이 없었지. 병원에 가서 여러 번 검사를 받아봤지만 아무런 질병도 나오지 않았어. 심지어 어떤 의사는 이게 아무 질환도 아니라고 헛소리를 하더군. 그러다가 우연히 자네를 만난 거야."

"저를 우연히 만났다고요?"

"그래, 자네를 처음 만나는 순간, 어떤 예감이 왔지. 자네가 날 잠잘 수 있게 해 줄 거라는 예감 말이야."

"그건 왜죠?"

"말로 설명하긴 어려워. 일종의 감각이지."

"고작 그것 때문이었어요?"

국장은 무척 엄숙한 어투로 묻더군. "그걸로 부족하단 말인가?"

내가 여기에 대해 무슨 말을 더 할 수 있겠어? 난 이미 내 신변에 일어난 이상한 일들에 대해 무수한 이유들을 찾고 있었는데, 뜻밖에도 답안은 이거였어. 국장의 얼굴을 빤히 쳐다보았지. 그의 외모에 있어서 가장 큰 특징은 딱히 거론할 만한 특징이 없다는 거야. 처음 만났을 때는 어디선가 본 듯한 얼굴인 것 같다가 점차 익숙해지면 다시 낯설어지는 그런 얼굴이지.

"내 애인이 되겠다는 꿈은 꾸지 마. 그런 여자들은 이미 충분하니까. 하나 더 늘어나면 아마 내 몸이 견디지 못할 거야."

국장은 나를 쳐다보면서 아무 말도 하지 못하다가 이렇게 한마디 던지더군.

이 말을 듣는 순간 나는 자신을 주체하지 못하고 입에 머금고 있던 우유를 내뿜고 말았어. 그날 새벽 국장의 기분은 유난히 좋았지. 그가 내게 실수한 거라곤 그저 사납게 쏘아본 것뿐이었어. 잠을 푹 잘 잤기 때문인지는 모르겠지만 말이야.

한동안 우리는 서로 잘 지냈어. 국장은 종종 늦은 밤에 집으로 찾아왔지. 내 침대를 사랑하게 된 것 같았어. 일단 집 안에 들어오면 그는 거의 말이 없었어. 온몸이 하나의 커다란 구름처럼 침대 머리맡을 떠 있다가 옷을 벗은 다음 침대에 쓰러지면 코고는 소리만 천둥소리처럼 요란했지.

내가 참을 수 없었던 것은 그가 줄곧 내게 인사 한 번 한 적이 없었다는 거야. 마치 자기 집에 돌아온 것처럼 마음대로 와서 자는 거였어. 그 때문에 내 생활은 몹시 불편해졌지. 게다가 그가 내 집에서 잔 뒤로는 내가 잘 곳이 없어졌어. 그가 오지 않더라도 그의 오염된 몸으로 꾸깃꾸깃해진 이불을 덮고 잘 수는 없었어. 원래 내 것이었던 침대에서는 고약한 냄새가 났고 가끔씩 국장이 다른 여자에게서 옮겨온 향수 냄새까지 풍겼지. 이런 향수 냄새는 국장의 체취처럼 진하고 거칠었어. 진즉에 다른 방에 침대를 하나 더 사 놓고 싶었지만 국장이 내 집에 침대가 두 개여선 안 된다며 단호하게 막았어. 이리하여 나는 모든 것이 잘못되었다는 생각을 갖게 되었지.

결국 나는 폭이 넓은 소파를 하나 사다가 창문 앞에 놓아두고 내 침대로 쓰기 시작했어.

국장은 내가 자신과 한 방에서 잘 것을 고집했어. 내가 자기 옆에 있어야 편안히 잘 수 있다는 거였지.

나는 어디서 자든지 개의치 않았어. 나는 어디서든 잘 수 있다고 생각했지. 하지만 국장이 몰래 일어나 내 잠자는 모습을 훔쳐본다는 사실을 알게 된 뒤로는 제대로 편이 잠을 잘 수 없게 되었어.

국장은 내 잠자는 모습을 보는 걸 좋아했어. 그는 잠에서 깰 때마다 내 곁으로 걸어와서는 몰래 내 잠자는 모습을 지켜보곤 했지. 실컷 보고나서는 다시 침대로 돌아가 잠을 청했어. 하지만 나는 누군가 내 잠자는 모습을 훔쳐보는 것이 딱 질색이었어. 내게 아무런 피해가 없다 해도 마찬가지야.

자기 잠자는 모습을 남에게 보여주고 싶은 사람은 없을 거야. 아무리 헌신적인 연기자라 해도 그런 모습을 연기할 수는 없겠지. 죽은 것 같은 그런 모습이 뭐가 좋겠어. 나는 이 문제를 이해할 수 없었어. 지금까지도 이해할 수 없는 문제지. 나는 몇 번인가 그가 잠 든 뒤에 그가 그랬던 것처럼 그의 잠자는 모습을 관찰해 보았어. 하지만 십 분도 안 돼서 흥미를 잃고 말았지.

국장과 그의 잠은 아무런 감상의 의미도 없는 물체를 만들어냈어. 그렇게 내 침대 위에 아무렇지도 않다는 듯이 당연한 모습으로 누워 있었지.

나는 불면증에 시달리기 시작했어.

STOP.

PLAY :

나는 밤새 소파에 앉아 창밖을 바라보았어. 달빛은 매일 밤 미리 약속한 친구처럼 날 찾아왔지. 때로는 바람 같고 때로는 안개 같고 때로는 바다 같았어.

달은 밝고 바람은 고요한 가운데 나뭇잎이 창틀을 덮었지. 나는 두 팔을 가슴에 모으고 가볍게 나를 다독거리며 자장가를 불렀어.

때로는 국장이 내 자장가 소리에 깨서 침대에 기대 나를 바라보면서 묻기도 했지. "왜 아직 안자고 있어?"

나는 잠이 안 온다고 대답했어.

국장이 웃으면서 말하더군. "나도 잠 못 자는 맛을 알지. 별로 좋은 맛이 아니야, 그렇지?"

나는 그렇다고, 정말 좋은 맛이 아니라고 말했어.

국장이 말하더군. "웃기는 얘기 하나 해줄게. 웃기는 얘기를 들으면 잠이 올지도 몰라."

국장이 내게 들려준 얘기는 전부 유머가 조금 들어간 야한 농담들뿐이었어. 그는 말을 할수록 웃음이 많아지면서 계속 내 눈치를 살폈지. 그러다 웃음을 참고 묻더군. "왜 안 웃는 거야? 내 얘기가 웃기지 않나?"

나는 원래 어릴 적부터 유머감각이 부족하다고 말했어.

내 말을 듣고 그는 이 분 동안 쉬지 않고 웃더군. 몸을 앞뒤로 들썩이며 웃는 모습이 마치 손으로 잡을 수 없는 진흙 인형 같더라고. 그의 웃음소리가 방 안의 달빛을 지리멸렬하게 만들어버렸어. 충분히 웃었는지 그는 다시 쓰러져 잤지.

이게 정말 웃기는 일인가?

잠이 부족하다 보니 내 얼굴은 날이 갈수록 더 창백해져 갔고 눈빛도 밤처럼 흐릿해졌어. 어느 날 거울에 비친 어두침침한 내 얼굴을 보고 나는 너무나 놀랐지. 도무지 내 얼굴이라고는 믿을 수 없었어. 그 얼굴 속에 국장의 표정이 선명하게 보였어. 국장의 표정과 그의 엄숙함이 보였지.

그 순간 가슴이 찢어지는 것 같았어.

나는 자신이 전염되었다는 사실을 의식했지. 국장은 방송국에서 누구를 보든지 항상 얼굴을 찌푸렸어. 모든 사람이 그에게 폐를 끼친 것 같았어. 그의 양 옆구리 아래로 깊은 우울함이 날개처럼 내려와 그림자처럼 그를 따라 함께 걸었지. 살충제처럼 공기 중의 모든 즐거움을 소멸시켜버리고 사람들의 표정을 딱딱하고 보기 싫게 만들었어. 그리고 암암리에 나와 가장 많이 접촉했지.

그러다 보니 아무리 조심하고 얼굴의 표정을 관리한다 해도 내 표정은 나날이 국장처럼 망가져만 갔어.

나는 아직 젊고, 자신도 싫어하는 얼굴을 갖고 싶진 않아.

그녀는 신음하면서 엄지와 검지로 귀 근처의 피부를 잡고는 가면을 벗기듯 자기 피부를 벗기는 광경을 상상했다. 하지만 그녀의 바람은 결국 끊임없는 '꼬집기'의 반복이 되고 말았다.

그녀가 방에서 나왔다가 잠시 후 다시 들어갔을 때, 그녀의 얼굴에는 아주 두텁게 초록 이끼 같은 팩이 붙어 있었다.

나는 우여곡절 끝에 한 여인을 찾아갔어. 쉽게 만날 수 없는 이 여인은 이 도시의 가장 신비로운 네트워크 안을 떠돌았지. 사람들은 그녀를 환상적이고 예측 불가능한 이미지로 만들어 찬양하고 있었어. 나는 우리 엄마가 그녀를 만난 적이 있다는 걸 알지. 아직 아빠가 살아계실 때였어. 그녀는 엄마가 두 개의 우물에서 물을 마시고 두 번 시집갈 운명이라고 했지. 일 년 뒤에 모든 예언은 사실로 증명되었어.

내가 안내를 받아 안으로 들어갔을 때 여인은 마침 식사를 하고 있었어. 앉은 자세가 무척이나 곱고 단정했지. 마치 큰 연회에 참석한 사람처럼 우아했어. 젓가락질은 한 치의 실수도 없이 정확히 접시 위의 음식을 집었지. 여인은 음식을 천천히 입 안에 넣고 소리 없이 씹었어. 그녀의 얼굴에서는 아찔하고 신비로운 빛이 발산되었고 눈빛은 시공을 가로질러 신비하고 헤아릴 수 없는 곳으로 떨어졌지. 방 안은 불을 켰는데도 여전히 어둡게 느껴졌어. 방 안에 눈에 보이지도 않고 손으로 만질 수도 없는 무언가가 흐르고 있다가 가끔씩 바람을 타고 내 피부를 스쳐 지나가는 것이 느껴졌어.

점쟁이 여인은 내 손을 잡아 펼쳐진 그녀의 왼손 위에 올려놓았어. 오른손으로는 내 손바닥을 더듬었지.

내가 그녀에게 물었어. "무슨 일이 일어난 거죠?"

"줄곧 아주 많은 일들이 일어났군."

"전 어떡해야 하죠?"

"방법은 언제나 용기와 함께 있는 법이지."

"무슨 뜻인가요?"

"운명으로 정해진 일이라면 추측할 필요가 없어."

내가 자리를 뜨려 할 때, 그녀의 목구멍에서 깊은 탄식이 흘러나왔어. 나는 못 보는 것이 없고 아무 것도 감출 수 없는 그녀의 시선 속에서 똑바로 걸어 나왔어.

그녀는 자기 얼굴에 붙어 있던 팩을 뜯어냈다. 얼굴과 크기가 같은 녹태를 벗겨내자 창백하고 섬세한 얼굴이 드러났다.

어느 날, 내 전 남자 친구가 방송국으로 찾아왔어.

"맙소사, 왜 이렇게 우울해진 거야?" 내 전 남자 친구는 놀라서 소리를 질렀어. 나는 그에게 지금 몸이 안 좋다고 말했지.

"넌 우울한 모습이 대단히 매력적이야." 그가 나를 칭찬하듯 말했어.

그날 난 전 남자 친구를 집으로 데려가 잠자리를 가졌지. 그는 한참이나 애를 쓴 뒤에야 내가 그와 하려고 하는 일에 집중하더군.

우리가 집 안에 들어가자마자 그는 곧바로 내 집에 매혹되었어. 내가 매일 밤에 그러듯이 그도 맨발로 사방을 돌아다니며 끊임없이 중얼거렸지. "맙소사, 국장은 대체 너한테서 뭘 얻은 거야? 뜻밖에도 이렇게 큰돈을 들여 네 비위를 다 맞추니 말이야." 그때 내가 미치도록 잠자리를 갖고 싶지 않았다면 그를 집 안에 한 발짝도 들어오지 못하게 했을 거야. 이전에 그의 몸에 있는 뭘 사랑했던 것인지 모르겠더라고.

사실을 말하자면, 나는 정말 남자랑 잠자리를 갖고 싶었어. 최근 한동안 자주 온몸에 한기가 들어 자신의 감각을 뜨겁게 데울 수 있는 일을 하고 싶었던 거지. 아주 안전하고 아무런 방해도 받지 않는 상태로 남자의 품에 안겨 편하게 한숨 자고 싶었어. 전 남자 친구에게 털끝만큼도 사랑을 느끼진 않았지만 예전에 그의 품 안에서 편하게 잤던 때가 그리웠지. 남자의 품을 생각하면 거의 미칠 것만 같았어. 하지만 지금 내 앞에서는 그 말고는 아무도 찾을 수 없었지. (방송국에서는 국장이 나와 한때 뭔가 있었던 것 같은 남자들은 전부 다른 곳으로 인사조치하는 바람에 이제는 감히 날 사랑하는 남자가 없었다.)

내 전 남자 친구가 내 뜻을 알아차리고는 나를 자기 품에 안았어. 그런 다음 번개 같은 속도로 날 침대 위로 던졌지. 나는 비명을 지르며 침대에서 튕겨져 나와 내 전 남자 친구를 놀라게 했어.

"왜 그래?"

정신이 혼미해진 나는 소파로 가서 앉았지. 소파에 앉으니까 좀 진정이 되는 것 같았어.

내 전 남자 친구가 다가와 내 옷을 벗기면서 묻더군.

"아나운서가 된 뒤에 병이 생긴 거야?"

나는 눈을 감았지.

우리가 자고 있을 때 국장이 들어왔어. 그는 소파 옆에 서서 우리를 한참이나 바라보더군. 틀림없이 그때 그의 눈에는 나와 내 전 남자 친구의 이미지가 별로 좋지 않았을 거야.

국장이 우리를 바라보는 동안 그의 얼굴은 끊임없이 갖가지 색깔이 변했어. 빨간색에서 주황색으로, 다시 노란색과 초록색, 파란색, 남색, 자주색으로 변했어…….

그러가 맨 마지막에는 깊은 밤처럼 검은 빛으로 변했지.

내가 꿈에서 깼을 때, 내 전 남자 친구가 내 눈을 바라보면서 방금 어떤 기분이었냐고 묻더군. 나는 그의 기분이 상하지 않도록 괜찮았다고 말했지. 그러자 그는 금세 득의양양한 표정을 짓더라고. 그러면서 내가 원한다면 매일 해 줄 수도 있다고 하더군.

이번에는 그의 말 속에 담긴 다른 뜻을 알아냈어. 나는 그를 바라보았지. 굳이 입을 열어 물어볼 필요도 없었어. 그가 스스로 모든 문제를 늘어놓을 테니까 말이야.

내 전 남자 친구는 신바람이 나서 속옷 하나만 걸친 채 끊임없이 돌아다니고 춤을 추면서 연설을 시작했어.

"네가 국장과 그런 사이인 거 다 알아. 다 이해하고 용서할 수 있어. 우리는 아주 좋은 시대에 살고 있거든. 모든 걸 자기 마음대로 할 수 있지. (그는 자기 딴에는 유머라고 생각하면서 나를 향해 두 번이나 눈을 찡긋거렸다.) 사람과 사람 사이의 관계는 갈수록 과학성을 지니고 있어. 즉, 삼각관계가 되어야 안정될 수 있지. 지금 너와 국장 사이의 관계가 아주 미묘한 상태인 것 같으니 (그는 국장에게 수많은 애인들이 있다는 것을 알고 있었다.) 내가 기꺼이 나서서 도와줄게. 우리 셋이서 아주 안정된 구조를 만드는 거야."

그는 여기까지 말하고 나서 말을 멈췄다. 대충 말하는 것 같으면서도 중요한 요점은 다 설명했지.

"물론 이 일의 전제는 내가 방송국으로 옮겨올 수 있도록 네가 국장을 설득해야 한다는 거야"

내가 빙긋이 웃으면서 말했지. "정말 좋은 아이디어야." 그러고 나서 나는 소파에서 일어나 그가 아직 미처 입지 못한 옷들을 안고 창가로 가서 아래층으로 던져버렸어. 그러고는 그에게 복장이 부적절하다고 생각되면 지금 당장 밑으로 내려가야 할 거라고 말했지. 그는 내 행동에 화를 내면서 사납게 째려보더니 영어로 '창녀 같은 년'이라고 욕을 하고 사라져버렸어.

테이프 뒷면.

내 전 남자 친구가 말한 '창녀 같은 년'이라는 욕이 머릿속을 맴돌더군. 다음 날 국장이 집에 왔을 때 나는 어깨 부분을 리본 두 개로 묶은 옷으로 갈아입고 있었어. 가볍게 손가락을 걸어보니 꼭 몸에 걸칠 수 있는 미니스커트 같더라고. 치마가 내 몸을 덮을 수 있는 면적은 아주 제한적이지만 사람들을 미혹시키기에 충분하지. 나는 국장이 집에 들어서자마자 눈이 뒤집혀 날 바닥에 쓰러뜨린 다음 거칠게 강간해주기를 기대했어.

그러면 나는 유한한 시간에 경찰서로 가서 그를 감옥에 넣을 수 있을 테니까 말이야.

"남자가 필요하다면, 내가 하나 구해 줄 수도 있어." 국장은 날 위아래로 훑어보더니 편안하게 모든 걸 다 알고 있는 듯한 연장자의 어투로 말하더군. 그의 온화함과 커다란 몸집은 서로 잘 어울리지 못했어.

나는 국장을 쳐다보았어. 그의 얼굴에서 아주 많을 색깔을 보았지. 꿈에서 보았던 것보다 훨씬 더 많았어. 이 색깔들이 빙빙 돌면서 커다란 소용돌이를 만들어내더니 나를 깊이를 알 수 없는 절망 속에 빠져들게 했지.

나는 맥없이 말했지. 내가 무엇을 필요로 하고 무엇을 필요로 하지 않건 간에 그와는 아무런 상관도 없다고 말이야.

국장이 웃으면서 말했어. “난 지금까지 널 아주 잘 대해줬어.”

“난 이제 당신이라면 구역질이 나요.” 내가 국장에게 말했지. 그에게 화를 내는 것이 아니라 정말로 구역질이 나서 토하고 싶었어. 나는 화장실로 달려가 변기통에 대고 한참을 토했지. 위산 이외에는 아무 것도 나오지 않았어. 불면증을 얻은 뒤로 입맛도 줄기 시작했거든. 아무 것도 먹기 싫었어. 위 속은 달빛처럼 텅 비었지.

국장이 뒤에서 내가 토하는 것을 바라보다가 다 토한 것을 확인하고는 가엽다는 듯이 말했어. “굳이 이럴 필요가 있나?”

나는 그의 곁을 떠나 다시 레스토랑에서 종업원으로 일하고 싶다고 말했어.

“내가 너를 보내고 싶을 때만 가능한 일이야. 그렇지 않고는 날 떠날 수 없어.” 국장의 얼굴과 목소리가 함께 가라앉았지.

“당신이 신이라도 되는 줄 알아요?” 내가 웃으면서 그에게 물었어.

"나는 나야. 난 내가 무엇을 할 수 있는지도 알고 너에게 무슨 짓을 할 수 있는 지도 안다고."

국장의 말에 나는 온몸에 한기를 느꼈어. 금방이라도 눈물이 쏟아질 것 같았지만, 그의 말이 내 눈물까지 얼려버리는 것 같았어. 눈물을 꾹 참았지. "누구나 앞으로 무슨 일이 일어날지 모르는 법이에요." 내가 띄엄띄엄 말했어.

"앞으로 무슨 일이 일어날지 난 알아. 그래서 앞으로 무슨 일이 일어나든지 상관하지 않지." 국장이 단호하게 말했어.

"나이가 그다지 적지도 않은데 어쩜 그렇게 멍청하죠?" 내가 웃으면서 그를 쳐다보았지. 그 말에 화가 났는지 내 뺨을 후려치더군…….

STOP. 여자가 녹음기를 끄고는 잠시 하얗게 변한 창밖의 하늘을 바라보았다. 그녀의 모습이 빛의 변화에 따라 점점 선명해졌다. 피로에 엄몰된 아름다운 얼굴이었다.

PLAY :

나는 뺨에 국장의 손자국이 남은 채 집을 나왔어. 보장하건대, 난 그때 조금도 울고 싶지 않았어. 난 지금까지 남자 때문에 운 적이 한 번도 없었지. 거친 남자 따위는 조금도 두렵지 않았어. 정말 무서운 건 남자들이 어느 날 갑자기 날 사랑하고 나를 위해 죽을 수 있다는 거야. 동시에 나에게 자기보다 한층 더 큰 사랑을 요구하지. 남자들은 자신들보다 더 뜨겁게 기꺼이 희생해 주기를 원해.

나는 블라우스를 엉성하게 입은 채 거리를 배회했어. 사람들의 시선 따위는 안중에도 없었지. 내 몸에 사람들의 주목을 끌 만한 것이 있는지 생각도 나지 않더군. 집으로 돌아가고 싶지도 않았어. 엄마는 최근 나의 고속승진을 상당히 의외라고 느꼈어. 내가 그렇게 비싼 가격에 팔릴 수 있다는 사실에 확실히 나를 달리 보는 것 같았지. 새 아빠는 언제나 그랬듯이 내가 잘 안 되길 바랐어. 그는 욕을 하듯이 내 얼굴에 대고 좋은 날은 오래가지 않는다는 말을 끊임없이 반복했지.

이때 나는 스피커 두 개가 걸려있는 음반 가게 앞을 지나게 되었어. 스피커에서는 영어 노래가 흘러나오더군. 사람들의 오장을 휘감는 노래였어. 나는 가사 가운데 한마디를 알아들을 수 있었지.

여인이여, 여인이여, 그대는 나의 달빛이어라

나를 그렇게 힘들게 했던 순간은 없었어. 아버지의 장례식 때나 첫 남자 친구가 날 강간할 때도 그렇게 힘들진 않았지. 나는 손을 흔들어 택시를 한 대 잡았어. 택시에 타서는 기사에게 빨리 달려서 저 스피커에서 멀어지자고 했지.

기사가 어디로 가는지 묻더군. 달빛 쇼핑몰로 가자고 했어. 기사는 달빛 쇼핑몰이라는 곳은 없다고 하더군. 나는 그럼 달빛 호텔로 가자고 했어. 기사는 이 도시에서 달빛 호텔은 들어본 적도 없다고 하더군. 나는 달빛이라는 두 글자가 있는 곳이면 어디든지 좋다고, 달빛화장실이라도 좋으니 운전을 하면서 좀 찾아봐 달라고 했지. 기사가 웃으면서 "아가씨는 아주 재미있는 분이군요."하고 하더군. 결국 기사는 나를 달빛 주점으로 데려다주었어.

달빛 주점의 조명은 낮인지 밤인지 구분하기 어려울 정도로 어둡더군. 내가 차에서 내려 주점 안으로 들어설 때 입구에 앉아있던 남자 하나가 나를 쳐다보는 것이 느껴졌어. 내가 술집 안으로 들어가자 그도 나를 따라 들어왔어. 나는 그저 발이 가는 대로 자리를 잡았고, 결국 그와 한 테이블에 서로를 마주보고 앉게 되었지.

종업원이 우리가 일행인 줄 알고 다가와 묻더군. "두 분, 무얼 드시겠어요?" 남자가 입을 열더니 얼음을 넣은 콜라를 두 잔 시키더군. 종업원이 가고 나자 남자는 야릇한 표정으로 나를 향해 손짓을 했어. 처음에는 그의 뜻을 알지 못해 의심스런 눈빛으로 그를 쳐다보기만 했지. 그러자 그가 다른 손짓을 보내더군. 이번엔 알아차렸어.

한순간에 기분이 좋아진 내가 물었다. "왜 나를 찾았죠?"

그가 말했어. "그냥 직감이지요."

나는 기분이 더 좋아졌어. 기분이 좋아진 나는 그 앞에서 영화에서 나오는 동작을 흉내 냈지. 그는 내 동작을 보자마자 멍한 표정을 짓더군. 그가 상심한 어투로 내게 말했다. "내가 잘못 본 것 같군요."

나는 자신의 실수 때문에 흥이 싹 가셔버렸어. 내가 힘없는 어투로 그에게 말했지. "괜찮아요, 저는 남들이 저를 창녀라고 오해해도 절대 무례한 일이라고 생각하지 않아요."

그가 괴로운 표정으로 말하더군. "아니에요, 아가씨가 그런 사람이 아니란 걸 알았으니 다시 흥이 나진 않을 거예요."

난 아주 유감스럽다는 듯한 표정으로 말했지. "정말 미안해요, 제가 흥을 깼군요."

그가 아주 기품 있게 웃으면서 말하더군. "아닙니다, 우리 그냥 편하게 얘기나 하죠."

내가 그에게 물었어. "방금 무엇 때문에 제게 끌리셨나요?"

그가 생각 하는 것 같기도 하고 안 하는 것 같기도 한 태도로 말했어. "당연히 아가씨 모습이지요. 왠지 정상이 아닌 것 같았어요."

내가 얼굴을 만지며 되물었지. "모든 남자들이 비정상인 여자를 좋아하지 않나요?"

그가 잠시 생각해보고 나서 말했지.

"이런 상황은 사람마다 다르지요. 저는 그 가운데 아주 적은 수를 대표한다고 할 수 있고요. 하지만 모든 남자들이 그렇게 발랄한 여자들은 좋아하지 않아요. 여자는 좌절을 맛 봐야만 사람들의 사랑을 받을 수 있지요."

내가 말했어. "제게 아주 잘 해주는 한 남자가 있어요. 제게 많은 것을 주었지만 제 침대에서 잠을 자는 것 외에 다른 요구는 없어요. 제가 그를 어떻게 해야 할까요?"

"그의 환심을 사고 싶다면 지금 상태를 그대로 유지하세요. 제 생각에는 아가씨가 고통스러워하는 모습에 빠져들었을 가능성이 큽니다. 고통스러워하는 여자의 모습보다 남자들에게 더 큰 위안이 되는 것은 없거든요."

그는 얘기하다 말고 갑자기 빙긋이 웃더니 말을 잇더군.

"제가 말도 안 되는 헛소리를 한다고 여기진 말아요. 저는 여자를 위로할 줄 몰라요. 누군가를 위로하고 싶지도 않고요."

그가 떠나기 전에 내가 물었어. "제가 그를 죽인다면 어떨까요?"

그는 웃더군. "그럴만한 충분한 용기가 있다면 그것이 이 모든 문제를 해결할 수 있는 최상의 방법이라고 생각합니다."

국장은 자신의 잘못을 보상하기 위해 인센티브를 지급하는 기회를 통해 적지 않은 돈을 주었고 방송국에서 날 만날 때마다 비위를 맞추려 애썼어. 한 번은 내가 사람들 앞에서 그에게 심한 말을 했지. "꺼져버려." 그는 그저 침울한 표정을 지을 뿐이었어. 나중에도 내게 화를 내지 않더군. 나는 그가 그렇게 내 비위를 맞춰주려 애쓰는 것이 도대체 무엇 때문인지 알 수 없었어. 많은 사람 앞에서 연극 하면서 느끼는 즐거움 때문일까? 그가 숙면을 취하게 해준 데 대한 고마움 때문일까? 아니면 내가 반대자들을 제거하는 데 이용가치가 충분한 방패이기 때문일까?

나는 방송국 동료들에게 물어보았지. "저에게 뭐가 특별한 점이 있나요?"

그들은 아주 친절하게 대답해주더군.

"아주 귀엽게 생겼어요."

"사람들의 마음을 움직일 수 있을 정도로 아름다워요."

"우수에 젖은 얼굴이 매력으로 가득 차 있어요."

"음 글쎄요……."

아무도 진실을 말해주지 않았어. 그들의 말은 달빛보다 더 허무하고 실속이 없었지. 달빛보다도 훨씬 덜 감동적이었어.

정지.

나는 더 이상 국장에게 내가 떠나고 싶다는 얘길 하지 않았어. 솔직히 말하자면 나도 더 이상 잃을 것이 없었지. 집과 돈, 일, 모든 것들이 불면증처럼 나를 하루하루 약해지게 만들었어. 나는 나 자신의 희망이 되었지. 음지 생물처럼 햇빛 속에서 점점 몸이 마비되어 가다가 저녁이 되어 달빛이 내 몸을 적신 뒤에야 삶의 즐거움을 느낄 수 있었어.

달빛이 나의 반려자였어. 달빛은 내게 세상 그 어떤 것보다도 큰 가슴을 선사했지. 나는 그 품속에서 몇 시간 동안 쉬지 않고 서로를 바라보았어. 물론 어떤 날 밤에는 달빛이 나를 피해 다른 곳으로 가기도 했지. 그런 밤이면 칼로 가슴을 에는 것처럼 몹시 괴로웠어. 난 유리창 위의 빗줄기를 마주하고 서서 빗줄기 같은 눈물을 흘렸지.

달빛이 환히 비추는 밤이면 좁고 기다란 창문 앞에 서서 천천히 옷을 다 벗어버린 다음, 알몸으로 방 안을 거닐곤 했어. 달빛에 내 몸을 비춘 다음 정결해진 내 피부에서 반사되어 나오는 그 푸르스름한 빛이 너무나 좋았어.

"넌 꼭 귀신같아." 내가 자신에게 말했어. 바로 이런 생각들이 내게 무한한 영감을 주었지. 머리를 흐트러뜨려 절반은 얼굴 앞으로 모으고 나머지 절반은 가슴 밑으로 늘어뜨린 다음, 립스틱을 눈두덩에 바르고 아이브로우로 입술을 그렸어. 나를 자신도 못 봐줄 정도로 이상하게 만들었지.

그런 다음 나는 국장의 침대 앞에 서서 손전등을 들고 아래턱에서 위쪽으로 비추면서 죽일 듯이 침대 위의 남자를 노려보았어. 그가 예전에 날 쳐다보았던 것처럼 말이야. 나는 그를 꿈에서 깨어내 입에서 공포에 질린 날카롭고 비명이 터져 나오게 하기로 마음먹었어.

운이 좋다면 그가 놀라서 죽게 할 수도 있었겠지.

나는 이런 생각을 반복하고 있었어.

국장은 정말 나 때문에 놀라서 잠에서 깼어. 그의 입이 내가 상상했던 것처럼 크게 벌어졌지만 아무 소리도 내지 않더군.

소리를 낸 건 나였어. 나는 큰 소리로 웃었지. 게다가 웃음이 터지니 스스로 주체할 수가 없었어. 내 웃음소리는 파도 같았지. 파도처럼 방 안을 가득 채웠어. 웃음소리가 방 안 사방에 부딪쳤고 다시 튕겨져 나와 내 몸에 부딪쳤지.

나는 그 처절한 소리에 놀랐어. 국장이 죽기 전에 내가 먼저 기절해 버렸지.

정신을 차리고 보니 방 안의 모든 불이 다 켜져 있더군. 나는 소파에 누워 이불을 덮고 있었고, 국장은 소파 옆에서 울적한 얼굴로 날 바라보고 있었어. 나는 방금 전에 보았던 그의 눈알이 튀어나올 것 같던 모습이 생각나 또다시 웃음을 터뜨리고 말았지.

"다시는 그런 장난 하지 마." 국장이 매서운 어투로 말하더군.

내가 말했어. "어차피 잠도 못 자는데요, 뭘."

국장은 내 모습에 전혀 놀라지도 않고 그저 웃기만 하더군.

"그런 짓으로는 날 놀라게 하는 것이 이번이 마지막일 거야. 못 믿겠으면 다시 해 봐."

나는 믿지 않았고 다시 시도했어. 하지만 그는 자신이 말한 것처럼 더 이상 겁을 먹지 않더군.

아주 오래전에 읽었던 동시가 한 수 생각났지.

귀신을 잡으러 가자,

귀신을 잡으러 가자,

우리가 귀신을 잡지 못하면,

한밤중에,

귀신이 우릴 잡으러 오겠지.

이리하여 나는 귀신이 되는 것을 포기하고 온 정신을 집중하여 어떻게 하면 국장을 진짜 귀신으로 만들 수 있을지 연구하기 시작했어. 그를 소리 없이 제거할 생각이었지. 금년에 쉰다섯이라 늙었다고 할 수도 없고 젊었다고 할 수도 없는 이 남자를 뜻밖의 사고로 비명횡사하게 만들 작정이었어.

햇빛이 아름다운 어느 날 아침, 국장은 내 거처를 떠났어. 그가 건물에서 나오는 순간, 자살하려는 사람 하나가 사지를 활짝 편 채 머리 위 십층 높이의 테라스에서 떨어져 내렸어. 먹구름 덩어리 하나가 정확하게 국장의 몸을 덮치는 것 같았지. 두 사람은 하나로 뭉쳐졌어. 국장은 하늘에서 날아온 물체에 깔려 사람 모양의 얇은 조각이 되었지. 피가 젖은 옷을 탈수시킨 것처럼 국장의 몸에서 흘러나와 일정한 규칙 없이 사방으로 번져갔어.

그녀는 색연필로 벽에 커다란 사람 형상을 하나 그렸다. 그런 다음 그 사람 형상 위에 엎드려 맞춰 자신의 몸과 대조해 보았다.

그녀는 자신보다 훨씬 큰 사람 형상 안에서 아주 수척해 보였다.

나중에 나는 나와 같은 건물에 사는 모든 사람들에 대해 상당히 자세한 조사연구를 시작했어. 모든 사람이 자신의 목숨을 가볍게 여길 충분한 이유를 갖고 있다고 생각했지. 그들은 무엇 때문에 살아가는 걸까? 매일 매일의 삶의 내용이 고통과 실망, 싸움과 상처인데도 말이야.

그들은 왜 자살하지 않는 걸까?

몇 번인가 엘리베이터 안에서 사람들이 공개적으로 이런저런 것들이 자신들을 화가 나서 곧 죽게 만든다고 원망하는 소리를 들었어. 내심 기뻐하지 않을 수 없었지만 얼굴에는 최대한 침착한 표정을 유지하면서 그들에게 제안했지.

"그렇다면 왜 자살하지 않는 거죠?"

그러면서 그들에게 보충해서 말했지.

"가장 좋은 자살 방법은 건물에서 떨어지는 거예요. 아침 일곱시 반쯤 인간 새처럼 건물 위에서 날아 떨어지는 거죠. 큰 건물 입구와 가까울수록 더 좋아요. 그 순간부터 모든 근심 걱정이 싹 사라지게 될 거예요."

사람들은 그럴 때마다 눈을 부라리며 나를 위아래로 훑으면서 말하더군.

"미친년!"

"입을 찢어버려야 돼!"

"그럼 왜 지가 먼저 죽어서 우리에게 보여주지 않는 거야?!"

"……."

내가 매일 이 도시의 시민들을 위해 뉴스방송을 하고 있고, 매일 도시에서 발생한 무수한 사건들을 엄정하게 선택하여 몇 개의 화면과 몇 마디 말로 편집하여 십오 분 이내에 사람들에게 보여주고 있다는 걸 잊지 마. 달빛을 제외하고 지금 내가 가장 좋아하는 일이 바로 이 직업이지. 항상 몇 가지 좋은 소식들 때문에 감격하기도 하지만 교통사고나 붕괴, 갑작스런 폭발, 폭력행위 등과 같이 피를 흘리거나 사람이 죽는 사건들을 대하면 정신이 번쩍 들어. 이런 사건들을 보도할 때는 열정으로 가득 차기도 하지. 이런 소식들이 텔레비전 화면을 통해 전파되면서 모든 시청자들이 방송의 중요성을 실감했으면 하는 바람도 있지.

한동안(대개 며칠에 지나지 않지만) 이런 뉴스가 없으면 나는 몹시 초조하고 불안해져. 그렇게 관례를 깨고 남들과 다른 기발함에 열중하는 녀석들은 대체 뭘 하고 있는 걸까? 늦잠을 자고 있나? 나는 그들의 나태함에 큰 분노를 느끼지. 그들은 책임을 소홀히 해선 안 돼. 그들의 위험한 행위가 갖는 의미가 약간의 유혈이나 사망에만 있는 것이 아니라는 것을 알아야 해. 그들이야말로 사회 안전의 가장 중요한 참조물이거든.

게다가 내가 매일 간절히 바라는 진정한 뉴스는 발생하지도 않

아. 그들은 어떻게 이런 상황에서 아무런 움직임도 보이지 않을 수 있는 거지? 물론, 나는 이런 사건들이 조만간 일어나리라는 것을 잘 알고 있지. 그저 시간문제일 뿐이야. 나는 이런 기다림의 과정에서 모든 시청자들이 나처럼 충분한 인내심을 유지하길 바라지. 매번 방송을 마칠 때마다 나는 의미심장하게 시청자들에게 말하곤 하지. "내일 다시 찾아뵙겠습니다." 가끔은 다른 말을 덧붙이기도 해.

"우리가 밤에 달빛을 볼 수 있는 한, 일어나야 하는 일들이 조만간 일어날 것이라고 믿어야 할 충분한 이유가 있는 겁니다."

하지만 이런 말은 편집자가 삭제해 버리지. 나는 편집자의 이런 행동에 큰 불만을 갖고 있어. 다음에 기회가 되면 방법을 찾아서 국장으로 하여금 이 망할 놈의 편집자를 다른 부서로 쫓아버리게 할 생각이야.

그녀는 손에 든 녹음기를 쓰다듬었다. 생명을 지닌 물체를 쓰다듬는 것 같았다. 동작이 아주 섬세하면서도 절제되어 있었다.

결국 난 직접 나서서 뉴스를 만들어내기로 했어. 이 뉴스가 국장과 관련되어 있으리라는 것은 짐작할 수 있겠지.

나는 또다시 그 점쟁이 여인을 찾아갔어. 이번에는 낮이 아니라 밤에 찾아갔지. 나는 그녀가 신비한 힘을 가진 여인이라는 것을 알았어. 달빛의 인도 하에 그녀는 또 다른 세계의 모습을 볼 수 있었지. 그리고 내가 알고 싶어 하는 것이 바로 그것이었어.

내가 그녀에게 말했어. "제가 하고 싶은 일이 한 가지 있는데, 줄곧 실현하지 못하고 있어요."

그녀가 웃으면서 고개를 끄덕였어. 그녀의 동공이 달빛 속에서 마치 두 개의 무지개빛 진주처럼 눈부시게 빛나더군.

내가 말했어. "밖에서 많은 사람들이 제가 미쳤다고 말해요."

그녀가 말했지. "아가씨는 미치지 않았어요."

내가 말했어. "저는 남들이 저에 관해 오해하는 것은 전혀 신경 쓰지 않아요. 그저 지금의 특수한 상황을 틈타 뭔가 해야 할 것 같다는 생각이 들어요. 예컨대 아주 뜻밖의 일을 만들어내는 거죠."

그녀는 한참을 망설이더니 내게 묻더군. "기회는 반반이에요. 그래도 해 볼래요?"

나는 해보기로 마음먹었어.

해보지 않을 이유가 뭐란 말인가? 성공하건 실패하건 간에 내게는 전부 해탈을 의미하는데 말이야.

이것이 바로 지금 내가 내 주변에서 일어나는 모든 일들을 녹음하는 이유이기도 해. 이 테이프를 나중에 누군가 듣게 되겠지. 영원히 듣지 못할 수도 있지만.

듣든 안 듣든 중요하지 않아.

이렇게 말하면 내 뜻을 알겠어?

이 테이프는 지금 아주 좋은 기능의 워크맨 안에서 끊임없이 방송되고 있어. 이 테이프를 듣는 사람은 아주 뜻밖의 자동차 사고에서 운 좋게 살아 돌아온 한 남자야. 당시 그와 함께 차에 타고 있던 젊은 여자 아나운서는 그 사고로 너무 일찍 목숨을 잃었지.

희미하게
은은하게

희미하게 은은하게

쑤치즈(蘇啓智) 등은 오후 세 시에 도착했다. 애매한 시간이었다. 커피 한잔 하자마자 저녁 식사시간으로 이어졌다. 같이 식사를 하지 않으려니 신룽(新容)은 거짓말 하는 것이 가장 두려웠다. 마음에 항상 입은 입이고 쑥은 쑥이라고 정해져 있었다. 일단 입을 열면 말이 거미줄이 되기 때문에 입에 거짓말이 달라붙으면 결국 무수한 파경을 초래하기 마련이었다.

량짠(梁贊)은 일주일을 앞당겨 돌아왔지만 어제 신룽은 그가 우루무치(烏魯木齊)에서 보낸 문자를 받았다. 집이 너무 그립지만 집이 어딘지 찾지 못할 것 같다는 내용이었다. 그녀는 여기저기 돌아다니는 것이 얼마나 좋으냐고, 집이 없으니 어디든지 집이 될 거라고 말했다. 그는 문자 회신에서 그녀를 욕했다. 지독한 여자, 천 리 밖에서도 나를 거부하는 건가?

량짠이 문에 들어섰을 때 마침 쑤치즈의 전화가 걸려왔다. 신룽은 한순간에 정신을 차릴 수 없었다. 눈길이 량짠의 종려 빛 피부에 멈췄다. 그는 피부가 검게 탄 데다 무척 야윈 편이었다. 등에는 아주 큰 변기 모양의 범포 가방을 메고 문 앞에 나타났다. 리칭(亦晴)이 "으악" 하면서 달려와서는 두 팔을 그네처럼 벌려 그의 목에 걸었다. 두 다리도 팔처럼 벌려 그의 허리에 감았다. 그러고는 "오빠, 오빠." 하며 쉴 새 없이 그를 불러댔다.

신룽은 쑤치즈가 뭐라고 말했는지 정확히 듣지 못했다. 그가 쉬원징(徐文靜)과 함께 그녀를 만나러 창춘(長春)에 오고 싶어 한다는 것만 알아들었을 뿐이다. 그녀가 머릿속으로 주판알을 굴리고 있는 이유는 알고 보니 어제 량짠이 집을 찾지 못할 것 같다고 문자를 보냈을 때 그는 이미 공항에 있었고 집으로 돌아오는 비행기에 오를 준비를 하고 있었다는 것 때문이었다.

량짠은 어렵사리 리칭의 꽃게 같은 포옹에서 벗어나 가방을 자기 대신 리칭의 품에 안겨주고는 고개를 들어 신룽 쪽을 바라보았다. 그녀는 자신의 책상 앞에 서 있었다. 머리를 잘 빗은 다음 뒤로 잘 묶어 위로 올린 단아한 모습이었다. 단순한 스타일의 치마 차림에 한 손에는 전화기를, 다른 한 손에는 책을 들고 있었다. 가운데 손가락이 방금 전까지 읽고 있던 부분에 끼워져 있었다. 뒤로 열려 있는 문지방을 배경으로 하고 있어 마치 초현실주의 사차원 그림 같았다.

"난 먼저 뭘 좀 마셔야겠어." 량짠은 이렇게 말하면서 신룽의 사무실을 향해 걸어 들어갔다. 그녀는 피하는 것 같기도 하고 그렇지 않은 것 같기도 한 태도를 보였다. 가슴이 쿵쿵 뛰었지만 얼굴은 오히려 평온했다.

"너무 보고 싶구나." 쑤치즈가 또 강조하여 말했다.

"전 지금 못나가요. 급한 일 좀 처리한 다음에 같이 식사해요." 신룽이 말했다.

량짠은 신룽이 온갖 잡동사니를 넣어두는 수납장을 열어 예비용 유리컵을 꺼냈다. 그러고는 차 통에서 찻잎을 약간 뜬 다음 정수기 쪽으로 다가가 더운물을 따랐다.

"왜 이렇게 앞당겨 돌아온 거예요?" 신룽이 전화기를 내려놓으며 물었다.

"집이 그리워서 그랬지." 그가 신룽을 응시했다.

신룽이 가볍게 미소를 지었다. 그녀가 입고 있는 회색 치마가 어느 날 강남의 모 절에서 있었던 일을 생각나게 했다. 그는 막 잠에서 깬 듯한 기분이었다. 한동안 자신이 어디에 있는지 구분할 수 없었다. 모기장을 들추고 구멍처럼 뚫린 창문을 내다보았다. 창밖의 하늘 색깔이 지금 그녀가 입고 있는 치마와 같았다. 회색에 은은하게 파란색이 섞여 있어 여명의 바다를 생각나게 하는, 말로 표현하기 힘든 우수에 젖게 하는 색깔이었다.

신룽은 량짠 등 뒤의 편집실에서 리칭이 량짠의 가방을 거꾸로 들어 물을 털듯이 우르르 쏟아놓는 모습을 보았다. 한 무더기의 잡동사니와 토산품들이 쏟아져 작은 산처럼 리칭의 테이블 위에 쌓였다. 열 몇 개의 쇼핑백들이 함께 테이블 아래 놓였다.

리칭이 신룽을 향해 손을 흔들었다. "이리 와 봐요."

신룽이 량짠에게 말했다. "우리를 위해 어떤 맛있는 것을 가져왔나요?" 신룽은 이렇게 물으며 편집실로 들어갔다.

량짠도 따라 들어갔다. 잡지사 사람들 전부가 한데 모여 있었다. 두 명의 미술편집자가 컴퓨터 테이블과 책 더미, 그리고 사람 키보다 큰 녹색식물로 이루어진 동굴에서 걸어 나왔다. 두 사람을 문서편집자들은 '도곡이선(桃谷二仙 : '복숭아계곡의 두 신선'이란 뜻)'이라고 불렀다. 매일 모니터를 대하느라 그들 눈에는 핏발이 서 있고 얼굴에는 먼지가 한 겹 내려 앉아 있었다. '서독(西毒)' 라오니에(老聶)도 다가왔다. 그는 일 년 내내 눈을 뜨지 않는 얼굴에 웃는 모습을 한 번도 볼 수 없었다. 그가 량짠과 악수를 하면서 위아래로 그를 훑어보았다. "많이 야위었군."

"어째서 이렇게 마른 거지? 나는 출장 갈 때마다 몸무게를 재거든." 최고 권력자 주슈루(朱秀茹)도 찻잔을 받쳐 들고 사무실에서 걸어 나와 량짠을 향해 빙긋이 웃었다. "사람은 말라야 보기 좋은 법이야."

"연세가 어떻게 되시는데 그렇게 침이 뚝뚝 떨어지는 눈빛으로 사람을 쳐다보십니까?" 리칭이 입에 뭔가를 넣고 씹으면서 주슈루를 놀려댔다. 그러고는 량짠이 보따리에서 담배 몇 보루를 꺼내 몇 명의 남자들에게 나눠주는 모습을 바라보다가 얼른 다가가 그를 한 대 툭 쳤다. "또 독초를 사왔군요?! 이렇게 억지로 담배를 피우면 우리 몸이 얼마나 상하는지 알아요?"

"간접 흡연만 있는 것이 아니라 삼차 흡연도 있단 말이에요."
샤오메이(小美)가 끼어들었다.

"니코틴이 벽이나 테이블 같은 기물에 달라붙어 아주 긴 시간 동안 독성을 유지한단 말이에요."

"남자들의 직접, 간접, 삼차 흡연으로 몇 년 전부터 이미 천수관음(千手觀音)이 되어버렸기 때문에 어떤 독도 빠지지 않아." 도선이곡이 웃으면서 말했다.

이번에는 량짠이 가방을 들고 안에 있는 보조주머니에서 실크 머플러를 한 무더기 꺼내 놓았다.

"이건 여자 분들을 위해 준비한 겁니다."

공간을 아끼기 위해서인지 스카프의 겉포장은 이미 뜯어 버린 상태였다. 투명한 비닐포장 안에 다양한 색깔과 유형의 스카프가 한 무더기 들어 있었다. 네이비블루와 벽록(碧綠), 화이어 레드, 오렌지 옐로우 등 대부분 화려한 색상이었다. 테두리가 있는 것도 있고 없는 것도 있었다. 여자들은 비명을 지르며 각자 자신이 좋아하는 색상과 무늬로 하나씩 골랐다.

"신임 편집장도 하나 골랐나요?" 신룽이 가만히 있는 것을 보고 량짠이 말했다. "내 성의를 무시하는 건가요?"

"제가 어떻게 무시할 수 있겠어요? 너무나 아름다운 스카프라 제게 어울리지 않을까봐 걱정이지요." 신룽이 담담하게 말을 받았다.

이때 신룽의 전화벨이 울렸다. 그녀는 재빨리 사무실로 들어가 전화를 받았다.

“거기 왜 그렇게 소란하니?” 황리(黃勵)가 물었다.

“그쪽도 그리 조용하진 않은 것 같은데요.” 신룽이 문을 닫았다. 황리 쪽에서 요란한 소리가 들려왔다. 수많은 사람들이 그녀 주변을 오가고 있는 것 같았다. 그녀의 목소리가 마구 뒤섞인 잡음 속에서 유난히 높고 크게 들렸다. 마치 시장에서 사람들과 싸우는 것 같았다.

황리는 최근에 또 노년협회의 무도회에 참가하기 시작했다. 얼마 후면 성(省)에서 노년공연단 순회공연이 펼쳐질 예정이라 저녁이면 추가훈련이 있었다. 그녀는 신룽에게 알아서 저녁을 먹으라고 했다.

신룽은 전화를 끊고 문을 사이에 두고 편집실을 바라보았다. 웃고 떠드는 소리도 들리지 않고 음식물 냄새도 나지 않았다. 그녀는 문 위에 달린 유리창을 통해 량짠이 사무실 테이블에 앉아 있는 모습을 바라보았다. 다리를 길게 뻗고 학인지 바퀴벌레인지 모를 모습으로 앉아 여러 사람들과 뭔지 모를 이유로 깔깔대며 웃고 있었다.

편집실 안에서 리칭은 또 모두에게 문자메시지를 보냈다. 모두들 큰 소리로 웃었다. 량짠도 입을 삐죽거렸지만 생각은 한 줄기 연기가 되어버린 채 신룽의 전화벨 소리를 쫓아갔다.

그가 자리를 비운 두 달, 이 기간 동안 어떤 일들이 일어났던 것일까? 그녀에게 남자 친구가 생긴 걸까? 그럴 리는 없을 것이다. 그들의 문자메시지는 줄곧 아주 긴밀하게 연결되고 있었다. 하지만 문자는 문자일 뿐이라 볼 수도 없고 만질 수도 없었다. 그녀가 사람들을 만나고 연애를 하면서 동시에 그의 문자메시지에 답신을 보냈을 가능성도 컸다. 게다가 이런 상태에서는 답신을 하는 것이 훨씬 더 자연스럽고 편할 수 있었다.

량짠의 마음이 꽈배기처럼 꼬이면서 고통이 밀려왔다. 그가 신룽의 사무실 쪽을 쳐다보니 문은 닫혀 있었다. 어쩌면 그녀가 안에서 자신을 바라보고 있을 지도 모르겠지만 그는 그녀를 볼 수 없었다.

그들은 같은 날 잡지사에 왔다. 신룽은 대학교 일학년 학생으로서 원래는 잡지사에 투고만 할 생각이었다. 집행 부주간인 주슈루가 신룽의 글 감각이 무척 마음에 들어 그녀와 잡지사에서 만나기로 약속을 잡았고, 만나보니 인상이 아주 좋아 실습 편집자로 일해 볼 것을 권했던 것이다. 당시 량짠은 이미 대학을 졸업한지 반년이 지난 뒤라 한편으로는 친구들에게서 빨리 돈을 버는 방법을 배우는 동시에 부친에 의해 떠밀려 잡지사에 들어와 일을 하고 있었다. 그의 부친은 모름지기 사람에게는 일자리가 있어야 한다는 굳은 신념을 갖고 있었다.

입사 신고를 하던 날 잡지사의 간부들은 '시양양(喜洋洋) 농촌 클럽'에 큰 방을 예약해 두었다. 두 사람을 환영하는 자리인 셈이었다. 그는 그날 신룽이 청바지에 미색 스웨터를 입고 조용하고 온화한 표정으로 자기 옆에 앉아 있었던 것을 기억했다. 다른 사람이 뭔가 말을 하거나 물으면 그녀는 항상 미소로 대답했었다.

그의 태도는 정반대였다. 그는 이미 사회에 나온 지 반년이 지난 터라 자신이 이미 베테랑이라고 생각하고 있었고 말이나 행동거지에서 애써 호방한 기질을 드러내려 애썼다. 그는 큰 잔으로 잡지사 남자들이랑 어울려 백주를 마셨다. 술이 세 순배 돌자 주슈루가 그들 두 사람과 다른 사람들을 함께 가리키며 말했다.

"저기 저 두 사람 좀 봐요. 한 사람은 너무 활달하고 한 사람은 너무 조용하잖아. 한 사람은 잔뜩 긴장해 있는 반면, 한 사람은 확 풀어져 있고 말이야. 꼭 신랑 신부 같지 않아?"

"정말 그렇네요." 모두들 두 사람을 유심히 쳐다보며 재미있어 했다.

얼굴이 빨개진 신룽은 눈을 내리깔았다. 량짠은 그녀가 약간 부끄러워하는 것뿐이라고 생각했다. 그동안 여자들과 소통해 본 경험에 따르면 이 정도로 부끄러워하는 건 가식이라는 것이 그의 생각이었다. 그날 저녁 분위기는 무척 화기애애했고 그는 자신을 외부인으로 여기지도 않았다. 그가 팔을 뻗어 신룽을 슬그머니 어깨 위로 안으면서 말했다. "자, 우리 신랑 신부가 모든 분들께 경주(敬酒 : 존경의 의미로 술잔을 들어 술을 권하는 행위)를 합시다."

"이 더러운 손 안 치워요!" 신룽이 매섭게 그를 밀쳐냈다. 어느새 얼굴의 홍조도 싹 가시고 오히려 창백한 모습이었다. 그는 그녀의 눈빛에 놀라 움츠러들었다.

다른 사람들도 놀라기는 마찬가지였다. 원래 시끌벅적하던 분위기가 싸늘해지면서 저녁 내내 관심을 갖지 않았던 방 안의 배경음악이 들리기 시작했다.

나중에야 모두들 그녀의 사정을 알게 되었다. 그녀의 아버지는 그녀와 비슷한 나이의 여학생과 눈이 맞아 사제가 그렇고 그런 사이가 되더니 교수직마저 그만두었다. 신룽이 대학에 붙으면서 그녀의 엄마도 함께 그녀를 따라왔다. 모녀의 힘들었을 생활은 상상하기 어렵지 않았다. 그리고 이런 이유로 신룽은 어떤 형태의 경박한 행동도 증오했고 양성관계를 장난으로 여기는 태도를 혐오했다.

신룽은 컴퓨터를 끄고 테이블 위의 물건들을 가지런히 정리한 다음 시계를 보았다. 쑤치즈 일행이 그녀를 기다린 지 한 시간이 되어 가고 있었다. 그녀는 가방을 집어 들다가 량짠이 없는 것을 확인했다. 편집실 안은 폭풍이 지나간 것처럼 여기저기 음식물 포장지가 나뒹굴고 테이블 위도 난장판이 되어 있었다.

"가는 거예요?" 리칭이 물었다.

"외지에서 친구가 왔어. 저녁에 같이 식사하기로 했거든."

"량짠도 방금 나갔는데, 그에게 데려다 달라고 할 걸 그랬네요."

신룽은 창틀을 바라보았다. 그의 잔이 그 창틀 위에 놓여 있었다.

신룽이 잔을 들어 보니 안에 남은 차에 아직 온기가 따듯했다. 가방을 내려놓고 잔을 화장실로 가져간 그녀는 칫솔로 잔 안쪽에 붙어 있는 차 찌꺼기를 깨끗이 닦아내고 여러 번 물로 헹군 다음, 찬장에 넣어두고 문을 나섰다.

은회색 파사트가 문 앞에 서 있었다. 량짠이 회사 건물을 바라보았다. 만주 괴뢰정부 시기에 지은 건물이라 표면이 가느다란 청수홍전(淸水紅磚)으로 마감되어 있었다. 아치형 창문이 수척한 모습을 드러내고 있었다. 작은 창이 달린 대문은 큰 입처럼 열려 있었다. 그 안으로 좁고 가파른 계단이 보였다. 어긋난 이빨 같았다. 량짠은 신룽이 가냘픈 몸으로 그 이빨 사이를 조심조심 걸어 내려오는 것을 지켜보고 있었다.

신룽이 그를 발견하고는 멈춰 섰다.

그가 그녀를 위해 조수석 문을 열어주면서 무척 화가 난 어투로 말했다. "타요!"

그는 자신의 거친 태도에 스스로 놀랐다. 신룽이 차에 타자 그는 진지하게 그녀를 살펴보았다. 화장을 하지 않은 얼굴이었다. 립스틱조차 바르지 않았다. 거리의 햇빛 아래서 보니 피곤한 기색이 역력했다. 눈 아래가 거무튀튀했다.

"뭘 봐요?!" 그녀가 다소 짜증 섞인 눈빛으로 그를 쳐다보았다.

그가 웃으면서 물었다. "어디 가요?"

그녀가 잠시 머뭇거리다 대답했다. "충칭로(重慶路)에 있는 피자헛이요.”

그가 고개를 돌려 그녀를 쳐다보며 음흉하게 웃었다. “피자를 드시러 가는 건가요?”

신룽도 참지 못하고 웃었다.

입사 신고를 하던 첫날 그가 했던 ‘신랑 신부’라는 말이 그녀를 몹시 화나게 했었다. 하지만 그 뒤로 그녀는 여러 차례 겁 없는 행동을 마주칠 때마다 그를 단단히 혼내주었다. 몇 년이 지나는 동안 두 사람은 우물이 강물을 범하지 않듯이 서로 경원시했다. 같은 잡지사에서 일하면서 항상 얼굴을 마주치지만 왕래는 거의 없는 편이었다. 그녀는 편집자라 하루 종일 제목 선정과 원고 교열에 머리를 파묻고 있는데 비해 그는 발행 업무를 담당하다 보니 사무실에 자리는 있지만 앉아서 업무를 보는 일이 거의 없었다. 게다가 잡지사 일에 쏟는 정력은 기껏해야 오분의 일밖에 되지 않고 대부분의 시간을 친구들과 합작하여 회사를 차리고 고객을 확대하며 업무를 개척하는 일로 바쁘게 보냈다.

금세 십 년이라는 세월이 흐르면서 두 사람은 잡지사의 원로가 되었다. 오 년 전 인사조정 때 그는 발행부 주임이 되었고 그녀는 편집부 주임이 되었다. 삼 년 전 인사조정에서는 그는 발행부를 주관하는 부사장이 되었고 신룽은 잡지사의 집행 주간이 되었다.

인사고시가 있고 얼마 지나지 않아 잡지사에서 야근이 있었다. 당시 피자헛의 피자를 좋아했던 신룽은 야근 때면 항상 피자를 배달 시켜 먹었다. 공교롭게도 그날 량짠도 사무실로 돌아오느라 피자 배달원과 거의 동시에 도착했다. 도곡이선이 그에게 함께 먹자고 청하자 그는 망설이지 않고 테이블로 와 앉으면서 말했다. "이 피자라는 것이 꼭 술 취한 다음에 쟁반에 토해놓은 걸 화덕에 그대로 가져다 구워 내온 것 같단 말이야."

도곡이선은 키득키득 웃었지만 신룽은 종이 상자에서 김을 모락모락 내뿜고 있는 연어피자를 바라보고 있었다. 량짠이 악의적으로 지껄인 것임을 뻔히 알면서도 구토가 나오는 것을 참을 수 없었다.

신룽은 그날 운이 좋지 않았다. 집을 나서 출근할 때는 황리와 말다툼을 했고 편집회의를 할 때는 라오니에와 리칭이 사소한 일로 시비를 걸더니 소란을 피워댔다. 결국 라오니에는 발로 의자를 걷어차 넘어뜨리고 가버렸다. "젠장 누굴 믿고 저러는 거야. 눈에 뵈는 게 없네!" 리칭이 주슈루에게로 가서 두 눈이 복숭아가 되도록 울자 주슈루는 모든 일을 신룽에게 밀어두고 자신은 리칭을 데리고 스트레스를 풀기 위해 SPA에 갔다.

신룽은 막 주간이 되어 뼈가 저리고 살이 문드러지도록 일을 해도 남들의 눈에는 봄바람을 맞는 것처럼 득의만만해 보였다. 입이 등에 가 붙을 정도로 배가 고팠고 이마와 손바닥에 식은땀이 나던 차에 량짠의 고약한 짓을 만나니 배 속에서 뜨거운 불이 솟구쳤다. 먼저 코끝이 뜨듯해진 그녀는 재빨리 코를 막고 화장실로 달려갔다. 손을 풀자 흰 도자기 세면대에 코피가 뚝뚝 떨어졌다. 붉고 무서운 피가 한 송이 한 송이 순서대로 피는 매화 같았다.

미술편집자 하나가 화장실에 왔다가 이 광경을 보고는 놀라서 뛰어가 낮은 소리로 말했다. "주간님이 코피를 흘리고 있어요. 너무 화가 났나 봐요."

량짠은 움칫 놀랐지만 농담으로 얼버무리려 했다. 이런 사소한 일 가지고 코피까지 흘린단 말이야? 그는 피자를 손에 들고 열심히 먹다가 이런 소동이 벌어지자 정말로 토사물로 만들어버리고 싶었다.

그는 피자를 집어 던진 다음 화장실 입구로 가서 섰다. 문은 열려 있었다. 화장실에는 백열전등이 켜져 있고 신룽은 세면대 앞에 서 있었다. 불빛에 비친 그녀의 얼굴이 무척이나 창백해 보였다. 량짠은 문득 그녀가 몹시 수척해졌다는 것을 발견했다. 이전에는 키가 크고 걸음걸이가 빠른 여자가 항상 분주하게 일만 한다는 것이 신룽에 대한 그의 인상이었지만 그날 밤에는 특별히 그녀의 뾰족한 턱과 눈가에 맺힌 은은한 눈물이 눈에 들어왔다. 웬일인지 그의 발걸음이 떨어지지 않았다.

도곡이선이 슬그머니 다가와 량짠 옆에 좌우로 섰다. 신룽은 코를 붙잡고 그들을 향해 손을 내저으며 돌아가라고 했다. 량짠도 움직이지 않고 도곡이선도 움직이지 않았다. 신룽이 화가 나서 코를 잡은 채 코맹맹이 소리로 욕을 해댔다. "어서들 꺼지란 말이에요!"

신룽은 자신을 잘 수습하고 화장실에서 나왔다. 어지럽고 식은땀이 났다. 몸이 나른해진 그녀는 얼른 가방을 집어 들고 집으로 향했다. 엘리베이터를 타고 건물을 내려갈 때 량짠이 마지막 순간을 놓치지 않고 엘리베이터 안으로 비집고 들어왔다. 하마터면 문에 끼일 뻔했다. 그녀를 거들떠보지도 않다가 일층에 막 도착하려는 순간 갑자기 한마디 던졌다. "나랑 보양탕국 좀 먹으러 갑시다."

말이 떨어지기 무섭게 엘리베이터 문이 열렸다. 두 사람이 내리기도 전에 광고회사 사람들이 안으로 밀고 들어왔다. 방금 구운 음식을 먹었는지 숯 냄새와 맥주 냄새가 한데 섞여 있었다. 아주 강렬한 냄새였다. 신룽은 더더욱 몸에 힘이 빠지면서 짜증이 났다.

량짠이 그녀의 손을 붙잡고 거칠게 사람들 틈에서 끌어냈다. 밖으로 나와서도 손을 놓지 않았다. 그녀는 코피가 심했던 탓인지 머리가 어지러웠다. 그는 그녀를 자기 차 앞으로 끌고 가서는 차 문을 열고 그녀를 안으로 밀어 넣었다.

그녀는 그가 차를 몰고 불빛 가득한 도로를 달리는 모습을 멍하니 바라보았다. 그에게 어디로 가는 거냐고 묻고 싶었지만 갑자기 그래서 뭐하겠냐 싶은 생각이 들어 그냥 하겠다는 대로 하게 놔두기로 했다.

신룽의 머릿속에 황리의 그림자가 어른거렸다. 아침에 모녀 두 사람이 말다툼을 한 터라 이번에는 잠을 자지 않고 그녀가 돌아오기를 기다리고 있을 것이 뻔했다.

황리를 생각하자 신룽은 곧장 기분이 상해버렸다. 황리는 원래 성격이 급하고 말도 빠른 데다 웃고 떠드는 것을 좋아했다. 햇볕 아래 풀처럼 명랑하면서도 거칠었다. 향기를 가득 품은 들꽃 같기도 했다. 쑤치즈와 쉬원징(徐文靜)의 사건이 난 뒤에도 황리의 성격은 여전히 발랄했지만 속으로는 음울하고 어두운 그림자가 드리우기 시작했다. 갱년기를 코앞에 두고 있어 깨알만 한 일에도 얼굴을 뒤집기 일쑤였고 듣기 싫은 소리도 거침없이 해댔다.

량짠이 그녀를 데리고 간 음식점 이름은 '웨웨이(悅胃)'였다. 간판은 그리 크지 않았지만 옛 맛과 향기가 흘렀다. 안으로 들어서자 물결처럼 음식 향기가 밀려 왔다. 자세히 냄새를 맡아보니 뼈까지 깊이 우려낸 국물 맛임을 알 수 있었다. 아주 진하고 푸짐한 맛이었다. 냄새를 맡는 것만으로도 온몸이 녹작지근해지는 것 같았다.

주인인 쉬씨 아주머니가 웃는 얼굴로 인사를 건넸다. 뽀얀 피부를 지닌 초로의 여인이었다. 커다란 꽃무늬가 새겨진 바지 치마를 입고 손에는 부채를 하나 들고 있었다. 량짠을 본 그녀는 부채로 그를 툭 치면서 신룽에게 말했다. "방금 량짠이 전화로 절 위협했어요. 맛있는 탕국을 아가씨 몫으로 남겨두지 않으면 저를 산 채로 삶아버리겠다고 하더라고요."

량짠은 그녀와 몇 마디 농담을 주고받고 나서 신룽을 데리고 룸으로 들어갔다. 주인아주머니가 뒤에서 감탄했다. "어머나. 저

것 좀 봐, 다리가 팔보다 가느네."

주인아주머니는 두 사람에게 아주 맛있는 탕국을 제공했다. 따끈한 국물이 들어가 배 속을 안마해주자 신룽은 온몸의 근육과 뼈마디가 나른해지고 신경이 뛰어난 셰프가 조리하는 상어지느러미처럼 매끄럽게 빛나는 것 같았다. 량짠은 신룽의 눈빛 속에 있던 얼음상자가 천천히 녹으면서 안개가 피어오르는 것을 확인했다. 머리칼 사이로 자신을 향해 웃는 모습을 본 그는 갑자기 돌멩이 하나가 방비할 틈도 없이 자기 몸에 던져져 아주 높이 물보라를 일으키는 것 같은 기분이었다.

보양탕을 다 먹고 량짠은 신룽을 집까지 바래다주었다. 두 사람이 함께 차 안에 있었지만 신룽은 맛있는 음식을 먹게 해줘서 고맙다는 말 외에 무슨 말을 해야 할지 몰랐다. 고맙다는 말을 이미 두 번이나 했기 때문에 또 하면 바보 같다는 인상을 줄 수도 있었다. 량짠은 손에 핸들을 잡고 있었다. 그녀보다 훨씬 진중한 모습이었다. 차가 달리는 동안 신룽은 잠시 눈을 감았다. 그러다가 머리를 창밖으로 비스듬히 기댄 채 길가 상점들이 내뿜는 각양각색의 불빛을 바라보았다.

량짠은 신룽이 말이 없는 것을 보고는 딱히 할 말이 떠오르지 않았다. 업무 외에 그가 여자들과 소통하는 주요 방식은 성어나 시구를 가지고 우스갯소리를 하는 것이었지만 신룽은 예외였다. 그는 차를 신룽의 집이 있는 단지 입구까지 몬 다음 길가에 세웠다. 신룽은 아무 소리도 없이 가만히 앉아 있었다. 그가 고개를 돌려 보니 그녀는 이미 자고 있었다. 옆얼굴이 의자 등받이에 찰싹 붙어 있고 두 팔은 자신의 몸을 끌어안고 있었다. 팔과 다리가 무척 길고 가냘픈 여자였다. 간간히 맞은편에서 차가 달려와 불빛이 반짝거리면 신룽의 얼굴이 물속에서 나왔다가 다시 검푸른 밤의 심연 속으로 빠져드는 것 같았다. 이런 광경이 반복되다 보니 신룽이 정말로 물에 빠진 사람처럼 느껴졌다. 량짠에게 그녀를 물속에서 구해내야겠다는 욕망이 생겼다.

"누구랑 밥을 먹기로 했나요?" 량짠이 물었다.

신룽은 아무 말도 없었다.

"이봐요?" 그가 팔꿈치로 그녀를 건드렸다.

"외지에서 온 사람이 운전 참 잘 하시네요." 그녀가 웃으면서 한쪽으로 고개를 돌리며 말했다.

"외지에서 온 사람이 어때서요?"

"량짠 씨는 어떤 사람인가요? 오지랖이 정말 넓은 것 같네요." 신룽이 그를 힐끗 쳐다보았다.

"신룽 씨가 저한테 밥을 한번 사야 하는 것 아닙니까?" 그가 말했다. "두 달 동안이나 외지로 돌아다니다 간신히 돌아왔는데 밥도 한번 안 사주는군요."

"식사 대접은 주 사장이 할 일이죠. 그 여자가 최고 권력자잖아요. 돈도 전부 그 여자가 관리하고 있고요."

"나는 잡지사 밥은 얻어먹고 싶지 않아요. 신룽 씨한테 얻어먹고 싶단 말입니다."

"그럼 다음에 사드릴게요."

"다음에 또 언제 멀리 갔다 오란 말이에요? 오늘 합시다."

"억지로 생트집 잡지 말아요. 저는 오늘 약속이 있다고 했잖아요."

"누구랑 했는데요? 뒤로 미루면 안 됩니까?"

신룽은 말을 하지 않았다.

"아니면 저도 같이 갈까요?"

피자헛 안에는 사람들이 무척 많았다. 점포 안의 조명은 절반은 벽등에, 절반은 창문으로 들어오는 자연광에 의지하고 있었다. 신룽과 량짠은 함께 통로를 지나갔다. 머리를 황금빛으로 물들인 남학생 둘이 노트북으로 인터넷을 하고 있었다. 맞댄 머리 두 개가 해바라기 두 송이 같았다. 여자 넷이 여섯 명이 앉는 자리를 차지하고 있었다. 그 가운데 하나가 손을 흔들면서 뭔가 얘기를 하고 있고 나머지 사람들은 웃고 떠들면서 즐거워하고 있었다. 어디서 왔는지 모를 한 쌍의 연인들이 얼굴을 가까이 마주대고 커피 잔 두 개를 지키면서 고목처럼 앉아 있었다. 코너를 돌자 쑤치즈와 쉬원징이 창가 자리에 앉아 있었다. 두 사람 사이에 생수병 하나가 놓여 있었다.

"신룽……." 쑤치즈가 그녀가 온 것을 보고는 자리에서 일어섰다.

신룽은 잠시 멈칫했다. 반년을 못 본 사이에 그는 피골이 상접

한 모습으로 변해 있었다. 원래 거미줄 같던 주름은 깊은 계곡으로 변하면서 그의 늙은 모습을 사의(從寫)에서 공필(工筆)로 바꿔 놓았다.

쉬원징도 많이 야윈 모습이었다. 아래턱이 뾰족해져 더 수려해 보였고 몸매도 훨씬 날씬했다.

"이분은 우리 아빠에요." 신룽이 량짠에게 먼저 아빠를 소개한 다음 쑤치즈에게 량짠을 소개했다. "량짠은 우리 잡지사 부사장이에요."

두 남자가 악수를 나누었다.

"쉬원징이라오." 쑤치즈가 량짠에게 소개했다.

이미 그녀의 신분을 알고 있던 량짠은 그녀를 향해 고개를 끄덕였다. "안녕하세요."

"안녕하세요." 쉬원징도 가볍게 고개를 끄덕였다.

종업원이 메뉴판을 가져오자 량짠이 받아 들면서 말했다. "이리 줘요. 조금 있다가 주문할 때 다시 부를게요."

쑤치즈가 신룽에게 물었다. "엄마는 잘 지내지?"

"아주 신나게 잘 지내고 계세요." 신룽이 말했다.

작년에 <대장금> 열기가 뜨거울 때, 황리는 같은 단지에 사는 몇몇 중년부인들과 함께 한국요리 강습반에 참여했었다. 그 한 달 동안 늘어난 그릇이 지난 십 년 동안 늘어난 것보다 많았다. 가장 고전적인 것이 바로 지푸라기로 짠 원추형 바구니였다. 황리는 이를 허수아비처럼 발코니에 놓아두고는 콩나물 키우는데 안성맞춤이라고 했다. U자형 목기와 커다란 나무절구도 하나 있었다. 떡을 만들어 먹는데 쓴다고 했다.

올해 설을 보내던 중에 여인들 가운데 하나가 유선암에 걸렸다. 발견되었을 때는 이미 암세포가 널리 퍼진 상태였다. 여인들은 한국요리보다 건강문제가 더 중요하다는 사실을 인식하게 되었다. 여인들은 제각기 흩어져 태극권을 배우기도 하고 기공을 연마하기도 했다. 건강용품 학습반에 참여하는 사람도 있었다. 황리는 나이가 쉰이 넘었지만 목소리가 소녀 같은 어느 여인을 따라 다니며 라틴댄스를 배우기 시작했다. 매일 허리를 구부리고 엉덩이를 흔드는 통에 신룽이 질색을 했다. 집 안의 모든 대야와 항아리가 연극의 도구가 되었지만 연기하는 사람들은 전부 다른 무대로 옮겨 가버렸다. 이런 물건들은 어떻게 수납해야 할지 몰라 멍하니 원래의 자리에 놓여 있었다.

쑤치즈가 량짠을 쳐다보며 물었다. "두 사람이 함께 일한지 얼마나 되었소?"

"십 년쯤 됐을까요?" 량짠이 신룽을 힐끗 쳐다보면서 말했다. "저희는 같은 날 잡지사에 왔습니다."

"신룽은 조숙하고 일찍 철이 든 데다 아주 착하지." 쑤치즈가 솔직하게 말했다. "단지 고집이 좀 센 게 문제지만 말이야."

"평소에 말을 잘 안 해요. 뭔가 치밀하게 계획하는 것도 없고요." 량짠이 웃으면서 말했다. "하지만 본성을 드러낼 때면 정말 대단해요. 하동(河東)의 사자후가 따로 없지요."

두 남자가 동시에 웃었다. 쉬원징도 가볍게 미소를 지었다. 신룽은 그들의 웃음에 닭살이 돋았다. 이런 가정적인 가벼움과 유쾌함은 원래 쑤치즈와 쉬원징의 몫이 아니었다.

그녀는 메뉴판을 두드리며 량짠을 향해 눈짓을 보냈다. "뭐 먹을 건지 주문해요."

량짠이 음식을 주문하는 사이에 신룽은 화장실에 갔다. 앞발을 막 들이미는 순간 쉬원징의 뒷발이 들어왔다. 두 사람의 눈길이 세면대 앞 거울 속에서 잠시 서로 마주쳤다.

"신룽도 봐서 알겠지만," 쉬원징이 말했다. "쑤 선생님이 요즘 몸이 별로 안 좋으세요."

공공장소에서 그녀는 항상 그를 '쑤 선생님'이라고 불렀다. 신룽은 두 사람이 집 안에 있을 때, 특히 침대 위에 있을 때 쉬원징이 그를 어떻게 부르는지, 역시 선생님이라고 부르는지 궁금했다.

"위에 출혈이 있었어요." 쉬원징이 말했다. "음식에 대해 매우 민감해지셨지요. 뭘 먹고 마시든지 조금이라도 조심하지 않으면 위에서 또 피가 터져 입가를 따라 밖으로 흘러나온다니까. 정말 끔찍해요."

그가 장작개비처럼 마른 것도 이상한 일이 아니었다.

"내일 우리랑 같이 병원에 가줄 수 있겠어요?"

"전 내일 편집회의가 있어서 꼼짝 할 수가 없어요." 신룽이 말했다. "먼저 가보세요. 무슨 문제가 있으면 제게 다시 전화 주시고요.”

쉬원징은 아무 말도 하지 않고 눈동자만 굴리면서 신룽을 쳐다보았다.

신룽은 쉬원징을 화장실에 남겨둔 채 혼자 문을 열고 나왔다. 두터운 오렌지색 수지로 된 문이 소리 없이 흔들리면서 두 사람을 갈라놓았다.

신룽이 테이블로 돌아오니 쑤치즈와 량짠이 병에 관해 얘기를 나누고 있었다. “위에 관한 질병은 의대 제이병원이 최고에요. 제가 아는 형님 한 분이 뇌 외과에 의사로 있는데 제가 선생님께 실력있는 의사를 한 분 소개해 달라고 할게요.” 량짠은 이렇게 말하면서 전화번호를 뒤져 연락을 취했다. 쉬원징이 돌아왔을 때는 통화가 이미 끝난 상태였다.

“OK, 내일 오전에 제가 모셔다 드릴게요.” 그가 말했다.

쉬원징이 신룽을 힐끗 쳐다보았다.

“신룽 씨 아버님은 참 품위가 있으신 것 같아요. 시인 같으시더군요. 이런 유형을 좋아하는 여자애들이 정말 많다니까요.” 식사를 마치고 일행은 피자헛 문 앞에서 헤어졌다. 량짠과 신룽은 쑤치즈와 쉬원징의 뒷모습을 바라보면서 감개에 젖었다.

“아빠는 병 때문에 몸 상태가 안 좋으세요. 많이 늙으시기도 했고요. 이전에는 대단히 매력이 있으셨지요.”

신룽이 감상에 젖은 어투로 말했다.

쑤치즈는 고상하고 우아하며 조용한 성품을 지니고 있었다. 대학에서는 고전문학을 가르치면서 탈속한 풍모를 보였었다. 신룽이 이런 점을 처음 의식한 것은 초등학교에 다닐 때였다. 학교에서 동요대회를 거행했다. 그녀는 아침에 황리에 의해 잠자리에서 일어나 세면을 할 때까지도 잠이 덜 깨 정신이 혼미했다. 양치질을 할 때야 간신히 정신을 차릴 수 있었다. 황리는 그녀의 머리를 땋아주고 분홍색 리본을 매주었다. 흰 치마에 빨간 구두도 챙겨주었다. 입술에는 자신의 립스틱도 칠해주었다. 신룽은 의자 위에 올라가 예행연습을 하면서 하늘을 향해 노래를 불렀다. 흰 털은 푸른 물 위에 떠가고, 붉은 손바닥이 맑은 파도를 만지네. 신룽은 립스틱이 지워질까봐 입을 작게 벌려 노래를 불렀다.

이런 광경을 본 쑤치즈의 얼굴이 솥바닥처럼 검게 변하더니 황리를 향해 화를 내며 말했다. "애를 왜 이렇게 천박하게 만들어 놓은 거야!"

그는 나비매듭을 잡아당겨 땅바닥에 던져버린 다음 신룽을 의자 위에서 끌어내렸다. 너무 세게 잡아당기는 바람에 신룽의 근육과 뼈가 늘어날 뻔했다. 신룽을 화장실로 데려간 그는 수건으로 박박 문질러 립스틱을 깨끗이 지워버렸다. 살 껍질이 벗겨질 뻔했다. 그런 다음 빗을 던져주면서 머리를 말 꼬랑지처럼 빗으라고 했다. 그러고는 다시 신룽을 데리고 방 안으로 들어가 옷을 흰 블라우스와 남색 치마로 갈아입히고 신발장으로 가서 신발도 흰 천 운동화로 바꿔 신게 했다.

"청명절에 열사능원에 가는 것도 아니고, 참……" 옆에서 황리가 투덜댔다.

쑤치즈는 그녀를 거들떠보지도 않고 신룽을 자전거에 태워 학교로 데려다주었다. 가는 길 내내 딸에게 <키 작은 노인(矮老頭兒)>이라는 동요를 외우게 했다.

키 작은 노인은 원래 성이 류(劉)였지. 비단과 기름을 사러 거리에 나갔다가 커다란 석류나무를 보고는 비단과 기름을 내려놓고 석류를 따기 위해 까치발을 했네. 석류는 높이 달려 있어 딸 수가 없었고 실수로 그만 기름병을 발로 차는 바람에 비단이 기름에 젖고 자신은 넘어져 머리가 깨지고 말았지. 화가 난 노인은 울음을 터뜨리고 말았네.

신룽은 이 동요를 외워 대회에 참가했다. 한 무리의 아이들이 번갈아가면서 낭랑하게 동요를 불렀다. 신룽의 <키 작은 노인>이 일등을 차지했다. 집에 돌아와 황리에게 상장을 내밀자 황리도 몹시 기뻐하면서 말했다. "너희 아빠는 정말 천재야. 손가락만 조금 움직여도 남들을 하루 종일 바쁘게 만든단 말이야."

모녀가 상장을 벽에 붙여놓으려 하자 쑤치즈가 말했다. "차라리 세계지도를 붙여놓지 그래."

"이건 명예란 말이에요." 황리가 말했다.

"됐어. 붙이지 마." 신룽은 황리의 손에서 상장을 빼앗은 다음 세계지도를 벽에 붙였다.

그녀는 그를 신뢰했다. 그가 아빠인 것이 자랑스러웠다. 나중에 그가 바람을 피웠을 때 신룽는 자신과 황리 중에 누가 더 상심했는지 분간할 수 없었다.

"마라(麻辣)고치가 먹고 싶은데 좀 사주면 안 돼요?" 주차장에서 차를 몰고 나오면서 량짠이 말했다. "무사히 돌아온 걸 환영하는 의미로 말이에요." 그녀가 승낙하든 말든 그는 곧바로 오래된 마라꼬치 음식점으로 차를 몰고 갔다. 이 음식점은 사람이 너무 많은 것이 흠이었다. 막 한 테이블이 계산을 마치고 비자 량짠과 안면이 있는 종업원이 먼저 와서 기다리고 있는 두 팀을 건너뛰고 몰래 두 사람을 자리로 안내했다. 량짠 역시 어디에서 났는지 모르는 신장(新疆) 팔찌를 하나 꺼내 종업원 아가씨에게 건네며 눈빛으로 웃음을 주고받았다.

버섯과 두부, 호박, 목이버섯, 옥수수, 감자 등 량짠은 신룽이 좋아하는 것들로만 골라 마라탕 냄비 안에 넣고는 자신은 병맥주만 하나 추가했다.

"신룽 씨의 어린 새엄마는 사람이 참 좋아 보이던데요." 그가 말했다.

"남들에게 쉽게 좋은 인상을 주는 타입이에요." 신룽이 말했다.

량짠이 그녀를 쳐다보면서 다음에 어떤 얘기가 나올지 기다리는 듯한 표정을 지었다. 그녀는 하는 수 없이 얘기를 계속했다. "그녀가 우리 집에 처음 왔을 때, 우리 엄마도 그녀에게서 참 좋은 인상을 받았었지요."

쉬원징은 어렸을 때 산과 들판을 돌아다니며 아주 심하게 햇볕을 쬔 탓에 햇빛이 진피층 안쪽까지 파고들었던 것 같았다. 진한 갈색 피부는 그녀의 큰 두 눈을 더욱 돋보이게 해주었다.

"예쁘게 생긴 여자의 커다란 눈은 연애할 때 가장 큰 위력을 발휘하지요. 깜빡거리기만 해도 남자들의 마음이 흔들리면서 정신이 산란해진다니까." 황리는 쉬원징을 칭찬하면서 아무런 유감도 없이 신룽을 훑어보았다. 그녀의 눈은 쑤치즈처럼 가늘고 긴데다 쌍꺼풀은 눈 안쪽에 깊이 가려져 있었다.

쑤치즈도 쉬원징의 눈이 예쁘다고 칭찬했다. "눈동자가 너무나 밝고 또렷해." 그가 말했다.

그는 그것으로 그치지 않고 쿵이지(孔乙己)처럼 손가락에 물을 묻혀 식탁 위에 눈동자를 묘사하는 '전(矑)' 자를 써서 신룽에게 보이며 말했다. "이 글자 알겠니?"

신룽이 고개를 끄덕였다.

그때 이후로 쑤치즈와 황리의 입에서는 원징에 대한 칭찬이 그치지 않았다. 마치 그녀가 여러 해 동안 찾지 못한 자신들의 혈육이기라도 한 것 같았다. 쉬원징은 황리를 '사모(師母)님'이라고 불렀고 그녀도 정말로 자신이 엄마라고 생각하면서 더우면 더울세라 추우면 추울세라 살뜰히 보살펴주었다. 황리는 쉬원징의 집안이 어려워 옷도 따스하게 입지 못하는 것을 알고는 자신의 양모 스웨터와 다운재킷을 그녀에게 주기도 했다.

"낡은 옷을 주면 자존심이 상할지도 몰라." 신룽이 황리에게 말했다. "호의가 악의로 변할 수 있단 말이에요."

"낡긴 뭐가 낡아?! 거의 새 것이나 다름없는데." 황리는 그 말에 담긴 중요한 의미를 감지하지 못했고 내면의 생각과 감정을 헤아리지도 못했다. 그녀는 애당초 쉬원징의 헌 옷 아래 감춰져 있는 그 무엇인가에 대해서는 전혀 관심을 기울이지 않았다. 그녀는 봄이 깃든 대지의 몸이었다. 아름다운 꽃들이 활짝 피어 아리따운 눈빛으로 누군가의 눈빛을 기다리는 모습이었다. 어여쁜 웃음과 몸짓이 여기에 있었다.

어느 날 신룽이 다니는 학교에 정전이 되는 바람에 임시로 저녁 자습이 취소되자 신룽은 일찍 집으로 돌아왔다. 마침 쉬원징은 쟈오즈(餃子)를 다 먹고 사범대학으로 돌아가려는 참이었다. 두 소녀는 문 입구에서 마주쳤다. 교자를 찐 탓인지 원래 따스하고 습기도가 높은 집 안에 수증기가 더해져 있었다. 신룽은 자신을 따라 들어온 건조한 먼지와 차가운 흙냄새를 선명하게 느낄 수 있었다.

쑤치즈가 그녀들 곁에서 등불을 등지고 서 있었다. 방 안의 습한 연무 때문에 표정은 잘 볼 수 없었지만 그의 목소리는 솜처럼 따스하게 그녀를 쉬원징에게 소개하고 있었다. "얘가 신룽이야."

쉬원징은 신룽보다 머리 하나는 더 작았고 몸에서 찹쌀 같은 향기로운 단내를 풍겼다. 그녀가 고개를 들어 신룽을 쳐다보았다. 미소를 지으며 천천히 고개를 숙이자 눈꺼풀도 아래로 내려갔다.

"바로 얘였군요." 신룽이 말했다. "작고 통통한 감자 서시(西施)

가 말이에요."

"감자라니?" 쑤치즈가 얼굴을 찡그리며 말했다.

"이래 뵈도 『홍루몽』을 여섯 번이나 읽은 사람이야."

"백 번을 읽으면 뭘 해요. 대입시험에는 『홍루몽』이 나오지도 않는데."

"너 지금 누구한테 말을 그렇게 함부로 하는 거야?" 쑤치즈가 갑자기 버럭 화를 내면서 손에 들고 있던 붓을 탁자 위에다 탁 하고 내던졌다. 한 송이 묵화가 붓 끝에서 튀어 잘 펼쳐놓은 화선지 위로 번졌다. "교양머리 없는 녀석 같으니라고!"

신룽은 쑤치즈에게 갑자기 욕을 먹자 얼굴이 새빨갛게 달아올랐다. 그녀는 곧장 되받아쳤다. "교양 없게 키운 건 아버지 된 사람의 잘못이라고요."

곧이어 신룽은 거실에서 식사를 했고 쑤치즈는 서재에서 붓글씨를 쓰고 있었다. 부녀 두 사람이 몇 미터 사이에서 서로를 향해 분노의 눈길을 쏘아대고 있었다. 황리가 두 손이 젖은 채 부엌에서 나와 앞치마에 손을 닦다가 일촉즉발인 두 사람을 바라보면서 말했다. "또 왜들 그래? 무슨 일이야?"

쑤치즈가 몸을 일으켜 서재의 문을 닫았다. 떡갈나무로 된 무거운 문이 쾅 하는 소리와 함께 굳게 닫혔다. 신룽은 콧구멍 안이 시큰거렸다. 황리가 소리쳤다. "신룽, 거기 가만히 있어!" 그러고는 앞치마를 잡아당겨 비밀이 새나가지 않게 입을 막듯이 신룽의 입을 틀어막았다. 신룽은 앞치마에 밴 기름기와 푹 젖은 채소 냄새, 음식 비린내가 코피보다 더 견딜 수 없었다. 그녀는 앞치마와 황리의 팔을 동시에 밀어제치고는 자신의 방으로 뛰어 들어가 큰 소리가 나도록 방문을 닫아버렸다.

"그 애를 처음 봤을 때 무슨 동물처럼 느껴졌어요. 눈으로 말을 하는 아주 음침하고 위험한 동물 같았지요." 신룽이 량짠에게 말했다. "오랜 시간이 지나서야 저도 그때 그 애와 우리 아빠가 이미 아주 미묘한 관계라는 것을 알게 됐어요. 온화하고 고상하신 아빠가 그 당시에는 특히 화를 잘 내셨지요."

"격렬한 사상투쟁을 진행하고 있었군요." 량짠이 웃으면서 맥주를 한 모금 마시면서 신룽을 쳐다보았다. "나도 격렬한 사상투쟁을 벌이고 있는 중이에요. 신룽 씨를 쫓아다닐까 아니면 놓아줄까 고민하고 있지요."

신룽은 그가 이런 때에 이런 장소에서 갑자기 그런 말을 하리라고는 상상도 하지 못했다. 그녀의 마음이 물처럼 펄펄 끓어오르기 시작했다. 그녀는 어리둥절해하는 모습을 보이기 싫어 얼른 손을 뻗어 호박 꼬치를 하나 꺼내 입에 넣었다.

"왜 아무런 말이 없어요?" 그가 물었다.

"자신과 투쟁하는 거잖아요." 신룽은 마음을 차분하게 가라앉히고 웃으면서 말했다. "그게 저랑 무슨 상관이죠?"

"어떻게 신룽 씨랑 무관한 일이에요?" 량짠이 웃으면서 말했다.

"신룽 씨가 바로 전리품이 될 텐데."

신룽은 아무 말도 하지 않았다. 귀와 뺨, 눈까지 천천히 붉게 물들었다. 눈빛에 분노가 충분히 축적되자 량짠에게 몹시 거친 태도를 보였다.

손에 물건을 들고 있는 신룽이 막 발로 문을 두드리려는 순간 문이 이미 열렸다. 황리는 신룽이 안 입는 낡은 운동복을 입고 얼굴에는 환한 색깔의 팩을 붙인 채 두 개의 눈구멍으로 신룽을 쳐다보았다.

"절 놀래켜 죽이려는 거예요?" 신룽이 손에 들고 있는 물건을 방 안에 가져다 놓고 다시 나왔다.

황리는 한 손에 캔 따개를 들고 헬스 기구 삼아 옆으로, 위로, 아래로 움직였다. 발은 제 자리를 천천히 걷고 있었다.

"널 누가 데려다 준 거니?" 그녀가 팩 아래로 웅얼웅얼 물었다.

"량짠이요." 신룽은 주방으로 가서 물을 한 잔 따라 마신 다음 내친김에 식탁에 앉아 오늘 신문을 뒤적거렸다. 신문을 다 보았을 때쯤 황리가 한 손에는 방금 떼어낸 팩을 들고 한 손으로는 피부에 아직 남아있는 미백 성분을 흡수시키느라 볼을 토닥거리면서 들어왔다.

"어때, 희어지지 않았니?"

"아주 좋아요." 신룽이 웃었다. 쉰 살이 넘은 황리는 나이에 비해 젊어 보였지만 쉬원징과는 비교가 되지 않았다. 쉬원징의 탱탱하고 탄력 있는 피부는 신룽도 부끄러울 정도였다. 신룽은 대학교 일학년 때부터 잡지사에서 실습 편집자로 일하기 시작했다.

독자들을 위한 핫라인 접수에서 시작하여 르포 주임을 거쳐 집행 주간이 될 때까지 걸핏하면 밤을 새다 보니 눈 밑에는 피로로 인한 다크서클이 화장으로도 가릴 수 없는 지경이었다. 마라꼬치를 다 먹고 량짠이 그녀를 뚫어지게 쳐다보자 그녀는 곧바로 자신감을 상실하고 말았다.

"큰 보따리는 뭐고 작은 보따리는 뭐야?" 황리가 다 쓴 팩을 조심스레 잘 접어서 다시 봉지 안에 잘 담은 다음 봉지를 집게로 집으며 물었다.

전부 량짠이 신룽에게 사준 물건들이었다. 방금 차로 건물 앞까지 데려다 준 다음 차 트렁크에서 크고 작은 보따리를 한 무더기 꺼내더니 그녀의 품에 안겨주었다. 그녀가 거절하기에는 때가 너무 늦었다. 다행히도 밀고 당기기를 할 필요도 없었다. 황리가 마침 건물 위에서 사람을 내려다보고 있었다.

"량짠이 방금 전국을 한 바퀴 돌고 왔잖아요? 그에게 이런저런 물건들을 좀 부탁했어요."

황리는 팩을 냉장고에 넣어두었다.

"팩은 한 번만 써야 한다고, 비타민은 하룻밤 지나면 효과가 없다고 말했잖아요."

"량짠하고 뭘 먹었니?"

"아빠와 쉬원징도 함께 있었어요."

황리는 잠시 멍한 표정을 지었다.

"아빠는 위가 별로 안 좋은 것 같아요. 피부가 뼈를 감싸고 있는 것처럼 말랐더라고요. 내일 병원에 가서 진찰을 받기로 했어요. 병원에서 일하는 량짠 친구에게 연락해두었어요."

"아빠는 심장을 검사해봐야 해." 황리는 탁 하고 냉장고 문을 닫았다. "아마 심장이 뿌리까지 썩었을 거야."

꿈속에서 쑤치즈는 흰색 작은 배를 타고 있었다. 배를 젓는 사람은 젊은 여자였다. 용모가 수려하고 웃는 모습이 부드러웠다. 쑤치즈는 신비스런 표정으로 신룽에게 말했다. "그녀의 팔은 바람을 만나면 접는 부채처럼 펼쳐져서 날개로 변해."

신룽이 잠에서 깨니 거실에서 음악소리가 들려왔다. 문을 열어보니 DVD에서 국제 경기의 녹화장면이 나오고 있었다. 팔을 들어 올린 황리가 텔레비전 화면에 보이는 동작을 따라 가슴을 내밀고 배를 집어넣은 다음 머리를 흔들어댔다. 신룽이 문가에 서 있는 것을 보고도 그녀는 동작을 멈추지 않았다. 사타구니를 비틀고 머리를 젖히면서 앞으로 미끄러지듯이 계속 움직였다.

신룽이 욕실로 들어가 이를 닦고 샤워를 하고 나오니 황리는 이미 춤을 다 추고 음악도 끈 상태였다.

식탁 위에는 아침식사로 떠우장(豆漿)과 차단(茶蛋), 빵, 소시지, 주스, 신선한 딸기 등이 차려져 있었다. 크지도 않은 식탁이 차고 넘치는 데다 색깔도 무척 예뻤다. 하지만 신룽은 이처럼 아름다운 그림 아래 몹시 어지러운 심사가 감춰져 있을 것이라는 생각이 들었다. 그녀가 대학에 막 입학했을 때 황리는 앞당겨 퇴직을 하고 집 안의 물건들을 정리했다. 팔 것은 팔고 남 줄 것은 주고 꼭 필요한 짐만 간단히 챙겨가지고 신룽과 함께 집을 나왔었다. 두 모녀가 세 들어 살게 된 집은 세 가구가 공동으로 사는 주택으로 한 가구당 이십 평방미터 정도 되는 방 한 칸을 쓰고 욕실과 주방은 공용으로 사용하는 집이었다. 황리는 매일 아침 일찍 일어나 걸어서 십오 분 거리에 있는 아침시장에 갔다. 그곳 채소는 신선할 뿐만 아니라 가격도 인근 슈퍼의 절반밖에 되지 않았다. 집으로 돌아와 채소를 볶고 국을 끓이고 돌솥에 지은 밥에 뜸을 들였다. 다른 두 집 사람들이 일어나 죽을 쑤고 절인 채소를 무칠 때쯤이면 황리와 신룽은 이미 김이 모락모락 나는 밥을 배속에 집어넣고 있었다. 새해를 전후하여 두 달 동안은 아침시장에 채소를 사러 가려면 밖이 아주 캄캄했다. 하늘을 본 신룽은 기분이 어둡게 내려앉았다. 이 시간에 쑤치즈와 쉬원징은 편안한 집 나무 침대에서 팔과 다리를 꽈배기처럼 함께 꼬고 잠에 취해 있을 것이라는 생각이 들었다.

당시 신룽은 갓 잡지사에 출근하기 시작한 터였고 황리는 병으로 인한 퇴직에 대한 연금에 의지해야 했기 때문에 두 사람의 생활비는 부족할 수밖에 없었다. 쑤치즈가 돈을 주겠다고 했지만 신룽은 자신이 이미 부양이 필요한 나이가 지났으므로 필요 없다고 말했다. 화가 난 그녀는 아빠가 없어도 두 모녀가 예전처럼 잘 지낼 수 있다는 걸 보여주고 싶었다. 대학에 들어간 신룽은 글을 써서 원고료를 벌다가 나중에는 편집일도 맡게 되었다. 여름과 겨울 두 차례의 방학 외에는 평상시에 정상적으로 출근할 수가 없었지만 출근할 때마다 원고를 교정하는 것 말고도, 사무실 분위기를 진작시키고 주변 환경을 돌보느라 애를 썼다. 바닥이 더러워지면 솔선해서 치웠고 보온병 안의 물도 그녀가 도맡아 급수실에 가서 떠다 놓았다. 심지어 컴퓨터에 문제가 생겨도 사람들은 그녀를 찾았다. 처음에는 그녀도 뭐가 뭔지 잘 몰랐다. 할 줄 모른다고 말할 수도 있었지만 감히 내 일이 아니라고 잘라 말하지 않았다. 오후 쉬는 시간에 사람들이 카드놀이를 하면서 음란한 농담을 주고받을 때도 그녀는 혼자 책을 보고 프로그램을 살폈다. 몇 년이 지나 과연 그녀는 전문가가 되었다. 가장 고생스러웠던 시기에 그녀는 두 번이나 젓가락을 입에 문 채 잠이 들었었다. 부엌에서 밥을 담아가지고 식탁으로 돌아온 황리는 이런 딸을 쳐다보면서 반 사발이나 되는 눈물을 흘렸었다.

한동안 텔레비전에서는 대학생들이 졸업을 해도 취업에 큰 어려움을 겪고 있는 문제에 관해 집중적으로 보도했다. 황리는 걱정이 앞섰다. 신룽이 대학원 시험을 보겠다고 할 때면 문제없이 붙을 거라고 건성으로 말하긴 했지만, 어디서 돈이 나 대학원 공부를 한단 말인가. 걱정이 앞선 황리는 사방으로 신장 밀매에 관해 알아보기도 했었다. 이웃들이 그 말을 신룽에게 전해주자 그녀는 그 자리에서 한동안 멍하니 있다가 한참이 지나서야 정신이 돌아왔다. 손에 든 계란볶음밥을 땅바닥에 내동댕이친 그녀는 방 안으로 뛰어 들어가 황리와 말다툼을 했다. “무슨 생각을 하는 거야? 신장을 팔다니?! 엄마가 신장을 파는 것이 내가 나가 몸을 파는 것만 못하니까 당장 그만둬!" 이웃 사람들이 듣든지 말든지 그녀는 목소리가 건물 꼭대기까지 울리도록 악을 써댔다. 들으려면 들으라지. 우리 모녀 둘이 함께 죽어버리면 그만이야. 죽어 봐야 시신밖에 없을 테니까.

신룽이 악을 써대자 황리는 잠시 어리둥절했다. 그러다가 다시 정신을 차린 그녀는 목을 놓아 울기 시작했다. "신장을 파는 게 어때서? 창피해? 창피하다면 나 자신에게 창피하겠지. 자기 남자 하나 붙잡아 둘 능력도 없는 여자니까. 내가 내 몸 일부를 팔겠다는 데 그것도 안 돼? 그렇게 뛰쳐 들어와 그렇게 소리를 지르면 어쩌겠다는 거야? 엄마한테 늙은 개 대하듯 소리를 질러! 신장을 팔 필요도 없어. 차라리 자잘한 불편 없이 아예 목숨을 팔아서 깨끗이 정리하는 게 낫지!"

모녀 둘이 눈물을 사방으로 튀기면서 서로 소리를 지르고 울어댔다. 마지막 남은 한 가닥 기력까지 다 써버리고 나서 곤죽이 된 살덩이 두 개가 하나는 침대 맡에, 하나는 침대 바닥에 죽은 듯이 쓰러져 있었다. 마음속이 버려진 방처럼 쓸쓸했다. 바로 이때 쑤치즈와 쉬원징이 생각났다. 두 사람이 정말 미웠다. 이가 부득부득 갈리도록 미웠다.

신룽이 편집회의를 하고 있을 때 량짠이 전화를 걸어 쑤치즈의 병세를 보고했다. "위암이시래요. 이미 널리 전이가 된 상태라는

군."

그대로 몸이 굳어버린 신룽은 한순간 머릿속에 버들개지가 떠다니다가 한 덩이로 엉키는 것 같았다. 알고 보니 어젯밤 꿈이 죽음을 알리는 꿈이었다.

리칭은 젊은 정부가 남편을 차지하기 위해 텔레비전 방송국에 가서 거짓으로 혼인을 증명하는 제재를 진귀한 보물처럼 가져와 이른 아침부터 신룽을 쫓아다니며 얘기를 했다. 결국 리칭은 편집회의에서까지 들어와 이 얘기를 처음부터 끝까지 늘어놓았다.

신룽은 그녀의 입술이 열렸다 닫히기를 반복하면서 얘기를 늘어놓는 모습을 바라만 보고 있었다. 회의가 끝나고 흩어지자 라오니에가 음침한 표정으로 리칭을 바라보았다. 어쩌다 그가 입을 열면 리칭의 눈썹이 곤두서면서 아름다운 눈을 동그랗게 떴다.

"왜 그래요?" 샤오메이가 커피를 가져다주면서 신룽의 표정이 이상한 것을 보고는 조심스레 물었다.

신룽이 정신을 차리고 고개를 돌리며 대답했다. "아무 것도 아니야."

점심시간에 주슈루가 새로 오픈한 후난 음식점에 큰 방을 예약해 회식을 마련했다. 량짠을 환영하기 위한 자리였다. 병원에 있다가 달려온 그는 신룽과 함께 주슈루 옆에 앉았다. 리칭은 도곡이선 사이에 앉았다. 도곡이선은 리칭과 수다를 떨기 시작했다. 이선 중에 하나가 말했다. "우린 제멋대로인 사람들이 아니야." 또 다른 이선이 말을 받았다. "우리가 마음대로 일어나면 사람이 아니지."

리칭이 흥 하고 콧방귀를 뀌며 말했다. "그걸 유머라고 하고 있는 겁니까?"

이들의 대화에 모두들 웃음을 터뜨렸다. 유독 신룽만 얼굴이 도자기처럼 창백했다. 생선머리 요리가 상에 오르자 종업원이 테이블을 돌려 음식이 그녀 앞으로 오게 했다. 절반으로 나뉜 생선머리는 서로 맞대어져 눈을 뜬 채로 붉은 고추 사이에 파묻혀 있었다. 신룽은 초연한 눈빛으로 힐끗 쳐다보고는 깜짝 놀라고 말았다.

량짠이 손을 뻗어 생선 머리를 다른 쪽으로 돌려놓았다.

다른 음식들이 잇따라 상에 올랐지만 신룽은 좀처럼 젓가락을 움직이지 않았다.

"왜 안 먹어?" 주슈루가 그녀를 한번 쳐다보고 나서 주변을 둘러보며 말했다. "누가 화나게 한 거야?"

신룽이 웃으면서 케일볶음을 한 젓가락 집어 입에 넣고는 화장실로 갔다.

량짠도 맥주를 잔에 가득 따라 사람들에게 경주를 한 터라 화장실을 찾게 되었다.

복도를 걸어가다가 신룽이 창가에 걸음을 멈추고 서서 밖을 내다보는 모습을 본 그는 슬그머니 다가가 그녀를 안았다. "걱정 말아요. 내가 곁에 있어줄 테니까."

신룽이 깜짝 놀라 필사적으로 벗어나서는 조심스럽게 룸 쪽을 바라보았다.

"미쳤어요……." 그녀는 량짠을 노려보았다.

량짠은 아무 말도 하지 않았다.

신룽이 룸으로 돌아가 문을 여는 순간 리칭이 밖으로 나왔다.

쑤치즈는 병상에 누워있었다. 몸 전체가 커다란 원으로 말려 있었다. 얼굴색은 빤 지 오래된 베갯잇보다 더 보기 안 좋았다.

"바쁠 텐데, 뭐 하러 왔어." 쑤치즈가 말했다.

"오전에는 바쁘지만 오후에는 별로 할 일이 없어요." 신룽이 말했다.

쉬원징이 죽 그릇을 들고 돌아왔다. 병원 근처에 전문적으로 죽을 만들어 파는 죽집이 있어 고객들의 요구에 맞게 각양각색의 죽을 제공했다. 쉬원징은 야채죽을 쑤치즈 앞에 차려주었다. "먹고 싶지 않아." 쑤치즈가 손을 내저으며 치우라고 했다.

"몇 숟가락이라도 드세요." 쉬원징은 죽을 뜬 숟가락을 그의 입가로 가져갔다. 그는 신룽을 한번 쳐다보더니 스스로 숟가락을 들고 죽을 입 안에 넣었다.

"제가 할 일이 있나요?" 신룽이 물었다.

"량짠이 다 처리했어." 쑤치즈는 신룽 뒤에 있는 량짠에게 미소를 지어보이면서 신룽에게 말했다. "이른 아침부터 우리를 데리러 와서 위아래로 건물을 몇 번이나 오르내렸는지 몰라. 정말이지 너무 폐를 끼쳤군."

"별말씀을요." 량짠이 계면쩍은 듯이 말했다. "저는 항상 귀찮은 일을 찾아다닙니다. 일이 없으면 몸이 근질거리거든요."

"내 병은 아주 오래된 병일세. 이틀만 입원했다가 돌아갈 거야." 쑤치즈가 쉬원징을 향해 웃으면서 말했다. "원징도 회사에 출근해야 하거든."

"출근하는 건 급하지 않아요." 쉬원징이 말했다. "방금 회사에 전화했어요. 사장님이 남미에 가셔서 한 달 뒤에나 돌아오신데요. 사장님이 돌아오신 다음부터 출근하면 된대요. 선생님이 몸조리를 잘하시면 곧 나들이도 갈 수 있을 거예요. 제가 출근하기 시작하면 여행할 기회가 거의 없을 테니까요." 그녀가 신룽을 향해 웃다가 다시 고개를 돌려 쑤치즈를 향해 말했다. "신룽도 함께 가자고 해요."

"저 애가 시간이 어디 있어?" 쑤치즈가 한숨을 내쉬며 기대 어린 눈빛으로 신룽을 바라보았다.

신룽은 한순간 정신이 없었다. 뭐라고 말해야 좋을지 몰랐다.

"시간은 꼭 스펀지 안에 있는 물 같아서 꽉 짜기만 하면 항상 생기는 법이에요." 량짠이 웃으면서 끼어들었다. "가까운 곳으로 가실 거면 제가 차로 모셔다 드릴게요."

"왜 함부로 약속을 하는 거예요?" 병원에서 나오자마자 신룽이 량짠을 나무랐다. "제가 저 사람들이랑 여행을 가요?"

"아버님이 앞으로 며칠을 더 사실 것 같아요?" 량짠이 말했다. "죽음을 앞둔 사람한테는 최대한 잘해줘야 하는 법이에요."

량짠은 신룽을 집까지 데려다 주었다. 차에서 내리면서 신룽이 량짠에게 편지봉투를 하나 건넸다.

"뭐에요?" 그는 받지 않았다.

"물건 산 돈이요." 신룽은 설명을 하는 수밖에 없었다. "삼천 위안이에요. 충분한지는 나도 잘 모르겠어요."

량짠은 그녀의 손에서 편지봉투를 받아서는 재빨리 그녀의 핸드백에 집어넣으면서 말했다. "내게 감사의 뜻을 표하고 싶으면 연애편지만 한 통 써주면 돼요."

"이 돈 안 받으면," 신룽이 말했다. "물건을 도로 돌려줄게요."

"그렇게 번거롭게 할 것 없어요." 량짠이 얼굴을 거두면서 말했다. "그냥 쓰레기통에 버려요."

말을 마친 량짠은 차에서 내려 차문을 큰 소리가 나게 닫았다.

"버릴 거면 량짠 씨가 직접 버려요." 신룽도 따라 내렸다. 얼굴이 북처럼 불룩하게 부풀어 있었다. "여기서 기다리고 있어요. 올라가서 물건들 가지고 내려올 테니까."

"또 어딜 올라갔다 내려온다는 거예요?" 량짠이 말했다. "편지봉투 이리 줘요. 내가 받아서 버리면 그만이지."

"왜 나한테 화를 내는 거예요?" 신룽은 창백해진 얼굴로 고개를 숙이고 건물 안으로 들어갔다. "가지 말아요. 물건들 가지고 내려올 테니까요!"

량짠이 반층 정도 신룽을 쫓아 올라가 그녀를 붙잡았다. "염라

대왕이 웃는 얼굴을 하고 있는 사람을 왜 안 때리는지 알아요? 나의 이 뜨거운 얼굴에 어째서 차가운 신룽 씨 엉덩이가 달라붙지 않는지 모르겠네요?"

그의 말에 신룽의 얼굴이 금세 빨개졌다. "죽고 싶어요……?"

"그냥 비유를 든 거에요." 량짠이 웃었다. "왜 그렇게 모든 걸 구체적으로 생각하는 거예요?"

신룽은 잠시 진정하고 깊이 생각에 잠겼다. 그러다가 다시 고개를 들어 량짠을 쳐다보았다. 곧장 그의 눈 속과 심장 속과 머릿속의 장면을 다 비워낼 것 같았다. 그러고는 천천히 말했다. "날 일요일로 취급하지 말아요."

량짠은 그녀의 손을 확 잡아끌어 그녀의 가슴에 갖다 대면서 말했다. "여기에 뭐가 들어 있습니까? 돌이 들었나요?" 말을 마치고 그녀의 손을 확 뿌리치고는 쿵쾅거리며 건물을 내려왔다.

신룽은 온몸에 맥이 풀렸다. 누군가 힘줄을 뽑아간 것만 같았다. 이웃들의 눈만 없다면 정말로 시멘트 계단에 엉덩이를 깔고 주저앉고 싶었다.

황리는 무용치마를 입고서 거울 앞에서 자신의 모습을 이리저리 비춰보고 있었다.

집으로 들어온 신룽은 언뜻 보이는 하얀 살결에 현기증이 날 것만 같았다. 황리의 무용치마는 자홍색이었고 엉덩이 앞뒤와 가슴 앞부분, 이렇게 세 군데만 넓은 천으로 되어 있고 나머지 부분은 전부 조그만 천 쪼가리가 줄로 이어져 있었다. 그 위에 은실로 어떤 도안이 수 놓여 있고 커다란 반짝이도 붙어 있었다.

"어때?" 황리가 허리를 돌리고 엉덩이를 흔들면서 스텝을 밟자 반짝이 조각들이 개구리 울음소리가 퍼지듯 흔들리기 시작했다.

신룽은 무의식적으로 자신의 눈을 가려버렸다.

"그렇게 못 봐줄 정도로 참담한 거야?" 황리가 다가와 신룽의 손을 툭 쳤다. "오늘 리허설을 했는데, 와, 정말 안 벗었으면 몰랐을 거야. 온몸이 귤껍질 같은 사람이 얼마나 많은지 말이야. 게다가 뱃살도 몇 겹씩이나 되더라고. 내 피부와 몸매는 정말 괜찮은 편이더라고. 너 왜 그래?" 황리가 신룽의 이마를 가리키면서 말했다. "밖에 나가면 앙가(秧歌)도 하고 연극도 하면서 왜 집에만 오면 죽은 물고기가 되는 거니?"

"잔소리 좀 그만 하세요." 신룽이 눈을 들어 황리를 쳐다보았다. "방금 병원에 다녀왔어요. 아빠가 위암에 걸렸대요."

황리는 옷걸이를 손에 들고 있었다. 방금 이야기를 할 때 가리키고 있던 그녀의 손 역시 그대로 절반 정도 들려 있었다.

"발견했을 때는 이미 말기였어요. 의사 말이 언제든지…… 떠나실 수 있대요."

"내가 진즉에 이런 날이 있을 줄 알았지." 황리가 정신을 가다듬고는 잠시 웃다가 더 웃지 못하고 손을 떨면서 무용복을 벗었다. 옷이 잘 벗겨지지 않아 신룽이 도와주려 하다가 더 이상 도울 엄두를 내지 못했다. 오히려 그녀를 화나게 할 것만 같았다.

“옛말에 이런 말이 있지. 너무 행복한 사람이 일찍 죽는다는 말 말이야.” 결국 황리는 그 손수건 세 장짜리 옷을 몸에서 떼어 내려다 이음매가 있는 부분을 잡아당기는 바람에 찢고 말았다. 신룽은 그제야 그 옷감이 그나마 탄성이 있는 천이었다는 것을 알게 되었다. 황리는 무용복을 걸레처럼 뭉쳐 소파에 던져버렸다. 대신 변함없이 낡은 운동복을 입고는 창가로 다가가 갑자기 커튼을 열어 젖혔다. 커다란 황혼이 어마어마한 계란노른자처럼 방 안으로 떨어지고 있었다. 거실 전체에 진하게 넘실거리면서 모녀 두 사람을 집어삼키려 했다.

동틀 무렵 신룽은 일어나 화장실에 가다가 툭 튀어나온 물건 하나가 거실에 창가 앞쪽 바닥에 놓여 있는 것을 발견했다. 거무튀튀한 덩어리 하나가 담담한 먹 빛깔처럼 새벽 어스름 속에서 그녀를 깜짝 놀라게 만들었다.

“안 주무시고 거기 앉아서 뭐하세요?” 그녀가 물었다.

황리는 아무 말도 하지 않았다.

그녀가 다가가 앉았다. 두 모녀는 아무 말도 하지 않고 하늘이 짙은 회색에서 옅은 회색으로, 옅은 회색에서 푸른색으로 변하는 것을 바라보고 있었다. 푸른빛이 다시 한 겹 한 겹 회색빛으로 흩어지더니 여기에 떠우장처럼 하얀색이 더해졌다.

신룽이 낮에 얼핏 소식을 들었을 때는 마음이 물고기가 방향을 잃고 헤엄치는 것 같았다. 슬퍼해야 할지 말아야 할지 몰라 몹시 혼란스러웠다. 이제 안정을 찾은 그녀는 마음속 깊은 곳에서 자라난 슬픔이 한 포기 화초처럼 무성해지는 것을 선명하게 느낄 수 있었다. 눈물이 흘러 얼굴을 적셨다. 황리가 볼까봐 걱정이 되긴 했지만 굳이 닦지는 않았다.

"내가 항상 저주를 해서 암에 걸린 걸까?" 밤새 한숨도 못잔 황리는 몸 전체가 축 늘어져 있었다. 얼굴빛은 거무스름하고 눈두덩은 불룩하게 부어 있었다. 머리칼은 새둥지처럼 헝클어졌고 말할 때마다 무겁게 가라앉은 비음이 섞여 나왔다.

"어디 가고 싶으세요?!" 신룽이 훌쩍거리다 웃었다.

"사람의 생각에도 힘이 있는 것 같아." 황리가 진지하게 말했다.

"또 누가 허튼소리 하는 것을 들었군요?" 신룽은 황리를 끌어안으면서 머리를 그녀의 어깨에 기댔다. "아빠 본인이 체질이 안 좋아서 그런 거예요."

"그게 아니라면 쉬원징과 함께 살면서 매일 사발면만 먹거나 외식만 해서 그럴 거야." 황리가 말했다. "너 제품의 품질 조사를 해 본 적 있니? 라면 안에 들어가는 조미료는 거의 모두가 독약 수준이더라고. 원징은 아직 어려서 소화능력이 좋을지 모르지만 네 아빠가 그 몸으로 어떻게 버틸 수가 있었겠니? 하지만 그 사람은 그래도 싸. 자업자득이지."

"……쉬원징이 저더러 아빠를 모시고 나들이 좀 했으면 좋겠다고 하더라고요."

"곧 죽을 사람 아니니? 무슨 힘이 남아 있다고 돌아다닌다는 거야?"

"병원이란 곳이 병이 없이 가도 병이 생기는 곳인데, 더구나 아빠처럼 심한 경우는 오죽하겠어요. 병실에 우두커니 있을수록 자신에게 가망이 없다는 것을 더 쉽게 알게 될 텐데, 차라리 아빠를 모시고 나가 기분전환을 하는 게 낫겠죠. 하지만 또 마침 그때 아빠에게 일이 생길까봐 저를 끌고 가고 싶은 거 같아요."

"지금에서야 네 생각이 나서 오라고 했대? 네가 힘든 세월을 보낼 때는 지들끼리 즐겁게 살아 놓고서?"

"이제 와서 그런 말 해서 뭐해요? 그 사람들 없이 우리도 잘 지냈잖아요?" 신룽이 말했다. "생각해 보세요. 만일 제가 안 갔다가 아빠가 정말로 죽어도 눈을 감지 못해 귀신이 돼서 매일 우리를 찾아와 괴롭히면 어떻게 해요?"

"방법이 있지!" 황리가 말했다. "잘 때 식칼을 베개 밑에 베고 자면 돼. 칼날을 바깥으로 향하게 하고 말이야."

량짠은 말을 하면 반드시 실행에 옮기는 사람이었다. 그는 정말로 차를 몰고 쑤치즈와 쉬원징을 데리고 다롄(大連)으로 며칠 동안 놀러 가기로 했다. 그는 신룽에게 두 여자에게 정말로 무슨 일이 생기면 놀라거나 당황하지 않겠냐고 물었다. 그러면서 자신이 따라가서 기사 노릇도 하고 가이드도 하면서 옆에서 잘 보살펴주고 게다가 보디가드까지 해주면 그보다 더 좋은 일이 어디 있겠느냐고 했다.

"이건 우리 가족의 일이니까 괜히 끼어들지 말아요." 신룽도 그가 함께 가주기를 바랐지만 그를 계속해서 훨씬 더 애매모호한 관계로 끌어들이게 되지나 않을까 걱정이었다.

"어쩌면 이렇게 시시비비를 못 가리는 거예요?"

량짠은 화를 내면서 신룽을 나무랐지만 신룽은 오히려 웃었다.

황리 또한 입은 매섭지만 마음은 두부 같은 여자라 그들이 출발하는 날 아침 일찍 일어나 흰죽을 쑤어 보온 도시락에 담아주었다. 도시락 통의 다른 공간에는 쑤치즈가 과거에 즐겨먹던 김치도 싸주었다. 그의 위가 안 좋은 것을 고려하여 칼로 잘게 다져 넣고, 별도로 다른 찬합에 차단도 열 몇 개 싸주었다.

"길거리에서 파는 음식은 깨끗하지 않아." 황리가 담담한 어투로 말했다.

쑤치즈는 죽과 김치를 보고는 잠시 눈을 감았다. 신룽도 갑자기 가슴이 시려와 얼른 고개를 돌렸다. 손에 든 차단을 천천히 까고 천천히 입에 넣고 천천히 씹는 동안 어렸을 때 쑤치즈가 자신만을 위해 적지 않은 동요를 지어주었던 일이 떠올랐다. 그중 하나는 달걀에 관한 것이었다.

얇은 껍질 아래 말랑말랑한 달, 말랑한 달 안에서 해가 웃고 있네. 해와 달이 껴안자, 병아리가 태어났네.

황리는 이 동요를 듣고는 쑤치즈를 탓했다. "대학교수란 양반이 어린 애한테 음란한 노래나 지어주고 있네."

량짠은 출발하기 전에 다롄에 있는 친구 라오돤에게 호텔을 잡아달라고 부탁했다. 일행이 도착하니 라오돤이 호텔 로비에서 기다리고 있었다. 라오돤은 얼굴 절반이 수염으로 덮여 있었다. 반대로 머리는 반들반들 빛이 나도록 밀었다. 량짠을 보자 너무 반가운 나머지 웃느라고 그의 얼굴에 담배 연기를 잔뜩 내뿜었다.

"이십일만 일찍 왔어도 벚꽃도 볼 수 있어 좋았을 텐데. 벚꽃이 핏빛으로 만개했었거든." 라오돤이 흥분하여 말했다.

저녁은 환영하는 의미로 라오돤이 대접했다. 량짠이 생굴을 좋아한다는 것을 알고 있는 그는 특별히 가장 크고 좋은 것으로 한 접시 주문했다. 굴이 상에 올랐다. 레몬즙을 뿌리자 굴이 탄성을 잃고 쪼그라들었다. 무척 만족한 라오돤은 감탄을 연발하면서 종업원에게 백포도주를 따르게 했다.

"생굴은 백포도주와 함께 먹어야 제맛이야." 라오돤이 말했다. "피처럼 신선하거든!"

신룽은 '피'가 라오돤의 강렬한 감정의 색깔을 표현하는 단어라는 것을 알게 되었다. 그는 희로애락을 전부 핏빛으로 표현했다.

어느 날 비가 내렸다. 라오돤과 량짠은 밖으로 나갔다. 쉬원징은 방 안에서 샤워를 하고 물건들을 정리하고 있었다. 신룽 부녀는 둘이 잠시 커피숍에 앉아 있었다.

호텔 로비는 커피 향기로 가득했고 빛은 다소 어두워 이야기를 나누기에 이보다 더 좋은 분위기는 찾을 수 없을 것 같았다. 쑤치즈는 수다스럽게 자신의 일생을 이야기했다. 젊은 시절 그의 꿈은 작가가 되는 것이었다. 그는 장헌수이(張恨水)라는 작가를 가장 좋아했었다. 많은 사람들이 장헌수이를 경멸했고 특히 루쉰의 경멸이 가장 날카롭고 냉혹했지만 그래도 그는 장헌수이를 좋아했다. 인생의 삼각형이 어떻단 말인가? 최근에는 다시 장헌수이와 그의 작품에 대한 열기가 일고 있었다. 방금 연속극으로 제작된 그의 작품 <금분세가(金粉世家)>를 몇 번이나 보고 또 보면서 위에 통증이 심해질 정도로 화를 내기도 했다. 텔레비전 연속극에서 주인공인 남편은 강단에서 『시경(詩經)』을 강의하면서 뜻밖에도 "푸른 물은 드넓고 하얀 안개는 까마득한데, 아름다운 여인 물가에 있네."라는 시구를 읊었다. 원징은 이것이 타이완 소설가 충야오(琼瑤)의 소설에 나오는 노래 가사라고 말했다. 또한 『제소인연(啼笑因緣)』이라는 소설은 『제소개비(啼笑皆非 : 웃는 것도 아니고 우는 것도 아님)』으로 제목을 바꿔야 한다고 했다.

"커피 마시겠니?" 쑤치즈가 갑자기 물었다. "난 한잔 마시고 싶구나."

"그 위로 어떻게 커피를 마신다는 거예요?" 신룽이 말했다.

"마시진 않고 그냥 냄새만 맡으려고 그래." 쑤치즈가 말했다.

"커피 냄새가 너무 좋구나."

신룽은 손짓으로 종업원을 불러서 따듯한 커피 두 잔을 주문했다.

"내 인생도 삼각형이지. 결혼 전이 첫 번째 선이고 결혼 후가 두 번째 선, 그리고 원징을 우연히 만난 것이 세 번째 선이었지." 쑤치즈는 창밖에 촘촘히 내리는 빗줄기를 바라보았다. 눈빛은 점점 신룽이 상상할 수 없는 공간 속으로 빨려 들어가고 있었다. "나는 나의 이번 생애가 이 세 개의 선으로 이루어진 것을 절대 후회하지 않아. 하지만 너와 네 엄마를 저버린 것에 대해서는 아주 부끄럽게 생각한다." 잠시 뜸을 들이던 쑤치즈는 다시 말을 이었다. "엄마를 설득해서 다시 사람을 만나라고 해. 나처럼 힘든 일이라고는 조금도 할 줄 모르는 나약한 사람 말고 소박하고 튼실한 사람을 만나라고 해. 조금은 속되고 거칠어도 나쁘지 않을 거야. 가장 중요한 것은 여자를 아껴줄 줄 아는 것이지."

신룽은 눈물이 솟구치려 했지만 애써 혀를 깨물고 참았다.

"너에 대해서는 항상 마음을 놓지 못했었지." 쑤치즈가 말했다. "하지만 이번에 량짠이 네 곁에 있는 것을 보니 정말 기쁘고 마음이 놓이는구나."

"우리는 잘 지내고 있으니까 괜히 걱정하실 필요 없어요." 신룽은 그에게 더 이상 량짠에 관해 얘기하고 싶지 않아 얼른 화제를 다른 데로 돌렸다.

그런데 저녁에 식사를 하다가 인터넷에서 거론된 노래 한 소절로 인해 일본을 언급하게 되면서 라오뒨이 량짠에게 한마디 물었다. "자네 아내는 아직 와세다 대학에 다니고 있나?"

쑤치즈와 쉬원징도 놀라서 멍하니 량짠을 쳐다보았다.

"응." 량짠은 신룽을 힐끗 쳐다보고는 아무 생각 없이 대답했다.

"포닥까지 마쳤겠네?" 라오뒨이 다시 물었다.

"아직 박사 과정이야." 말을 마친 량짠이 종업원을 불렀다. "죽 한 그릇 더 주세요."

"죽이요?" 현지인인 종업원은 순간적으로 그의 말을 알아듣지 못했다.

"흰죽 말이에요." 라오뒨이 끼어들었다.

"해산물 죽으로 하시겠어요 아니면 흰죽으로 하시겠어요?" 량짠이 쑤치즈에게 물었다.

"둘 다 필요 없네." 쑤치즈의 얼굴이 서리를 한 겹 긁어낼 수 있을 정도로 차가워졌다. "그렇게까지 마음 쓸 것 없어. 난 받을 자격이 없네."

식사를 마치고 호텔로 돌아와서 쑤치즈는 량짠과 아는 척도 하지 않고 고개를 돌려 방으로 가버렸다. 쉬원징이 급하게 그를 따라가면서 신룽과 량짠을 향해 계속 손을 흔들었다.

신룽이 량짠을 힐끗 쳐다보았다. "화난 거 아니죠?"

"화가 나도 아버님에게 난 건 아니겠지요." 량짠이 말했다.

"스스로 불을 놓는 것은 괜찮지만 남이 불을 붙이는 건 허락하지 못하겠다는 거로군요." 신룽이 웃으며 말했다. "아빠도 예전에 우리 엄마한테 그랬어요. 뭘 하든 항상 면목이 없었지요."

량짠이 무슨 생각에 잠긴 듯이 신룽을 바라보았다.

"왜 그래요?" 그녀가 물었다.

"신룽 씨가 한 말을 생각하고 있었어요." 량짠이 말했다. "우리가 언제 불을 켰지요?

"량짠 씨에겐 햇빛만 비춰도 찬란해지잖아요." 신룽이 정색을 하면서 돌아서 자기 방으로 돌아갔다. 문을 열고 량짠도 방으로 돌아갔는지 보고 싶어 막 몸을 돌리는 순간 그의 몸과 부딪쳤다.

"뭐하는 거예요? 깜짝 놀랐잖아요!"

"할 말이 있어요." 량짠이 그녀를 밀어 방 안으로 들여보낸 다음, 문을 닫았다.

"뭐하는 거예요?! 이 손 놔요!" 신룽은 그를 꼼짝 못하게 붙잡았다. 화도 났다.

"가만히 좀 있어요." 량짠도 매우 언짢은 기색을 보이며 손에 힘을 줘서 그녀를 움직이지 못하게 했다. "나쁜 짓 하려는 것 아니니까 안심해요."

신룽은 그에게 할 말이 없게 만들었다. "할 말이 있으면 빨리 해요."

하지만 량짠은 아무 말도 하지 않았다. 신룽은 풀무질이라도 하는 듯한 그의 거친 숨소리를 들었다. 몹시 화가 난 것 같았다.

두 사람은 일 분 정도 그렇게 몸이 굳은 채 서 있었다. "도대체 하고 싶은 말이 뭐예요?" 신룽이 물었다.

"없어요." 량짠은 손을 내저으며 문을 열고 나가버렸다.

신룽은 잠시 멍하니 서 있었다. 복도에는 카펫이 깔려 있어서 량짠의 발짝 소리가 어디를 향해 갔는지 알 수 없었다. 하지만 그녀는 그가 방으로 돌아가지 않았을 것이라고 확신했다.

신룽은 샤워를 마치고 잠 잘 준비를 했다. 옆방에서는 아무런 기척도 들리지 않았다. 전화를 걸어 봤지만 아무도 받지 않았다.

신룽은 옷을 갈아입고 먼저 호텔 안에 있는 술집에 가보았다. 그런 다음 아래층 로비로 내려가 문 입구 소파에 앉아 있었다. 한 시간쯤 기다리자 량짠과 라오돤이 밖에서 들어왔다. 과연 술을 마신 것이 분명했다. 량짠은 다리가 풀린 채 휘청거리며 배시시 웃었다.

"술 마시러 나갔던 거였어요?" 신룽이 다가가 그를 맞았다.

"잔소리 하지 말아요. 그럴수록 술만 더 마시게 될 테니까." 라오돤이 고통스러운 표정을 지었다. "고집쟁이!"

"난 많이 마시지 않았어요." 량짠이 신룽에게 한마디 하고는 라오돤을 노려보았다. "어때? 내가 싫어? 네가 광저우에서 술을 많이 마셨을 때 내가 너를 어떻게 챙겼는지 잊었어?"

"빌어먹을, 그대로 갚아 달라 이거로군." 라오돤이 웃으면서 말했다. 신룽이 두 사람을 데리고 위층으로 올라갔다. "가서 자요." 량짠은 신룽을 향해 손을 내저었다. "라오돤은 오늘 여기서 자야 할 것 같네요. 성접대지요." 라오돤도 신룽에게 권했다. "가서 자요. 우린 신경 쓰지 말고."

다음 날, 라오돤은 그들을 교외의 한 딸기농장으로 데리고 갔다. 직접 따서 그 자리에서 먹을 수 있는 곳이었다. 얼굴이 구릿빛으로 탄 소녀 하나가 한 손으로는 돈을 받고 다른 한 손으로는 바구니를 건네주었다. 바구니 안에는 종이 봉지 몇 장이 들어 있었다. 딸기를 따서 종이 봉지에 담은 다음 돌아갈 때 저울에 달아 사 갈 수 있었다. 라오돤은 칼을 꺼내면서 욕심 부릴 필요가 없다고 말했다. 한 사람에 쉰 개를 딸 수 있고 집에 가지고 가려면 별도의 돈을 더 내야 한다고 했다. 피 같은 딸기였다.

소녀의 웃는 얼굴이 눈부셨다. 원가가 많이 들어요. 사장님들도 맛을 보시면 알 거예요. 우리 집 딸기는 품종도 좋고 맛도 좋거든요. 화학비료는 조금도 쓰지 않았어요. 생산량은 적지만 천연 비타민C라고 할 수 있지요.

새빨간 딸기들이 잎사귀 밑에 숨어 있었다. 크기는 시장에서 보는 것의 절반밖에 되지 않았다. 신룽은 조금 무서운 생각이 들었다. 그렇게 많은 딸기가 알알이 작은 심장처럼 느껴졌다. 과육 위의 반점들이 햇빛을 받아 색깔이 바뀌는 것이 마치 심장이 두근거리는 것 같았다.

량짠이 한 알 따서 먹어보았다. "와, 정말 맛있군."

"젠장." 라오돤도 한 알을 따서 입에 넣었다. "피처럼 달콤하군."

"제가 말했잖아요." 소녀가 웃었다. "비싼 값을 한다니까요."

쑤치즈는 이른 아침부터 얼굴을 찡그리며 돌아가자고 졸라댔다. 쉬원징이 한참을 너스레를 떨고 나서야 간신히 그의 마음을 돌릴 수 있었다. 밭에 들어선 그녀는 쑤치즈의 손을 잡고 한참을 거닐었다. 쉬원징이 딸기 몇 알을 따서 먹어보니 역시 맛이 좋다고 말하면서 한 알을 쑤치즈의 입에 넣어주었다. 몇 분이 지나 쑤치즈의 입에서 피가 흘러나왔다. 딸기즙보다 더 선명하고 요염한 빛깔이었다. 쉬원징은 급히 휴지를 한 뭉치 꺼내 그의 입에 대어주었다. 붉은 피는 곧바로 휴지에 스며들었다. 그들은 서둘러 차로 돌아왔다. 다행히 이들이 몰고 온 차는 라오돤의 CR-V였다. 의자에 쑤치즈를 눕힌 뒤에도 피는 여전히 그의 입가를 따라 아래로 흘러내렸다. 량짠은 나는 듯이 근처 슈퍼로 가서 휴대용 휴지를 몇 통 사왔다. 여럿이 각자 한 통씩 들고 쑤치즈의 입가로 흘러내리는 피를 닦아냈다.

"딸기 한 알이 그렇게 위험할 줄은 몰랐어요……." 쉬원징은 얼굴이 창백해진 채 쑤치즈 곁에 쪼그리고 앉았다. 키가 무척 작은 그녀는 요즘 들어 심하게 살이 빠져 어린아이 같았다.

신룽이 손을 뻗어 그녀의 어깨를 다독여주었다. "아주머니 때문이 아니에요."

"다 내 탓이야. 내 탓이라고. 멀쩡하게 있다가 갑자기 딸기는 왜 따러 오자고 해서……." 라오돤이 얼굴이 온통 땀범벅이 되어 곧장 차를 병원으로 몰고 갔다.

"몸 상태가 이런데 어떻게 여행을 할 생각을 하신 겁니까?" 의사가 쑤치즈에게 지혈 조치를 하고 나서 사람들을 꾸짖었다. "시간이 많이 늦지 않은 것이 다행이네요."

"죄송합니다. 정말 면목이 없습니다." 량짠이 연달아 말했다.

피는 금세 멈췄다. 또 한 밤을 자고 나서 이튿날 오전부터 쑤치즈는 또 집으로 돌아가자고 졸라대기 시작했다. 량짠이 의사에게 묻자 의사는 '강노지말(强弩之末 : 기력이 다했다는 뜻)'이라고 문학적인 말로 대답을 대신했다. 그러고는 쑤치즈에게 주사를 놓고 약을 처방해 준 다음 량짠에게 천천히 운전하라는 당부와 함께 퇴원을 허락했다.

라오돤은 그들을 곧장 고속도로까지 데려다 주고 티슈와 음료, 간식거리들을 한아름 사서 그들 대신 트렁크에 실었다.

량짠은 그를 가볍게 안고 등을 다독거리면서 다음에 만나자는 한마디를 남기고 떠났다.

쑤치즈는 이십일 뒤에 세상을 떠났다.

그날 신룽은 새벽부터 마음이 몹시 산란했다. 당황스럽고 기분이 좋지 않아 숨도 제대로 쉬기 어려웠다. 모든 것이 눈에 거슬렸다. 라오돤의 표현을 빌자면 죽을 것 같은 답답함이었다! 그녀는 직장에서 원고를 핑계로 한바탕 성질을 부렸다. 한바탕 화를 내고 나서야 모두들 한마디도 하지 않았다는 것을 깨달았다.

그들의 이런 태도가 그녀는 오히려 꾸지람을 당한 것처럼 더 괴롭고 창피했다.

퇴근 후에 량짠이 그녀를 병원으로 데려다 주었다. 쉬원징이 병실 안에 멍한 표정으로 앉아 있었다. 밥도 제대로 먹지 못해 가죽밖에 남지 않을 정도로 살이 빠져 있었다.

“오늘 아침부터 의식을 잃었다가 깨어나기를 반복하시더니 낮에는 또 피를 토했어요. 무슨 일이 생기진 않겠죠?” 쉬원징이 두 사람에게 물었다.

그들 역시 단정할 수 없었다.

“저랑 같이 의사 선생님한테 가서 물어볼까요?” 량짠이 물었다.

쉬원징이 고개를 끄덕였고 두 사람은 함께 의사를 찾아갔다. 신룽은 방금까지 쉬원징이 앉아 있던 의자에 앉아 쑤치즈와 일 미터 정도 떨어져 그의 초췌한 모습을 바라보았다. 얼굴이 노란 종이 같았다. 눈과 코, 입 등 오관이 전부 함몰되어 갔다. 신룽은 그가 누군지 알 수 없었다. 어쨌든 쑤치즈는 아니었다.

갑자기 쑤치즈가 눈을 뜨자 신룽은 소스라치게 놀랐다. 그는 귀신처럼 신룽의 뒤를 뚫어져라 쳐다보았다. 마치 그 자리에 누군가 서 있거나 무슨 재미있는 일이라도 벌어지고 있는 것 같았다. 날씨는 갈수록 더워져 신룽이 병원에 올 때는 거리의 수많은 여자들이 민소매 원피스 차림을 하고 있었다. 그러나 지금 이 갑갑한 방에서 신룽은 어딘가를 사납게 노려보는 쑤치즈의 눈길에 한기를 느끼고 있었다. 몇 분이 지나 쑤치즈의 시선이 천천히 그녀에게로 돌아왔다. 마치 무슨 말을 하고 싶은 것 같았지만 입을 열자마자 다시 피가 사방으로 뿜어져 나왔다. 신룽은 그가 무슨 말을 하고 싶어 하는지 알고 싶어 그에게 가까이 다가갔다. 그녀의 얼굴에 피 몇 방울이 튀었다. 이어서 그녀는 쑤치즈의 코에서도 두 줄기 피가 흐르는 것을 보게 되었다. 지렁이 두 마리가 천천히 밖으로 기어 나오는 것 같았다. 신룽은 재빨리 벨을 눌러 사람들을 불렀다. 손가락이 미친 듯이 떨렸다. 그저 미친 듯이 벨을 눌러댈 뿐, 정말로 벨이 울리는지는 알 수 없었다. 이어서 그녀는 쑤치즈의 눈과 귀에서도 피가 흘러나오는 것을 발견하고는 공포에 휩싸였다. 황급히 병실 밖으로 달려 나가던 그녀는 입구에 무릎을 세게 부딪치고 말았다. 그녀는 복도에 선 채 죽어라고 소리를 질렀다.

"의사 선생님! 간호사! 의사 선생님! 간호사!"

한순간에 의사와 간호사들이 병실 안을 가득 메웠다. 신룽은 밖으로 나가지도 못하고 안에 서 있지도 못한 채 발만 동동 굴렀다. 간호사 하나가 그녀에게 알려주고서야 그녀는 자신의 코에서도 피가 나오는 것을 알았다. 그녀는 얼른 휴지를 한 움큼 뜯어 코에 대고 누른 다음 고개를 들어올렸다. 의사가 주먹을 쥐고 쑤치즈의 가슴을 세게 두들겼다. 쑤치즈의 심장은 다시 뛰었지만 늑골이 부러졌을 것 같았다.

병실 안은 금세 다시 조용해졌다. 눈 깜짝할 사이에 사람들도 사라지고 신룽 혼자만 남았다. 그녀는 침대 쪽을 바라보았다. 쑤치즈는 여전히 눈을 뜨고 있었다. 죽어도 눈을 감지 못할 것 같은 모습이었다. 눈과 코, 입, 귀에 두루 핏자국이 남아 있었다. 그녀는 온몸의 솜털이 전부 곤두섰다. 도망치고 싶었지만 두 손이 시멘트 바닥에서 나와 그녀의 두 발을 잡고 있는 것 같았다.

"아빠……." 어찌 된 일인지 그녀가 갑자기 아빠를 불렀다.

다시 몇 분이 지나 쉬원징과 량짠이 돌아왔다. 이미 소식을 들었는지 복도를 달려오는 소리가 요란했다. 량짠이 먼저 뛰어 들어와 침대 위를 살펴보고는 자기 두 손을 한참이나 만지작거리더니 앞으로 다가가 신룽을 품에 안았다.

"아무 일 없는 거죠?"

신룽은 나무처럼 그의 품에 안겨 눈을 병실 입구로 향한 채 아무 말도 하지 못했다. 쉬원징은 몸 전체가 굳은 듯이, 천천히 지뢰밭을 지나듯이, 한 마디 한 마디 병실로 들어왔다. 몇 미터 되지 않는 거리가 몹시 멀고 험난해 보였다. 그녀는 가까이 다가가 침대 위로 눈길을 던지자마자 맥없이 침대 앞에 주저앉고 말았다.

신룽이 허리를 숙여 그녀를 안아주었다.

쉬원징은 온몸이 부들부들 떨렸다. 위아래의 치아가 딸가닥딸가닥 소리를 낼 정도로 심하게 떨렸다. 신룽이 눈물을 쏟으면서 그녀의 등을 토닥거려주었다.

"겁내지 마세요. 별일 없을 거예요."

량짠도 무릎을 꿇고서 두 여자를 끌어안았다.

"괜찮아요. 아무 일 없을 거예요."

"가족 분 어디 계세요?" 간호사 하나가 병실 입구에 나타나 말했다. "돈을 더 내셔야 할 것 같아요. 진료비가 부족합니다."

"정말 너무들 하네요. 사람이 죽어 가는데 비용이 문젭니까?"

량짠이 버럭 화를 냈다.

"이 방에서 아직 숨 쉬고 있지 않나요?" 간호사도 만만치 않았다. "그 돈이 제 구좌로 들러오는 것도 아닌데 왜 저한테 화를 내시는 거예요?"

황리가 량짠의 전화를 받고 비틀거리며 달려와서는 아직 온기가 남아 있는 쑤치즈의 손을 잡았다.

쉬원징이 황리를 부르며 그녀에게 달려가 보듬어 안고 함께 울었다. 황리도 이런 상황이 벌어질 줄은 꿈에도 생각지 못했다. 두 손을 만지작거리며 그녀에게 몸을 기대어 한참을 울고서야 겨우 한숨을 내쉬며 손을 내밀어 그녀를 안았다.

량짠이 안팎으로 몰아치며 쑤치즈의 몸을 닦아줄 사람을 찾아 미리 준비해 놓은 옷으로 갈아입혔다. 정리를 마치자마자 장례업체의 차량이 와서 쑤치즈를 인수해 갔다. 쉬원징이 목 놓아 울면서 떠나는 쑤치즈를 잡으려 달려들었지만 황리와 신룽이 나서 간신히 떼어 놓았다.

량짠이 장례 절차를 처리하고 돌아와 보니 세 여인이 텅 빈 병실 안에 넋이 나간 채 앉아 있었다. 세 여인은 물론, 그 자신도 텅 빈 공간을 보니 허공을 밟고 있는 듯한 느낌이 들었다.

"어르신이 떠났으니 우리도 여기 있지 말고 다른 곳에 가서 후사를 상의해보기로 하지요."

량짠은 이들을 '커피어차(咖啡語茶)'라는 카페로 안내하여 먼저 종업원에게 뜨거운 물수건을 한 장씩 달라고 부탁하여 먼저 손과 얼굴을 닦은 다음에 마실 것을 주문했다.

장례에 관한 얘기가 시작되자 량짠이 쉬원징에게 어쩔 생각이냐고 물었다. 그녀가 멍한 표정으로 사람들을 바라보며 말했다.

"저도 어떻게 해야 할지 모르겠어요."

"돌아가서 치러야 할까요?" 량짠이 말했다. "두 분 직장의 동료와 친척, 친구 분들이 있을 테니까요……."

"차라리 여기서 그냥 치르는 게 좋을 것 같네요." 쉬원징이 황리를 쳐다보며 말했다. "우리가 소란을 일으키는 바람에 정부에서 선생님의 자리를 도서관으로 옮겨버렸어요. 도서관에 인원이라야 몇 명 안 되지만 선생님은 한 번도 다른 직원들과 소통한 적이 없었어요. 우리 집 쪽에서도 저와 연락을 끊은 지 오래고 선생님 집안도 연락이 끊어진 지 오래지요."

량짠이 황리를 쳐다보자 황리도 고개를 끄덕이며 말했다. "그 양반 사촌 형님이 한 분 계세요. 스촨(四川)에 사시지요. 여러 해 동안 연락 한 번 없었어요. 제가 보기에도 공연히 사람들 놀라게 할 필요 없을 것 같아요."

"그러시다면……." 량짠이 신룽을 힐끗 쳐다보았다. "저희가 알아서 처리할게요." 그러다가 뭔가 적절하지 않다는 생각이 들었는지 한마디 덧붙였다.

"좋든 싫든 우리는 같은 직장 동료이니, 다른 건 몰라도 사람을 동원할 수 있을 거예요."

장례를 위한 상의를 마치고 량짠은 쉬원징을 호텔로 데려다준 다음 신룽 모녀를 집으로 데려다주었다.

“먼저 올라가세요, 엄마.” 신룽이 말했다. “저는 량짠과 상의할 일이 좀 있어요.”

황리는 두 사람을 힐끗 쳐다보고는 먼저 올라갔다.

두 사람은 잠시 앉아 있었다. 신룽이 긴 한숨을 내쉬며 말했다. “우리 둘이서 어떻게 처리해볼 수 없을까요?” 량짠이 말했다. “우리가 할 수 있는 일은 없어요. 우리가 막 잡지사에 들어갔을 때, 내가 본 거라고는 신룽이 죽도록 일하는 모습뿐이었어요.”

신룽이 빙긋이 웃으면서 량짠을 바라보았다. “저 좀 안아줘요.”

량짠이 몸을 기울여 그녀를 품에 안고는 한참 있다가 빙긋이 웃었다.

“뭘 웃어요?” 신룽이 물었다.

“지금 내가 같이 집에 가자고 하면 신룽 씨는 틀림없이 나를 따라가겠지요. 하지만 그렇게 되면 내가 나쁜 사람이 될 거예요. 신룽 씨는 말할 것도 없고, 저 자신도 제가 경멸스러울 거예요. 하지만 이 밤이 지나고 이 마을을 지나면 이런 가게가 다시 없을까봐 두렵네요.”

신룽은 량짠이 그렇게 큰 덩치에도 불구하고 장미 내장에 수정 심장을 가졌으리라고는 생각지도 못했다. 하지만 그가 말을 그 정도로 터뜨려버릴 줄은 몰랐다. 하지만 그녀는 인정할 수가 없었다. “누가 량짠 씨랑 같이 집에 가고 싶댔어요? 잘난 척하지 말아요.”

“내가 또 너무 다정한 척 했나요?” 량짠은 혼자 멋쩍게 웃었다.

“사람을 아주 못살게 만드는군요. 어서 들어가 쉬세요.” 그녀가 차문을 열면서 말했다. “이만 가볼게요.”

량짠은 한마디도 하지 않고 그녀를 바라보았다.

“나 가도 돼죠?” 신룽이 다시 물었다.

“자꾸 약 올리면 못 가게 할 거에요. 데리고 우리 집으로 갈 거라고요.” 량짠이 웃으며 말했다.

신룽은 그제야 차에서 내려 량짠을 내려다보았다. “가서 잘 씻고 푹 자요.” 량짠이 작은 목소리로 속삭이고는 가속 페달을 밟자마자 차는 이내 밤의 어둠 속으로 사라졌다.

장례식 전에 신룽은 황리를 데리고 ‘주어잔(卓展)’ 백화점을 찾았다. 각자 검정색 정장을 한 벌 사고 같은 스타일로 쉬원징에게 줄 것도 작은 사이즈로 하나 샀다.

“뭣 하러 이렇게 돈을 써?” 황리가 가격표를 보더니 화를 냈다. “나는 결혼할 때도 이렇게 비싼 옷은 못 입어봤구먼.”

“평소에도 입을 수 있는 옷이에요.” 신룽이 작은 목소리로 달랬다.

“정식 과부가 된 건 쉬원징인데 내가 왜 이런 옷을 입어야 하니?” 황리는 투덜거리면서 옷을 한번 입어보았다. 과연 유명 브랜드라 그런지 사람이 달라 보였다. 풍격이 완전히 다른 사람 같았다. 황리가 놀랍기도 하고 즐겁기도 한 표정으로 신룽을 바라보았다.

"아니면 다른 색으로 살까? 평소에도 편하게 입을 수 있는 걸로 말이야." 황리가 신룽에게 물었다.

"그럼 한 벌 더 사드릴게요." 신룽이 말했다.

"아니야, 그러지 마." 황리는 돈을 쓰는 것이 아까웠다. "그냥 이걸로 하지 뭐."

신룽이 매장 직원에게 계산을 부탁했다.

겉옷 외에 속옷과 블라우스, 신발, 양말, 그리고 눈물을 닦을 손수건까지 모두 세 벌씩 샀다. 황리는 돈을 많이 쓰는 것이 마음이 아파 안달이 날 지경이었다.

옷을 다 산 다음 신룽은 황리를 '즈멍(紫夢)' 미용실로 데리고 가서 비용이 가장 비싼 '최고 스타일리스트' 아젠(阿堅)에게 황리의 머리를 새로 디자인하게 했다. '즈멍'은 신룽의 잡지사에서 광고를 하고 있는 자매 업체라 사십 퍼센트 할인을 받아 칠백 위안 정도면 최고 수준의 서비스를 받을 수 있었다.

황리는 죽어도 하기 싫다고 했지만 신룽에게 떠밀려 억지로 의자에 앉았다. 신룽도 내친김에 머리손질을 하기로 했다. 막 스타일리스트가 왔을 때 쉬원징에게서 전화가 왔다. 울먹이는 목소리가 말했다. "신룽, 지금 좀 와줄 수 있겠어요?"

신룽은 황리를 쉬게 한 다음 쉬원징에게 줄 물건들을 챙겨 호텔로 갔다. 노크를 하자마자 쉬원징이 문을 열었다. 초췌한 몰골이 말이 아니었다. 눈가의 다크서클이 누군가에게 얻어맞은 것처럼 선명했다.

"잠을 못 자겠어요. 눈을 감으면 쑤 선생님이 방 여기저기를 돌아다니면서 시를 읊조리는 것만 같아요." 쉬원징이 혼잣말 하듯이 말했다.

"마음이 환경을 만드는 거예요." 신룽이 말했다. "항상 이런 생각만 하고 있어서 그래요."

"아니에요." 쉬원징이 사방을 둘러보면서 말했다. "선생님이 정말로 여기에 계세요."

방은 보통 트윈룸이고 두 겹의 커튼은 굳게 드리워져 있었다. 몹시 덥고 답답한데다 공기도 좋지 않았다. 쉬원징은 블라우스와 청바지 차림으로 소파에 앉아 자신의 무릎을 감싸 안은 채 온몸을 부들부들 떨고 있었다. 뭔가 이상한 일이 있는 것이 분명했다.

"아빠가 정말로 여기 계시다 해도 원징을 해치진 않을 거예요." 신룽이 말했다. "제가 들은 얘기에 의하면 죽은 사람이 누군가에게서 떠나지 못하는 것은 그 사람을 가장 걱정하기 때문에 지켜주기 위해서 그러는 거래요."

"틀림없이 여기 계세요." 쉬원징이 울음을 터뜨렸다.

신룽은 량짠에게 전화를 걸어 이런 사정을 알렸지만 그 역시 뾰족한 수를 생각해내지 못했다. 여기저기 알아보고 나서 전화를 해주겠다는 말만 했다. 반시간쯤 지나 전화가 왔다. 이십분쯤 지나 어떤 곳에 데려갈 테니 짐을 정리하고 준비하라는 것이었다.

"어딜 가는데요?" 량짠을 보자마자 신룽이 물었다.

"라오니에에게 방법을 찾아보라고 했더니 위안(袁) 선생이란 분이 있는데 이런 문제를 해결하는 전문가라고 하더군요."

위안 선생은 일흔이 넘은 노인으로 방 안이 무척이나 누추했고 가는 향이 타고 있었다. 그들이 들어서자마자 위안 선생이 횃불 같은 눈빛으로 쉬원징을 바라보았다. 량짠이 방금 이분의 친척이 세상을 떠났다고 말하자 그가 쉬원징을 향해 미소를 지으면서 말했다. "이분과 상주의 관계는 일반적이지 않군요."

쉬원징의 얼굴이 창백해지더니 위안 선생의 눈길을 따라 자기 어깨 뒤쪽을 쳐다보았다.

위안 선생은 정말로 쑤치즈를 볼 수 있는 것처럼 환한 얼굴로 말했다. "이 여인에게 붙어 있지 말고 어서 강을 건너요, 국을 드시라고요. 여기 일은 다 내려놓아요. 내려놓지 않으면 이제 와서 어쩌자는 겁니까? 저녁에 지전을 태우면서 바래다 드릴 테니 서둘러 갈 길을 가세요. 빨리 가시라고요."

주문을 마친 위안 선생은 붉은 붓으로 황지에 부적을 그려 태운 다음 차가운 물에 담았다. 물을 담은 잔은 이십여 년 전에 쓰던 법랑 잔인지 여기저기 얼룩이 남아 있었다. 신룽은 금방이라도 토할 것 같았지만 쉬원징은 조금도 주저하지 않고 잔에 든 물을 깨끗이 마셔버렸다.

"이제 됐습니다." 위안 선생이 그녀의 태도에 만족한 듯 말했다. "남은 일은 전부 제게 맡기세요."

량짠이 돈 오백 위안을 꺼내 위안 선생의 탁자 위에 놀려놓은 다음 사람들을 데리고 나왔다.

다음 날 장례식을 거행할 때 황리와 신룽, 그리고 쉬원징은 새로 산 옷으로 갈아입었다. 세 사람은 장례식장 고별홀 입구에 장엄하고 아름다운 모습으로 서 있었다.

"세 분 너무 아름다워요." 리칭이 디지털 카메라로 세 사람의 모습을 사진에 담은 다음 신룽에게 다가가 보여주었다. "사랑과 슬픔."

"소란들 떨지 마." 주슈루가 나무랐다. "지금 여기가 어딘지 모르겠어?!"

화원에서 미리 주문한 장미꽃을 보내왔다. 장례식에 참석한 모든 사람들이 가슴에 한 송이씩 꽂았다. 잡지사 사람들도 하나도 빠지지 않고 모두 참석했다.

쑤치즈의 직장에서도 두 명의 노조 간부가 참석했다. 세 여인이 나란히 서서 손님들을 맞는 모습에 처음에는 무척 뜻밖이라는 표정을 보이더니 이내 감동하는 모습을 보였다. 태도도 적극적으로 변했다. 황리는 은퇴한지 오래지만 평소에 친하게 지냈던 자매들이 찾아왔다. 삼년 만에 처음 얼굴을 본 그녀들은 황리가 갈수록 젊어진다며 놀라움을 금치 못했다. 몇 마디 얘기를 나누던 여인들은 쑤치즈에 대한 감정을 털어놓았다. "자신이 자초한 결과이긴 하지만 이렇게 허무하게 가다니 정말 고약한 운명이야." 나이든 자매들은 눈물 콧물을 다 쏟으며 울었다.

"이번 생은 그가 언니에게 빚을 졌으니 다음 생에서는 언니를 위해 견마지로를 다하게 될 거예요." 자매들 가운데 하나가 황리를 위로했다.

쉬원징은 자신의 오빠와 올케가 오리라고는 꿈에도 예상하지 못했다. 세 사람은 손을 잡고 열린 수도꼭지처럼 하염없이 눈물을 쏟아냈다. 이어서 수천 송이의 하얀 장미와 하얀 백합, 하얀 국화 위에 누워있는 쑤치즈를 바라보면서 한숨을 내쉬었다. 눈시울도 따라서 붉어졌다.

"기왕에 가신 분이니 그만 슬픔을 아끼시지요!" 량짠은 사람들 앞에 자주 나타나지 않았지만 신룽의 눈에는 도처에서 그의 모습이 보였다. 조문객들이 올 때마다 그는 주슈루와 함께 아주 단정한 모습으로 쑤치즈에게 세 번 절을 올렸다.

모든 조문객들은 애도를 끝내고 장례 진행자가 몇 가지 의례적인 말을 한 다음 장례식이 끝났음을 선포했다. 쑤치즈 시신 밑에 있던 나무판이 접히자 시신은 화장로로 떨어졌다. 세 여인이 반응했을 때는 이미 유리관이 비어 있었다.

"쑤치즈!!!" 쉬원징과 황리가 동시에 소리쳤고 이어서 울음소리가 터져 나왔다. 황리의 친구들이 다가가 그녀를 보듬어주었다. 신룽은 쉬원징을 쓸어안고 눈물을 터트렸다.

점심은 량짠이 마련했다. 그의 친구 하나가 조그만 일식 음식점을 운영하고 있었다. 량짠은 이 음식점을 통째로 빌렸다. 음식점 안은 제법 운치가 있었고 종업원들도 단정하게 차려 입고 입구에서 손님들을 기다리고 있었다. 사람들은 화장실에서 줄을 서서 손을 씻었다. 삼십분이나 지나서야 전원이 손을 씻을 수 있었다. 음식점 한가운데 길게 배치한 테이블 위에는 음식들이 차려져 있고, 테이블 한쪽에는 일본 청주가 놓여 있었다. 다른 한쪽에는 다양한 음료가 준비되어 있었다. 주변에는 여섯 사람이 앉을 수 있는 테이블 여섯 개가 분산되어 놓여 있었다. 황리는 친구들과 한 테이블에 앉았고 쉬원징은 그녀의 오빠와 함께 앉았다. 신룽은 쑤치즈의 직장사람들과 배석했다. 주슈루와 량짠도 잡지사를 대표하여 조문객들을 모셨다. 남은 잡지사 사람들은 제각기 흩어져 자리를 잡았다.

모두들 장례식을 잘 마친 것을 칭찬하면서 이렇게 고상한 장례는 처음 본다고 말했다.

"쑤 선생님은 유명한 시인이라 그런지 웅건하고 힘이 있으셨어. 마지막까지 보통사람들과는 다른 모습이셨어." 그의 직장에서 온 사람이 감탄하여 말했다.

식사를 마친 사람들은 무리를 이루어 흩어져갔고 맨 마지막에는 신룽과 량짠만 남았다. 음식점 주인에게 계산을 마치고 감사의 뜻을 전한 다음 밖으로 나왔을 때는 햇빛이 너무나 따가웠다. 거리가 온통 새하얀 햇빛을 반사하고 있었다.

"어디로 갈 거예요?" 량짠이 신룽에게 물었다.

신룽이 어디로 가야 할지 몰라 잠시 망설이는 사이에 황리는 그녀의 친구들을 데리고 집으로 가버렸다. 회사로 가야죠. 주슈루는 방금 그녀에게 앞으로 며칠 출근하지 않아도 된다고 말했다. 첫째는 집에 남아 자질구레한 일들을 처리하고 둘째는 최대한 어머님을 잘 모시라는 뜻이었다.

"그럼 우리 아무데나 갑시다. 그냥 발길 닿는 대로 가보자고요." 량짠이 물었다. "어때요?"

"좋아요." 신룽이 대답했다.

사실 량짠은 그저 농담을 한 것뿐이었다. 그녀가 이런 대답을 하리라고는 생각지도 못했다. 그가 몸을 돌려 그녀를 쳐다보았다. "정말이에요?"

"네, 정말이에요." 신룽이 말했다. "신선을 만나면 신선이 되고, 마귀를 만나면 마귀가 되겠지요."

그가 웃으면서 차를 몰기 시작했다. 신룽은 창밖을 내다볼 기분도 아니었고 량짠에게 자신을 데리고 어딘가에 가자고 말할 기분도 아니었다. 두 사람에게 무슨 일이 일어날 것인지 생각할 기분은 더더욱 아니었다. 그녀는 실눈을 뜬 채 창밖으로 스쳐 지나가는 풍경을 무심코 바라보았다. 그날의 다롄이 생각났다. 그날 비가 왔다 갠 오후, 쑤치즈와 호텔 카페에 앉아 수다를 떨고 있었다. 그녀는 카푸치노를 마셨고 쑤치즈는 좋아하는 블루마운틴을 향기만 맡고 있었다. 하지만 깊은 한숨을 내쉬는 그의 표정은 커피를 마신 사람보다 더 도취된 것 같았다. "루이스 심슨이라는 시인 아니?" 그가 물었다.

신룽은 고개를 가로저었다.

쑤치즈는 이 시인이 「미국시」라는 시를 썼다고 했다. 그가 이 시를 기억하는 것은 위에 관해 언급하고 있기 때문이라고 했다. 그러고는 그녀에게 이 시를 들려주었다. 아주 느린 어조였다.

어떤 사물이든지, 반드시 위가 있어야 한다
위는, 소화할 수 있다
고무와 석탄, 우라늄, 달빛과 시를
위는 상어처럼, 배 속에 신발을 넣고
망망한 사막을 헤엄쳐야 한다
가는 길 내내 사람 목소리에 가까운 거센 소리를 내야 한다.

편팡

펀팡

나와 펀팡(芬芳)이 친구가 된 것은 어느 날 저녁 무렵 그녀가 우리 집 문을 두드리면서였다.

당시 나는 아화이(阿懷)와 함께 아주 오래된 건물에 살면서 세 식구가 함께 사는 다른 가구와 부엌과 화장실을 함께 사용하고 있었다. 우리가 살고 있는 건물 옆에는 새로운 건물이 하나 있었다. 지은 지 얼마 안 되는 이 건물 일층을 화장품 전문 업체인 '야팡(雅芳)'이 사들였다. 천구백구십사년에 다단계판매는 이미 신선한 것이 아니었고 한창 왕성하게 발전해 가는 단계였다. 우리 건물 바로 밑에 살았던 한 과부는 성격이 아주 쾌활했다. 한동안 아화이가 가라오케에 빠지자 그녀가 올라와 충고하고 타이른 적도 있었다.

그 후로 얼마 지나지 않아 노크 소리가 들려 문을 열어보니 현관에 낯익은 여자가 서 있었다. 누굴 찾느냐고 물었더니 누구 누구를 찾는다고 대답했다. 나는 잘못 찾아왔다고 말하고 문을 닫으려는 순간 멈칫했다. 내가 문 앞에 서 있는 여자를 위아래로 훑어보자 그녀 역시 야릇한 눈길로 나를 쳐다보았다. 나는 그녀에게 우리 어디에선가 만난 적이 있지 않느냐고 물었다. 그녀도 웃으며 자신도 어디선가 나를 만난 적 있는 것 같다고 말했다. 나는 그녀에게 어느 고등학교를 나왔느냐고 물었다. 그녀가 대답을 하는 순간, 우리는 동시에 서로가 누군지 생각났다.

우리는 학년은 다르지만 같은 고등학교에 다녔었다. 학창시절 펀팡은 나이에 걸맞지 않게 회색 정장을 즐겨 입었고, 나와 같은 기숙사에 사는 여학생에게 뭔가를 자주 가져다주곤 했다. 단오절에는 종즈(粽子 : 찹쌀에 대추 따위를 넣어 댓잎이나 갈잎에 싸서 쪄 먹는 단옷날 음식의 한 가지)를 가져다주었고 추석에는 월병(月餠 : 중국인들이 추석에 먹는 보름달 보양의 크고 둥근 과자)을 가져다주었다. 평소에도 달걀이나 소시지 같은 것들을 가져다주곤 했다. 이는 반장으로서 같은 반 학생에게 관심을 표하는 방법 가운데 하나였다. 나는 그 여학생을 싫어했고 자연히 반장인 그녀에게도 신경을 쓰지 않게 되었다. 게다가 나는 사람들을 돕는 이런 방식은 지나치게 구체적이라고 생각했다. 누군가 내게 도시락을 싸다 바친다면 나는 혹시 누가 먹다 남긴 것을 가져다주는 것은 아닌지 의심부터 할 것이었다.

펀팡이 찾고자 했던 사람은 아래층에 사는 과부였는데 한 층 더 올라오는 바람에 동창 집 문을 두드리게 된 것이었다. 나는 펀팡에게 들어오라고 하여 잠시 담소를 나눴다. 재미있는 일은, 대학 시절에 그녀가 어느 광고회사에서 일 년 정도 아르바이트를 한 적이 있는데, 마침 내 친구 하나도 같은 회사에서 아르바이트를 했다는 것이다. 세상은 정말 좁은 것 같았다.

나중에 우리는 화장품으로 화제를 옮겼다. 펀팡은 작고 낮은 목소리로 속삭이듯 말했지만 쓸데없는 말은 한마디도 하지 않았다. 나로서는 놀라운 일이 아닐 수 없었다. 펀팡은 조리있는 말투로 내게 '야팡'의 다양한 제품들을 소개했다. 어떻게 그렇게 많은 제품을 다 기억하냐고 묻자 그녀는 웃었다. 그녀는 하룻밤이면 모든 제품의 특성을 다 외울 수 있다고 말했다. 당시 나는 펀팡의 말에 속으로 의심을 품었었다. 하지만 이내 그녀의 말이 전부 사실이라는 것을 알게 되었다.

그 무렵 나는 하루 종일 비디오를 빌려다 보느라 잠을 못 자 눈 밑이 거무튀튀했다. 펀팡은 내게 서른 살 이전에는 절대 눈 밑에 살이 처져선 안 된다고 경고하면서 숙면을 취하라고 했다. 동시에 내게 아이크림 두 종류를 추천해 주었다.

얼마 지나지 않아 우리는 또 만났다. 펀팡은 내게 아이크림과 함께 회사에서 주는 작은 선물을 가져다주었다. 귀중한 물건은 아니지만 내게 성의를 보인 것이었다. 나는 고등학교 때 같은 기숙사에 살았던 란치(蘭淇)를 불렀다. 란치와 펀팡은 한눈에 서로를 알아보았다. 다들 타향에서 옛 친구를 만난 것을 몹시 즐거워했다. 우리가 한창 수다를 떨고 있는 사이에 펀팡의 호출기가 계속 울려댔다. 그녀는 밑에 거느린 하부 조직이 아주 많았고 그 밑에는 또 다른 하부 조직이 개척되어 있었다. 기분이 몹시 고조된 펀팡은 우리에게 다단계판매의 경험을 얘기해 주었다. 예컨대 판매원이 일단 한 지역에 가서 물건을 팔았으면 최대한 빨리 그곳을 떠나야지, 그렇지 않으면 구매한 사람들의 마음이 바뀌어 환불을 요구한다고 했다. 펀팡이 판매 과정을 무슨 모험 이야기처럼 말하는 바람에 나와 란치는 흥분을 금치 못했다. 란치는 한술 더 떠 직접 해보고 싶어 했다.

그 달에 펀팡은 만 위안이 넘는 보너스를 받았다. 당시로서는 엄청난 돈이었다. 그녀는 그 돈을 들고 남자 친구인 라오멍(老孟)에게 가서 돈 뭉치를 보여주었다고 말했다. 내게 이런 얘기를 들려주는 펀팡의 얼굴에는 아이 같은 즐거움이 가득했다. 그런 그녀를 보면서 우리는 자신도 모르게 돈이 정말 좋은 것이라고 생각했다. 이 기간에 나도 화장품을 사고 싶어 하는 몇몇 친구들을 펀팡에게 소개해주었다. 친구를 돕는다는 생각에 마음이 흐뭇했다. 제품의 장점을 설명할 때도 아주 알기 쉽게 말했다. 펀팡은 내가 이 일을 하기에 딱 좋은 조건을 갖추고 있다면서 이런 일을 하지 않는 것이 너무 아깝다고 했다. 나는 자신의 심리적 자질이 좋지 못해 자신을 위해 물건을 팔라고 하면 아무 말도 하지 못할 것이라고 말했다. 그때 이후로 펀팡은 더 이상 내게 이 일을 권하지 않았다.

다단계판매는 점차 성행하기 시작했고, 이에 대한 사람들의 의견도 엇갈렸다. 만일 내가 펀팡을 몰랐다면 나도 분명 다단계판매에 대해 매우 부정적인 심리를 가졌을 것이다. 광고에서는 수분이 많이 함유되어 있다고 하지만 밝은 곳에 진열해 놓아서 그런 것이었다. 게다가 다단계판매는 직접 얼굴을 마주하고 일대일로 물건을 파는 것이기 때문에 일종의 최면효과를 피하기 어려웠다.

어느 날 저녁, 펀팡이 갑자기 사람 둘을 데리고 나를 찾아왔다. 그녀는 현관에 들어서자마자 먼저 내게 미안하다고 하면서 우리 집으로 오게 된 것은 자신이 다니는 회사에서 가까워서라고 해명했다. 나는 무거운 임무를 맡고 있는 듯한 그녀의 모습을 보고는 괜찮으니까 편한 대로 하라고 말했다.

그녀들이 얘기를 시작하자마자 나는 금세 어떻게 된 일인지 파악할 수 있었다. 세 사람은 현재 회사에서 영업 실적이 가장 좋은 사원들이지만 관리자가 정신 나간 여자라 사람들이 참아주기 어려운 일들을 마구 벌려 회사 직원들의 공분을 사고 있었다. 나는 그녀들이 얘기하는 일에는 별 흥미는 없었다. 나를 놀라게 한 것은 펀팡이 데리고 온 동료였다. 나는 원래 다른 다단계 판매원들도 펀팡과 마찬가지로 언행이 빈틈없고 주도면밀하며 태도가 대단히 살가워 물건을 팔 때 상대방에게 호감을 줄 것이라고 생각했다. 하지만 이 두 동료는 전혀 그렇지 못했다. 말투도 경박하고 태도도 거칠었다. 옷차림 역시 말이 아니었고, 심지어 입에서 육두문자가 튀어나오기도 했다. 화장품 판매사원이라기보다는 시장에서 생선이나 고기를 파는 장사꾼이라고 하는 편이 훨씬 더 잘 어울릴 것 같았다.

그녀들은 의견서 초안을 작성하여 다른 사원들에게 서명을 하게 한 다음, 회사에 제출할 계획이었다. 나는 옆에서 잡지를 뒤적거리고 있었고 그녀들은 이런저런 말을 주고받으며 상의를 했다. 나중에 보니 그녀들이 작성한 글이 정말 너무 형편없어서 내가 나서서 대신 써주었다. 그때 문득 나의 이런 태도가 내게서 미움을 사지도 않은 한 여인을 직장에서 쫓겨나게 할 수도 있다는 생각이 들었다. 또 한편으로는 이 일은 나와 무관한 것이니 글을 좀 매끄럽게 고쳐주면 그만이라는 생각도 들었다.

의견서를 다 쓰고 나서 그녀들이 돌아가려 할 때 펀팡이 엄숙한 표정으로 두 여자에게 당부했다. 어떤 일이 있어도 자신들이 의견서를 쓴 일을 다른 사람이 알게 해서는 안 된다는 것이었다. 자칫 잘못하여 이런 사실이 알려지면 의견서 작성을 도와준 나까지 엮이게 된다고 했다. 두 여자는 절대 그런 일은 없도록 하겠노라고 장담했다. 그중 한 여자는 큰 소리로 겁날 것 하나 없다면서 의견서는 자신이 혼자 쓴 것이라고 해도 상관없다고 말했다.

의견서에 대한 회사의 반응은 무척 빨랐고 그 회사 관리자는 해고되었다. 펀팡이 내게 이 소식을 전해줄 때 나는 펀팡에게 관리자가 되고 싶지 않느냐고 물었다. 영업 실적이 다른 사원에 비해 월등이 앞선다는 사실은 차치하고 사람들을 대하는 태도가 대단히 이상적이었기 때문이었다. 나는 펀팡의 그런 자세라면 관리자가 될 자격이 충분하다고 생각했다. 하지만 정작 펀팡 본인은 그런 자리에 별 관심이 없었다. 관리자 자리가 화이트칼라 계층에 속하긴 하지만 매달 만 위안 이상 벌 수 있는 현재의 영업직과는 달리 월급이 몇 천 위안으로 고정되어 있기 때문이었다. 게다가 지금 형세로 보자면 앞으로 그녀가 거느리는 하부 조직도 꾸준히 발전해 나갈 수 있었다.

나는 그날 저녁에 펀팡이 데리고 왔던 두 여자를 떠올렸다. 그녀들은 이미 회사의 골간이 되어 있었지만 거칠고 저속하기는 평범한 가정주부와 다를 것이 없었다. 펀팡이 어떻게 이런 여자들과 매일 소통하며 지내는지 의아하기만 했다. 그녀는 웃으면서 내 말에 찬동했다. 그러면서 다단계판매라는 것이 원래 가정주부들이 골목마다 돌아다니던 것에서부터 발전되어 나온 영업 방식이라고 설명했다. 나는 펀팡을 몰랐다면 절대로 아무나 집에 들어와 물건을 팔지 못하게 했을 것이라고 말했다. 예컨대 아랫집 여자처럼 말을 현란하게 잘하는 사람이 와도 절대 물건을 사지 않았을 것이라고 했다. 펀팡이 웃으면서 말했다.

"그래도 너는 샀을 거야. 여기에는 아주 미묘한 것들이 정말 많이 포함되어 있지만 일일이 너한테 다 설명할 방법이 없어. 하지만 다단계판매가 이렇게 성행하는 것도 이유가 없는 게 아니야.”

생각해보니 펀팡의 말도 맞았다. 나는 그녀에게 어떻게 이 일을 시작하게 되었는지 물었다. 그녀는 돈을 벌고 싶어서라고 했다. 그것도 아주 많이.

펀팡은 학교를 다니면서 회사 일을 겸해서 하고 있을 때부터 이런 생각을 했었다. 그녀는 학교를 졸업하고 괜찮은 직장에 배정되었지만 일 년도 버티지 못하고 사직한 다음 장사의 세계로 뛰어들었다. 처음에는 그다지 유명하지 않은 작은 브랜드의 화장품 회사에서 일하다가 나중에 ‘야팡’이 대대적으로 사업을 확장하면서 그녀도 이곳에 와서 일하게 되었다. 그녀는 ‘야팡’의 전망과 실력에 대해 확실한 믿음을 갖고 있었다. 나중에 진심을 털어놓을 수 있는 분위기가 되자 펀팡은 내게 자신이 몇 천 위안의 돈을 내고 비공개로 진행되는 영업훈련도 받았으며 그 과정에서 영업 분야의 수많은 비결들을 터득했다고 말했다. 이런 말을 하는 펀팡의 모습에서 아직 털어놓을 수 없는 것들이 많고 그 훈련 자체가 대단히 비밀스러운 것이라는 느낌을 받았다.

펀팡의 말을 듣고 나는 그녀의 말과 행동거지에 관심을 갖기 시작했다. 그녀는 다른 사람의 부탁을 거절하는 법이 없었고 상대가 아무리 어려운 요구를 해도 웃으며 대응했다. 게다가 항상 상대방에게 적절한 반응을 보이는 것 같았다. 펀팡의 능력은 보통이 아니었다. 그녀의 입에서 나오는 이야기를 들을 때면 성실함과 친근함이 느껴졌다. 신상품이 출시될 때마다 그녀는 내게 제품에 대해 이것저것 얘기해주었다. 그녀는 말을 할 때 우리에게 종용한다는 느낌은 조금도 주지 않았지만 매번 신제품을 체험할 수 있게 해주었다. 펀팡이 낯선 환경에 적응하는 속도는 내가 상상했던 것보다 훨씬 빨랐다. 언제부터인지 모르지만 그녀는 아화이와 농담을 주고받을 정도로 친한 사이가 되어 있었다. 매번 전화를 걸어 그가 받으면 둘이 농담부터 주고받았다. 나도 점차 두 사람이 주고받는 농담을 통해 펀팡이 건 전화라는 것을 알 수 있게 되었다.

누구와 소통하든지 간에 펀팡은 삶의 어려운 문제들을 해결해주는 그런 사람이었다. 한번은 우리가 거주하는 건물에 단수가 되었다. 당시 펀팡은 우리 집에서 그리 멀지 않은 곳에 방 두 칸짜리 집을 세내서 살고 있었다. 전화를 하다가 그녀에게 단수가 되었다는 얘기를 하고는 잠시 후 전화를 끊고 보니 이미 물이 다시 나오기 시작했다. 내가 집에 물을 가득 받아놓았을 때쯤 펀팡이 반쯤 든 물통을 들고 우리 집 문을 두드렸다. 나는 그녀가 물통을 들고 건물을 나와 길을 건넌 다음, 다시 우리 집 건물을 오르는 과정을 상상해보았다. 진한 감동이 밀려왔다.

한번은 내가 병이 나자 그녀가 나를 데리고 라오멍의 형을 찾아간 적도 있었다. 라오멍의 형은 신경외과 의사였다. 라오멍의 형은 펀팡을 마치 친동생처럼 잘 대해주었다. 펀팡이 자주 친구를 데리고 와서 귀찮게 하는 것도 이미 익숙해진 일인 것 같았다.

하지만 나는 펀팡과 달리 낯선 사람을 데리고 와서 폐를 끼치는 것에는 아무래도 익숙지 않았다.

펀팡의 실적은 갈수록 눈덩이처럼 커졌고 이와 동시에 그녀는 주변 도시까지 돌아다니며 새로운 시장을 확장했다. 우리가 서로 만나는 횟수도 이전처럼 많지 않았다. 나중에는 누군가 갈수록 늘어나는 그녀의 하부 조직을 관리해주어야 했다. 그녀는 내게 고등학교 동창인 리위(李宇)에게 이런 일을 맡아줄 것을 부탁해보라고 했다. 당시 일이 없었던 리위는 기꺼이 펀팡 회사의 일을 돕기로 했다. 큰돈은 아니지만 매달 몇 천 위안의 수입이 생기니 그에게도 좋은 일이었다.

친구들끼리는 서로 도와야 한다. 펀팡이 반복해서 강조하는 말이었다.

리위는 고등학교 때 나나 란치와 마찬가지로 학교 기숙사에 살긴 했지만 같은 방을 쓰지는 않았다. 게다가 나는 다른 친구들과 친했기 때문에 리위 같은 친구와는 많이 어색한 편이었다. 물론 인상이 좋은지 나쁜지를 말할 정도도 아니었다. 나는 펀팡에게 친구를 돕는 방법은 여러 가지가 있다고 말했다. 고등학교 때 리위와 아무리 친했다 해도 갑자기 상하 관계가 되면 잘못하다가 원래의 우정마저 깨질 수 있다고 말했다. 펀팡은 한참을 깊이 생각에 잠기더니 내 말에도 일리가 있다고 말했다.

그러나 며칠 지나지 않아 펀팡이 내게 전화를 걸어 왔다. 리위가 왔으니 나와서 한번 만나보라는 것이었다. 나는 란치와 약속하여 함께 가기로 했다. 그때 나는 처음으로 펀팡의 집에 가보게 되었다. 그동안 우리는 주로 우리 집에서만 만나온 터였다. 나는 그녀의 살림이 그렇게 단출할 줄은 생각지도 못했다. 거의 누추하다고 해야 할 정도였다. 때는 겨울이었고 몹시 추웠다. 펀팡이 세내서 살던 집은 오래된 일본식 건물이라 겉으로 보기에는 멋있었지만 내부는 초라하기 그지없었다. 나중에는 그 건물에 불까지 났고 펀팡의 집에도 피해가 있었다. 화재로 인한 인명피해는 없었지만 얼마 지나지 않아 건물 전체가 철거되었다.

펀팡은 그 일로 적지 않은 수입이 생겼고 자기 입으로 직접 말한 액수만 해도 이미 적지 않은 돈이었다. 하지만 그녀의 생활형편은 시종 나나 란치와 비슷했고 심지어 더 안 좋을 때도 있었다. 이건 문제가 되지 않았다. 펀팡은 우리와 달랐다. 그녀는 창업에 뜻이 있었다. 얼마를 벌었는지 말은 안했지만 그녀의 씀씀이를 보면 분명 우리와는 달랐다.

펀팡은 나와 란치에게 '신훠(新活)' 제품을 소개하면서 먼저 그녀가 일으켰던 사고에 관해 얘기해주었다. 갓 학교를 졸업했을 때였다. 하루는 자전거를 타고 우리가 다녔던 고등학교에서 그리 멀지 않은 곳을 지나게 되었다. 꽤나 길고 경사가 급한 길이었다. 펀팡은 정확히 어찌 된 일인지 모르지만 순간적으로 자전거 아래로 곤두박질친 다음 몇 미터를 굴러 떨어졌다. 하마터면 '다제팡(大解放)'트럭에 깔릴 뻔 했다. 그녀는 병원으로 실려갔고 반년 동안의 휴양을 거쳐 겨우 건강을 회복했다. 그러나 볼에 부상을 당한 흔적이 남았고 근육 속의 신경도 이미 고사된 것 같았다. 어떤 표정을 지을 때마다 신경이 고사된 것이 더욱 두드러지게 나타났다. 그런데 '신훠' 제품을 사용하면서 이런 증상이 개선되기 시작했다.

나와 란치는 그녀의 얼굴을 빤히 쳐다보았다. 그녀가 말하지 않았다면 우리는 그녀의 얼굴에 나타난 이상한 기색을 전혀 눈치채지 못했을 것이다. 하지만 그녀가 말하고 나니 정말로 표정이 좀 이상한 것 같기도 했다.

라오멍이 처음 펀팡에게 이끌려 우리 집에 왔을 때 란치와 그의 남자 친구 창장(長江), 그리고 아화이까지 모두 한 자리에 있었다. 방이 꽉 차게 앉아 모두들 농담을 주고받고 있을 때, 라오멍이 발로 펀팡의 얼굴을 툭툭 건드렸다. 우리는 모두 그런 디테일에 집중했다. 펀팡은 자신을 지켜보고 있는 우리의 시선을 의식하면서도 여전히 라오멍에게 살갑게 굴었다.

펀팡의 실적은 아주 빨리 여행을 갈 수 있을 정도가 되었다. 하지만 그녀는 가지 않고 대신 라오멍이 갔다. 그때뿐만 아니라 펀팡은 여러 차례 여행할 수 있는 기회를 번번이 라오멍에게 넘겼다.

펀팡의 실적이 높아질수록 다단계판매 업계에서의 그녀의 명성도 나날이 높아져 갔다. 자발적으로 그녀를 찾거나 그녀에게 강의를 부탁하거나 혹은 상품의 홍보를 부탁하는 사람들이 점점 많아졌다. 편팡은 성(省) 내 다른 도시에 다단계판매 분점을 냈다. 짧은 시간 동안 많은 친구들이 사방에 홍보를 해주었다. 그 가운데 내게 가장 인상 깊었던 사람은 샤오차이(小蔡)라는 조선족 여자아이였다. 한국 상인에게 양육된 그 아이는 이 도시에 올 때마다 편팡의 집에서 묵었다. 편팡은 우리 집에 있을 때 몇 번인가 그 애의 연락을 받은 적도 있었다. 샤오차이는 한밤중에도 달려나가 술집에 눌러앉아 있곤 하는 그런 여자애였다.

'야팡' 쪽의 영업이 안정되자 편팡은 또 '선라이더(sunrider)'라는 다단계판매에 개입하기 시작했다. 그녀는 원래 세내서 살던 집에서 나와 방이 세 칸인 큰 집으로 이사했다. 그 집은 내가 친구에게 부탁해서 찾아준 집이었다.

'선라이더'에 대한 확신으로 가득 찼던 편팡은 일을 크게 벌이기로 마음먹었다. 그녀의 큰언니와 형부도 그녀를 도왔다. 라오멍은 흔들이 놀이기구의 다단계판매를 맡았지만 모든 자본은 편팡의 주머니에서 나왔다. 그들은 한동안 죽도록 바빴고 정신이 없었다. 나는 항상 편팡이 내 곁에서 자수성가의 신화를 보여주는 사람이라고 생각했다.

하루는 편팡이 특별히 나를 자기 집으로 불러 소형 흔들이 놀이기구의 장점을 체험할 수 있게 해주었다.

편팡의 집은 마치 커다란 기숙사 같았다. 외지에서 친구가 찾아오면 거의 대부분 그녀의 집에서 묵는 것 같았다. 모든 방에는 이층 침대가 있고 '야팡'과 '선라이더' 제품, 그리고 흔들이 놀이기구가 든 상자가 가득했다. 이번에 임대한 집은 비교적 컸고 그녀는 거실 일부를 현대적인 사무실로 꾸몄다. 큰 책상과 높은 등받이가 달린 회전의자, 그리고 팩스 같은 집기들이 다 갖춰져 있었다. 이런 정식 사무실은 당시의 환경에 그다지 어울리지 않아 무대 배경 같은 허위의 모습을 드러냈다.

내가 문 안에 들어서니 마침 라오멍이 회전의자에 앉아 두 다리를 책상 위에 올려놓고 있었다. 현재의 삶에 만족하면서 맘껏 즐기고 있는 듯한 모습이었다. 나는 다시 한 번 이 인간에 대한 혐오감을 확인했다. 이 인간 때문에 펀팡을 다시 보지 않을 수 없었다. 그녀의 연인이 바로 그녀의 품위에 대한 최상의 증명이 아니던가? 하지만 펀팡은 과거 교통사고가 났을 때 그가 얼마나 잘 해주었는지 줄곧 강조해서 말했다.

펀팡은 방에서 나와 잠시 이야기를 나누다가 바닥에 놓인 흔들이 놀이기구를 켰다. 그러고는 먼저 그 위에 누워 시범을 보인다며 한참을 탔다. 마치 한 마리 물고기가 몸을 흔드는 것 같아 계속 웃음이 나왔다. 나는 또 그녀가 얼굴은 작고 귀엽지만 몸매는 제법 풍만하다는 것을 알게 되었다. 그녀는 내게도 타보라고 권했지만 나는 거절했다.

나는 수면상태가 좋지 못하고 운동도 크게 부족했지만 끝내 흔들이 놀이기구를 사지 않았다. 나는 이 기계에 대해 반감을 갖고 있었다. 석 달 전에 우리 회사에서도 어떤 사람이 이 놀이기구를 사라면서 홍보에 열을 올렸었다. 보통 흔들이는 판매가격이 삼천 구백 위안이고 처음 받게 되는 인센티브가 오백 위안이었다. 지금 펀팡이 팔고 있는 흔들이는 삼백오십 위안밖에 하지 않았다. 추측컨대 그 안에도 적지 않은 인센티브가 포함되어 있을 것이 분명했다. 이런 제품이 어떻게 사람들에게서 신뢰를 얻을 수 있단 말인가?

라오멍의 흔들이 다단계판매는 시기도 늦은 데다 영업 사정도 좋지 않았다. 영업 분야에서의 그의 능력은 펀팡과 비교도 되지 않았다. 그때의 투자에서 펀팡은 적어도 오만 위안의 손해를 보았다. 하지만 그녀는 기죽지 않았다. 그녀는 라오멍에게 자신의 능력을 증명할 수 있는 기회를 주고 싶다고 했다. 만일 그가 이 기회에 돈을 벌 수 있다면 그녀는 안심하고 그를 떠날 것이라고 했다.

당시 펀팡은 무척이나 흥분된 상태였다. 온몸과 마음이 '선라이더'의 업무에 집중되어 있었다. 매일 저녁 그녀는 '선라이더'라는 이름이 찍힌 플라스틱 컵을 들고 몇 블록을 지나 우리 집으로 와서 수다를 떨었다. 그녀는 끊임없이 차를 우려 마셨다. 물론 '선라이더' 차였다. 펀팡은 자기가 자주 밤을 꼬박 새운다고 말했다. 그러면서 '선라이더' 제품이 없었다면 절대 그러지 못했을 것이라고 했다. 펀팡은 팔고 있는 제품들에 관해 설명할 때면 막 연애를 시작한 애인을 바라보듯 눈빛이 반짝거렸다. 말투에도 놀라움과 기쁨이 녹아 있었다. 그녀는 좀 더 일찍 '선라이더'를 만나지 못한 것이 후회스럽다고 했다.

그즈음 다단계판매에 대한 부정적 보도가 매일 늘어나고 있었다. 하지만 나는 한 번도 펀팡과 펀팡이 파는 제품들을 그런 부정적인 것들과 연결시킨 적이 없었다. 그런 생각으로는 펀팡의 얼굴을 볼 자신이 없었다.

그러나 실제로 다단계판매 제품의 가격은 나처럼 돈에 관한 개념이 다소 흐릿한 사람에게도 무시할 수 없는 문제였다. 예컨대 '선라이더'의 가장 일반적인 레몬차가 한 상자에 육십 위안에 팔리는데 한 상자에 고작 열 개밖에 들어 있지 않았다. 게다가 차를 우리는 플라스틱 컵이 하나에 팔십오 위안이었다. 하지만 몇 개월 지나자 이 컵은 사방에 두루 깔렸고 오 위안이면 살 수 있었다. 물론 판매원들은 제품에 남다른 의미를 부여하면서 반복적으로 고객들에게 해명을 했다. 이 차는 다른 차와는 달라 티백 하나로 물을 우려 마실 수도 있고 꽃에 물도 줄 수 있으며 심지어 피부병과 사마귀도 치료할 수 있다고 했다. 하루는 펀팡을 찾아갔다가 큰언니의 눈이 벌겋게 충혈되어 있는 것을 보고는 왜 그런지 물었다. 펀팡은 요 며칠 언니가 눈이 안 좋다고 해서 마시고 남은 레몬차로 눈을 씻게 했다면서 효과가 있는지 없는지 보라고 했다. 내가 펀팡에게 정말 효과가 있느냐고 묻자 그녀는 당연하다면서 눈을 씻고 나니 훨씬 상쾌해졌다고 했다 .

나는 두 자매에게 농담으로 신농(神農 : 중국 전설에 나오는 인물로 농사를 가르치고 의술과 약품을 발명했다고 한다)이 백초(百草)를 먹은 것 같다고 말했다.

편팡은 내 안색이 좋지 않다면서 체력 관리를 하라고 오보분(五寶粉) 두 봉지를 주었다. 나는 거저 받기 미안해서 레몬차 몇 포를 사서 한동안 우려 마셨지만 별 특별한 것은 느끼지 못했다.

어릴 적부터 함께 자란 친구 옌즈(艷子)가 병원에서 인턴 과정을 밟다가 수소문 끝에 나를 찾았다. 나는 곧장 그녀를 만나러 갔다. 옌즈는 애를 낳은 적이 있는데도 몸매가 여전히 아름답고 탄탄했다. 옌즈와 같은 숙소를 사용하는 통통한 여자는 무리하게 다이어트를 하다가 몸에 문제가 생기기 일보직전이었다. 나는 그녀에게 '선라이더'에서 일하는 친구가 있는데 그 친구가 파는 다이어트 약을 먹고 효과를 본 사람들이 꽤 많다고 말했다. 그녀는 즉시 관심을 보였고 나는 편팡에게 시간을 내서 그녀를 한번 찾아가보라고 했다. 마침 편팡은 지방에까지 사업을 벌여놓은 상태라 대신 내가 편팡의 큰언니와 함께 옌즈의 숙소로 찾아갔다.

편팡의 큰언니는 날씬한 몸매를 갈망하는 그 여자에게 다이어트 제품의 장점을 한참이나 설명했다. 심지어 몸으로 직접 에어로빅댄스 시범을 보이기도 했다. 나와 옌즈는 옆에서 휘둥그레진 눈으로 구경만 했다. 그녀들이 직접 고객에게 제품을 파는 광경을 본 것은 나도 이번이 처음이었다. 그날 그 여자는 몇 백 위안어치의 다이어트 차를 샀다.

리위는 계속 펀팡을 도와 '야팡' 쪽 일을 했다. 그녀가 최대한 빨리 일을 물려받아 혼자 한 부분을 담당할 수 있도록 하기 위해 펀팡은 자신의 일부 하부 조직을 잘라내 리위가 구축하고 있는 네트워크에 연결해주었다. 리위가 '야팡' 일을 할 때, 나와 란치는 이미 이 브랜드 화장품에 대해 혐오감을 느끼기 시작했다. 대폭 할인을 할 때에만 물건을 샀고, 그나마 전부 친구나 가족들에게 선물하기 위해서였다.

나와 리위의 사이의 관계는 상대적으로 소원한 편이었다. 그녀는 펀팡과 달리 말을 할 때 항상 무의식적으로 환경을 고려했고 다른 사람들의 입장과 기분을 생각했다. 리위는 평범한 영업사원 모습을 하고 다닌데 비해 펀팡이 영업을 할 때면 거의 예술가라고 불릴 정도로 꾸미고 다녔다.

펀팡과 리위 사이에 무슨 일이 있었는지 나는 모르지만 갑자기 리위가 '야팡'을 떠나 고향으로 내려가서는 공무원 시험을 보았다. '갑자기'라고 하는 것도 사실은 우리가 그렇게 느낀 것일 뿐이었다. 리위는 떠나기 전에 꽤 오랜 시간 동안 준비 작업을 했다. 장부에 문제가 생겼을 뿐만 아니라 애당초 펀팡이 그녀를 위해 어렵사리 연결해준 하부 조직도 '야팡'의 다른 판매원에게 인계했다. 물론 이 모든 것이 이해관계를 기초로 하고 있었다.

외부인의 각도에서 보았을 때, 나는 두 사람 사이에 갈등이 생기는 것은 당연한 일이라고 생각했다. 최근 일 년 남짓 펀팡은 신제품을 개발하느라 바빴기 때문에 '야팡' 쪽 일은 거의 리위가 맡고 있었다. 리위가 버는 수입은 펀팡이 네트워크에서 받아가는 인센티브와는 비교도 안 될 정도로 적었다. 게다가 리위는 하루 종일 가정주부들로 가득한 환경에서 일을 하다 보니 평정심을 잃는 것이 너무나 당연한 일이었다.

뒤통수를 맞은 펀팡은 당연히 화가 치밀어 올라 곧장 리위를 찾아갔다. 두 사람 사이의 대화내용에 대해 나는 아는 바가 전혀 없지만 둘 사이의 대화가 잘 이루어지지 않은 것만은 분명해 보였다. 리위가 가져간 돈도 다시 받아낼 길이 없었다. 펀팡이 평정심을 되찾고 내게 이런 사연을 얘기해 준 것은 이미 꽤 시간이 지나 상황이 변한 뒤였다.

다단계판매의 세계에서 빈번하게 사용되는 새 단어가 하나 있었다. 다름 아닌 '함께 누린다'는 말이었다.

펀팡이 처음 내게 '함께 누린다'라는 말을 했을 때 나는 잘 이해가 되지 않았다. 내가 무엇을 함께 누리느냐고 묻자 펀팡은 주로 마음으로 느끼는 것이라고 하면서 경험담 하나를 예로 들려주었다. 그녀는 어린 시절을 가난한 가정형편 때문에 예쁜 옷을 살 수 없는 현실에 몹시 괴로워했다고 했다. 당시엔 철이 없어 친구들 보기에 창피한 마음에 부모님을 원망하기도 했고 부모님이 자신에게 좋은 옷과 음식을 제공하지 못하는 것을 탓하기도 했다고 했다. 하지만 세월이 흘러 현재에 이르고 보니 자신을 길러주신 부모님의 은혜를 알게 되면서 그 시절 부모님을 원망했던 자신이 부끄러웠고, 앞으로 자신과 가족들의 아름다운 미래를 위해 최선을 다해 살아가기로 다짐했다고 했다.

당시의 정경 때문인지 아니면 얘기를 하는 펀팡의 어투 때문인지, 나는 그녀의 하소연에 눈물이 났다. 나는 그런 하소연이 분명히 그녀의 속마음에서 우러나온 것이라고, 다소 포장된 부분도 없진 않지만 얘기의 핵심은 진실일 것이라고 느꼈다.

나는 그녀들의 '함께 누리기'에 한번 동참해보기로 마음먹었다.

펀팡은 학교의 교실 하나를 빌려 행사를 진행했다. 미리 도착한 그녀는 책상과 의자를 둥그렇게 배치하는 등 준비에 여념이 없었다. 그날의 '함께 누리기' 행사에는 이삼십 명 정도가 참가했고 펀팡은 행사의 주요 해설자였다.

평소에 나와 함께 있을 때면 펀팡은 목소리와 기질이 아주 가늘고 섬세한 사람이라 말을 할 때마다 미소가 수반되었다. 처음부터 그렇게 뛰어난 실적이 없었다면 나는 그녀를 '여린 여자' 부류로 치부했을 것이다. 하지만 '함께 누리기' 행사장에서 나는 자신의 생각이 얼마나 잘못됐는지를 깨닫게 되었다. 펀팡의 목소리는 무척 카랑카랑했고 사람들 앞에서 조금도 겁을 먹지 않았다. 반대로 청중들의 시선이 그녀의 연설 욕망에 불을 지피는 것 같았다. 당당하면서도 차분하게 말하는 그녀의 목소리에는 자신감이 넘쳤고 시종 확신에 찬 침착한 모습이었다. 이번에야 나는 왜 그렇게 많은 사람들이 그녀를 초청해 강연을 부탁하는지 알 수 있었다.

연단에서 내려온 펀팡은 내게 강연이 어땠냐고 조용히 물었다. 나는 그녀를 다시 보게 되었다고 말했다.

라오멍의 형도 그날 '함께 누리기' 행사의 연설자 가운데 하나였다. 그는 이런 일에 처음 참가하는 것이 아닌 것 같았다. 그는 청중을 향해 차분하고 여유 있는 어투로 의사의 관점에서 발언했다. 현대인들이 얼마나 허약한지, 허약한 상태가 지속되어 얼마나 많은 병들이 발생하는지, 얼마나 많은 젊은이들이 심혈관 질병으로 사망하는지, 얼마나 많은 중년층이 위험군에 속해 있는지 얘기했다. 그러고 나서 '선라이더'의 다양한 제품들이 이러한 질병의 발병을 감소시키는 효과적인 수단 가운데 하나라고 말했다.

그 자리에 있던 사람들은 진지한 태도로 그의 강연을 경청했다. 그럴듯한 병원의 그럴듯한 신경과 의사가 그렇게 많은 병들을 사례로 드니 그의 말을 믿지 않을 수 없었다.

라오멍의 형은 강연을 마치고 수술이 있다면서 제품 관련 질문에 대한 답변은 펀팡에게 맡기고 먼저 돌아갔다. 사람들은 질문을 쏟아내기 시작했다. 그 가운데 한 여자는 열두 살짜리 조카가 당뇨를 앓고 있어 효과적인 치료를 위해 사방팔방으로 뛰어다녔지만 적당한 약을 구하지 못해 여기까지 왔다고 했다. 그녀는 펀팡에게 '선라이더' 제품을 먹으면 당뇨를 치료할 수 있는지 꼬치꼬치 캐물었다. 펀팡은 대여섯 가지 제품의 성능에 관해 설명하면서 복용을 권했다. 그녀는 펀팡의 제품 소개는 듣는 둥 마는 둥 하고 계속 펀팡을 응시하면서 '선라이더'가 아이의 병을 고칠 수 있다는 것을 보장해달라고 요구했다. 치료가 보장되기만 한다면 가격에 상관없이 제품을 구입하겠다는 것이었다. 펀팡은 다시 한 번 제품의 우수한 성능을 강조하면서 제품의 장점을 믿으라고 했다. 여자는 보장을 해준다면 제품의 장점을 믿겠다고 했다. 펀팡은 한동안 이 여자로부터 벗어날 수 없었다. 여자는 청중들 앞에서 하소연을 하기 시작했다. 가족들이 아이의 병을 치료하기 위해 온갖 방법을 다 써 보았지만 효과가 없었다면서 그래도 포기하지 않는다고 했다. 그러다가 이날 '선라이더' 제품이 그렇게 좋다는 얘기를 듣고 깊은 감동을 받았으니 치료를 보장해달라는 것이었다. 내가 옆에서 한마디 덧붙였다.

"그렇게 많은 방법을 써보았고 포기할 생각도 없으시다면 한 번 더 시험해 보시는 것도 괜찮지 않을까요?"

여자는 내가 끼어들 것이라고는 생각지 못했는지 멍한 표정을 지었다.

그 일이 있고 나서 펀팡은 내 행동에 대해 칭찬을 아끼지 않았다. 내 대응능력이 뛰어나다고 했다. 그녀는 내게 라오멍의 형처럼 강단에 올라 강연을 해보라고 제안했다. 제품에 대한 인식을 말하기만 하면 된다는 것이었다. 나는 그런 일은 할 줄 모른다고 말했다.

며칠 후 외지에서 등급이 대단히 높다는 여자가 와서 '선라이더'에 관해 강연을 했다. 펀팡은 사전에 내게 두 번이나 전화를 걸어 외서 들어보라고 했다. 나는 그녀의 열성을 거절하기 어려워 한번 가보기로 했다. 행사장은 아주 컸고 천 명이 넘는 사람들이 참가했다. 펀팡은 이 행사장에서 아주 중요한 인물이었다. 쉴 새 없이 사람들이 그녀를 찾아와 뭔가 얘기를 했다. 나는 청중들을 사이에 두고 그녀를 바라보았다. 그녀는 나의 눈길을 알아채고는 나를 향해 빙긋이 웃어주었다.

과연 그 여자는 말을 아주 잘했다. 게다가 제품 소개 외에 다단계판매 '선라이더'의 인센티브 제도에 중점을 두어 설명했다. 그녀의 말에 따르면 호화 주택이나 고급 승용차도 쉽게 손에 넣을 수 있을 것 같았다. 세계 각지로 여행하는 것도 밥 먹는 것처럼 쉬운 일이었다. 행사장의 분위기는 몹시 뜨거웠고 수많은 사람들의 눈이 반짝거렸다. 똑같은 홀이지만 지금은 보석으로 가득 찬 것 같았다.

여자는 연설을 마무리하면서 청중들에게 자신이 해외 명소를 돌아다닐 때 찍은 사진을 나눠주면서 음악을 틀었다. 청룽(成龍)이 부른 노래 <진심영웅>이었다. "생명 속의 모든 순간을 꼭 잡아. 비바람을 거치지 않고 어떻게 무지개를 볼 수 있을까. 마음먹는 대로 성공하는 사람은 없는 법이야."라는 대목에 이르러 많은 사람들이 노래를 따라 부르기 시작했다.

'강연'이 끝나고 우리 몇 사람이 함께 행사장을 나서는 순간 자가용을 몰고 온 젊은 여자 하나가 펀팡에게 다가와 몇 마디 얘기를 나눴다. 두 사람은 사업 파트너 같았다. 펀팡은 그녀와 얘기를 나누는 동안 내내 우아하고 기품 있는 모습을 보였다. 펀팡은 확실히 주위 사람들이 미치지 못하는 장점을 지니고 있었다. 영업 분야의 능력을 보자면 어떤 각도에서의 요구이든 간에 펀팡이 최고였다. 내가 정류장에서 잠시 기다리자 그녀가 곧 뒤따라 왔다. 펀팡은 항상 동시에 여러 사람을 상대하는 상황에 처해 있었기 때문에 버스에 타고 나서야 나와 몇 마디 얘기를 나눌 수 있었다.

펀팡은 내게 느낌이 어땠냐고 물었다. 나는 너무나 허무맹랑한 얘기로 들렸다고 말했다. 내가 호화 주택과 고급 승용차까지 어떻게 그리 간단한 일일 수 있느냐고 하자 펀팡은 그게 왜 어려운 일이냐고 반문했다. 펀팡은 반박과 함께 내게 인센티브 제도에 대해 다시 한 번 설명하고 나서 마지막으로 그녀의 현재 발전 상태로 미루어 석 달 뒤면 백 평방미터가 넘는 집을 갖게 될 것이고, 여섯 달 뒤에는 '혼다'나 '벤츠' 승용차를 몰게 되는 것도 전혀 이상한 일이 아니라고 말했다. 그녀는 다시 한 번 감격에 젖으면서 좀 더 일찍 '선라이더'를 알았으면 좋았을 것이라고 했다.

그 뒤로 갑자기 바빠져 한동안 펀팡과의 연락이 줄었다. 나는 그녀가 여전히 한 무리의 사람들을 거느리고 기세등등하게 일하고 있으리라는 것을 모르지 않았다. 그리고 석 달 뒤에 그녀가 말한 집을 볼 수 있기를 기다리고 있었다.

수많은 일들에 변화가 발생했다.

우선 펀팡은 싱가포르와 말레이시아, 태국, 그리고 홍콩을 한 바퀴 돌고 왔다. 이는 여전히 '야팡'에서의 그녀의 업적 덕분이었다. 이제 그녀 대신 '야팡' 측의 업무를 대리하는 사람은 차오양(朝陽)이라는 여자였다. 그녀는 펀팡 아버지 친구의 딸이었다. 차오양은 나이는 많지 않지만 얼굴에 총기가 넘쳤다. 이 현성 출신 여자는 아주 짧은 시간에 도시생활에 완전히 적응했다.

그녀는 이윤 분야에 남다른 견해를 갖고 있었다. 우리 같은 친구들도 겉으로는 아주 환한 얼굴로 대하지만 속은 아주 분명했다. '야팡'의 인센티브 문제에 있어서 펀팡에서 리워에 이르기까지 나와 란치도 일련의 과정을 겪었다. 처음에는 팔십 퍼센트에서 시작하여 나중에는 칠십오 퍼센트였다가 더 나중에는 최저 한계선인 육십칠 퍼센트까지 내려갔다. 이는 마음을 몹시 불편하게 하는 일이었다. 하지만 펀팡과 친구가 된지 그렇게 오래다 보니 모든 것을 밥값 한두 번 더 낸 것으로 치부해버렸다. 게다가 펀팡은 사람이나 사물을 대하는 별도의 살가운 방식이 있었다. 이는 인센티브로 덮을 수 없는 것이다. 차오양은 우리보다 나이가 훨씬 어렸고 학교도 다니지 않았지만 사회에 진입한 시기는 우리보다 훨씬 일렀다. 그녀는 '야팡'을 접수한 뒤로 인센티브를 다시 칠십 퍼센트로 회복시켰다. 물론 이유는 충분했다. 하지만 이것은 이미 문제가 되지 않았다. 나와 란치는 이미 철저하게 '야팡'의 제품과 결별했기 때문이다.

석 달이 지났지만 '선라이더' 쪽에서는 집과 차를 주지 않았다.

편팡은 우리에게 객관적인 조건을 말했지만 그녀의 신념은 여전히 완고했다. 적어도 나와 란치에게는 그렇게 보였다. 하지만 문제는 쉽게 드러났다. 십만 위안 상당의 물건이 선전(深圳)에서 도난당한 것이다. 화물 발송을 담당하는 사람은 편팡 집안과 아주 밀접한 관계에 있는 사람이라 이 사건에 대한 합리적인 해석은 두 가지 측면으로 귀결될 수밖에 없었다. 하나는 관리자가 자신이 관리하는 물건을 훔쳤다는 것이고, 또 다른 하나는 화물을 홍콩 쪽에서 몰래 들여오는 과정에 골치 아픈 일이 생겼다는 것이다.

전국에서 위아래 할 것 없이 다단계판매를 성토하기 시작했다. 뉴스방송과 중점 취재에서 매일 다단계판매의 사례들을 소개하면서 광대한 소비자들에게 경각심을 가질 것을 교육했다. 이런 시기에는 다단계판매이기만 하면 보통 사람들의 눈에 무조건 사기의 색채를 갖기 마련이었다. 나는 편팡이 걱정되었다. 그녀가 매체의 선전 방향에 대해 나름대로의 견해를 유지하고 있기는 하지만 현재의 상황에서 발전을 도모한다는 것은 확실히 비현실적인 일이었다.

라오멍 집에서 두 사람의 결혼을 건의했지만 편팡 집에서는 라오멍의 건의를 받아들이지 않는다는 뜻을 분명히 했다.

그 시절 편팡은 아주 어려운 세월을 보내고 있었다. 그녀는 우리에게 사업상의 어려움을 호소하는 일도 없었다. 곤혹스런 심정을 털어놓는다 해도 대부분 감정상의 문제를 얘기하는 것뿐이었다. 라오멍의 사랑이 펀팡에게 '계륵'이 되긴 했지만 어쨌든 두 사람은 몇 년 동안 서로 잘 지냈다. 한번은 우리가 이 일에 관해 언급하자 펀팡은 나에게 어떻게 했으면 좋겠느냐고 물었다. 나는 나에게 묻지 말고 차라리 자기 자신에게 물으라고 말했다. 나는 그녀가 상황을 분명히 인식하고 있으면서도 잘 모르는 척 하고 있다고 지적하면서 스스로 사정을 분명하게 생각하여 결정하면 될 일이지, 왜 굳이 남들의 의견을 구하느냐고 물었다.

펀팡은 쓴웃음을 지었다. 그 순간, 나는 친구로서 나와 란치가 지나치게 당연한 생각만 하는 것 같다는 자책감도 들었다. 사랑은 두 사람의 일이라 두 사람의 감정이 어떤지는 우리가 체감할 수 있는 것이 아니었다. 우리가 라오멍을 좋아하지 않을 수는 있지만 펀팡이 라오멍과 헤어지도록 교사할 권한은 없었다.

펀팡과 라오멍은 결국 헤어지고 말았다.

다단계판매는 형세가 점점 나빠지고 있었지만 펀팡의 과거의 노력은 전혀 의미가 없는 것이 아니었다. 그녀가 잠시 쉬면서 전의를 가다듬는 단계에서 수시로 사람들이 찾아와 그녀가 만든 제품을 찾았고 어떤 곳에서는 그녀를 초빙하여 일을 하려 하기도 했다. 그녀는 한 의약회사로 가서 한 부서의 책임자가 되는 것을 선택했다. 그러나 석 달을 일하고 그만두어야 했다. 펀팡의 해석은 매달 삼사천 위안으로는 자신을 만족시킬 수 없다는 것이었다.

그 후 그녀는 '디아볼로(diabolo)'라는 프랑스 화장품 회사로 갔다. 이 화장품은 주로 미용실에서 판매되어 이전의 시장과는 많이 달랐다. '디아볼로'에서 한동안 일하다가 펀팡은 또 일을 그만두었다. '디아볼로'라는 브랜드의 가장 잘 나가는 제품은 화장품이 아니라 아동복이기 때문이었다.

화는 혼자 오는 법이 없었다. 이 해 겨울, 펀팡의 큰언니가 교통사고로 허리를 다쳤다. 펀팡은 손에 쥐고 있던 모든 일을 내려놓고 큰언니의 부상을 치료하고 장애를 예방하는 일에만 매달렸다. 집으로 돌아온 그녀는 한동안 멍하니 있다가 내게 고등학교 때 친구였던 리둥(力東)을 기억하느냐고 물었다.

리둥이라는 이름은 나도 기억하고 있었다. 그가 미술반 학생이라는 것은 알았지만 생김새에 대해서는 확실한 인상이 없었다. 당시 미술반 학생들은 무슨 일을 하든지 하나로 똘똘 뭉쳤었다. 나는 이들 가운데 리둥의 실력이 가장 뛰어났던 걸로 기억했다.

펀팡의 어투에서는 내 흥미를 끌만한 것이 없었다. 나는 펀팡에게 리둥과의 관계에 무언가 있지 않았느냐고 물었다. 그녀는 웃으면서 둘이 지금 사귀고 있다는 것을 인정했다. 하지만 리둥은 졸업한 뒤로 줄곧 베이징에서 발전해 나가고 있었다. 그들은 각자 하늘 반대편 끝자락에서 매일 전화선에 의지하여 연애를 하고 있었던 것이다.

나는 차라리 베이징으로 가서 본격적으로 연애를 하지 그러냐고 말했다. 환경을 바꾸고 책을 읽으면서 충전도 하면서 다음 기회를 준비하는 것이 좋지 않겠냐고 했다. 다시 말해서 리둥 같은 남자를 쟁취하려면 전화선에만 의존해서는 안전하지 못하다는 것이 나의 생각이었다.

편팡은 자신과 리둥의 관계를 발전시키는데 무척 공을 들였다. 라오멍과 달리 그녀는 리둥 앞에서는 긴장을 했다. 그녀는 정말로 한 달에 한 번씩 베이징에 가서 한가한 세월을 보냈다. 그러다가 돌아와 '야팡' 쪽의 업무와 사소한 잔일들을 처리했다. 친구들과 만나는 기회가 줄어들었지만 너무 소원하다는 느낌은 없었다. 편팡은 이 기간 동안 책을 좀 읽었지만 영업 분야에 관한 흥미는 여전히 줄어들지 않았다. 한번은 내게 미국의 어느 브랜드에 관해 얘기하면서 앞으로 기회가 되면 그런 회사에 들어가 능력을 키우고 싶다고 말했다.

반년의 시간이 지났다. 편팡 큰언니는 몸이 점차 회복되었고 부상을 치료하는 동시에 그녀를 위해 약간의 일을 할 수 있게 되었다. 운명이 편팡을 끝없이 시험하고 있기라도 하는 것처럼 '야팡' 쪽에서 또 문제가 터졌다. 차오양의 계정과목이 분명하지 않은 것은 하루 이틀의 일이 아니었다. 이전에 편팡이 나와 한담을 나눌 때도 이런 사실을 언급한 적이 있었다. 큰언니의 몸이 기본적으로 회복되면 큰언니에게 차오양과 결산을 하라고 할 생각이라고 여러 차례 말했었다. 하지만 정작 일이 터지고 보니 때가 너무 늦고 말았다.

차오양은 장부를 없애버리고 만 위안이 넘는 돈을 횡령하여 고향으로 돌아가 버렸다.

펀팡은 내게 이 일에 관해 얘기하면서 줄곧 자신을 책망했다. 이런 일이 처음 있는 것도 아닌데 리위의 사건이 가져다준 교훈이 충분하지 않았던 것일까?

나는 뭐라고 말을 해야 좋을지 몰랐다. 일이 그렇게 간단하지 않을 것이라는 걱정이 앞섰다. 어쩌면 이 일에는 내가 이해할 수 없는 어떤 미묘함이 담겨 있는지도 몰랐다. 하지만 어쨌든 간에 차오양처럼 돈을 횡령해 가버리는 방식을 인정할 수 없었다. 펀팡은 이번에도 지난번처럼 가서 차오양을 한 번 만났다. 그러고는 차오양의 아버지에게 차오양이 한 짓을 그대로 설명했다. 하지만 효과는 크지 않았다. 차오양이 이미 그들에게 보다 유력한 해명을 해놓았기 때문이다.

펀팡은 철저하게 상심했다고 말했다. 나는 사람은 변할 수 있다고 말했다. 리위도 그렇고 차오양도 그렇다고 말했다.

"네가 그 애들에게 주는 수입이 어떻든 간에, 네가 더 많은 돈을 벌고 있는 현실을 마주하면 불평등하다는 마음을 갖게 되는 것이 당연한 거야."

펀팡은 큰형부에게 '야팡' 쪽의 일을 처리하게 했다가 두 차례나 큰 문제가 발생했었고 게다가 '야팡'의 경영방식이 전환되면서 펀팡이 '야팡'을 철저히 떠나는 시기가 앞당겨졌다.

펀팡은 한동안 큰언니의 장애 평가 문제로 뛰어다니다가 장애

평가가 끝나자 다시 베이징으로 돌아가 잠시 쉬는 시간을 가졌다.

우리는 잠시 연락을 끊었다. 하루는 내가 전신국에서 일을 보고 있는데 뜻밖에도 우연히 펀팡을 만나게 되었다. 활력이 넘쳐 보였다. 머리는 아주 짧게 잘랐고 전형적인 화이트칼라 차림을 하고 있었다.

펀팡은 얼굴 가득 반가운 기색을 보이며 내게 방금 핸드폰 번호가 바뀌었다고 말했다. 내가 왜 번호를 바꿨느냐고, 베이징으로 돌아가지 않을 거냐고 묻자 할 일이 있어서 잠시 돌아갈 수 없다고 말했다. 그녀는 은행에 돈을 저금하러 간다면서 나를 함께 끌고 갔다. 걸으면서 그녀는 자신이 '스양(絲昜)'이라는 동북 지역의 유명한 화장품 업체를 대리하게 된 것에 관해 얘기했다. 내가 도처에 화장품 회사인데 전망이 있겠느냐고 물었다. 이제는 '야팡'의 시대가 아니었다. 펀팡은 자신감 넘치는 목소리로 문제없다고 말했다. 그러면서 자신은 줄곧 영업 분야에서 기량을 발휘해 왔다고 덧붙였다. 내가 돈이 그렇게 좋으냐고, 베이징에서 연애하는 동안 즐겁지 않았느냐고 물었다. 펀팡은 소녀처럼 웃었다. 그러면서 방법이 없다고, 놀고 있으면 더 괴롭다고 말했다. 리둥과 함께 지내는 동안 어땠냐고 묻자 그녀는 아주 좋았다고 말했다. 두 사람은 매일 저녁 인터넷 채팅을 하고 있다고 했다. 정말 시대의 첨단을 걷고 있는 것 같았다. 펀팡이 웃으면서 말했다.

"장거리 전화는 비용이 많이 들거든."

은행 안으로 들어서자 펀팡은 가방에서 런민비(人民幣) 몇 뭉치를 꺼냈다. 삼사 만 위안은 족히 되는 것 같았다. 은행에 저축해 두고 비용으로 쓸 예정이었다. 내가 말했다.

"넌 항상 이렇게 자신감이 넘치는구나. 정말 부러워."

펀팡은 고개를 끄덕이면서 자신은 뭔가 일을 하려고 마음을 먹으면 온몸에 힘이 넘친다고 말했다.

펀팡은 큰언니와 함께 새로운 창업을 준비하고 있었다. 펀팡을 자주 만나지는 못했지만 그녀의 창업 방식이 과거 '야팡' 때의 수법과 대동소이하다는 것을 잘 알고 있었다. 그녀는 아주 많은 시간을 외지에서 보내면서 분점을 개설하느라 바빴다. 어쩌다 한번 약속을 하고 만나 식사를 했고, 그럴 때마다 그녀는 내게 제품이 아주 훌륭하고 시장이 한창 확대되고 있으며 회사가 자신의 업적에 크게 만족하고 있다는 등 다양한 희소식을 들려주었다. 희색이 만면한 그녀의 모습을 보고 내가 웃으면서 물었다.

"넌 영업을 너무 좋아하는 것 같아. 돈을 벌고 안 벌고는 그 다음 문제고 말이야."

"영업만 생각하면 내 머릿속에서 수많은 바퀴들이 돌아가는 것 같아."

이렇게 말하면서 펀팡은 손가락으로 자신의 태양혈에 대고 동그라미를 그렸다.

"하지만 돈도 벌고 싶어. 아주 많은 돈을 말이야."

나는 펀팡의 회사로 몇 번 찾아가 직원들이 영업하는 모습을 구경하기도 했다. 직원들은 번갈아 가며 거리에 나가 적당한 연령의 여성들을 붙잡고 제품을 소개했다. 행인이 조금이라도 제품에 관심을 보이면 직원들은 이를 재빨리 포착하여 어떻게 해서든지 점포 안으로 끌고 들어와 무료로 피부보호 서비스를 제공했다. 그녀들은 고객에게 피부보호 서비스를 실시하는 동시에 온갖 좋은 말을 다 동원하여 제품을 소개했다. 고객이 제품을 구입할 의사를 보이지 않으면 언제든지 서비스를 중지해버렸다. 그러다 보니 이들에게 걸린 고객들은 결국 하는 수 없이 타협을 하게 되고 그곳을 벗어나기 위해서라도 주머니를 털어 한두 가지 제품을 구입했다.

내가 펀팡에게 그런 영업방식은 너무 무례하고 끔찍하다고, 그건 영업이 아니라 분명한 납치라고 하자 펀팡은 웃으면서 말했다.

"그런 방식이 좋지 않은 것도 알고 있고 여러 차례 그러지 말라고 일깨우기도 하지만 우리 제품이 워낙 좋으니까 다 넘어가는 편이야. 최근에 우리는 야간용 보양크림을 출시하기 전에 제품을 사하라사막으로 가져가 실험을 했어. 저녁 무렵에 사막에 도착하여 보양크림을 피부에 바르고 이른 아침에 확인해보니 제품 표면에 물방울이 맺혀 있더라고."

펀팡은 내게 손을 흔들어 보이며 말을 이었다.

"이 보양크림이 공기 중의 수분을 잡아낸다는 뜻이지."

내가 생각하기에는 펀팡의 업적이 뛰어나서 회사가 곧 그녀가 맨 처음 임시로 지급한 돈을 돌려줄 것이라고 믿을 만한 충분한 이유가 있었다. 그런데 지금 회사의 자금은 전부 동북 시장에 투자한 상태였다. 펀팡은 매일 출근하여 보통 직원들보다 두 시간씩 늦게 퇴근했다. 그녀는 본사 쪽의 잘 아는 동료들과 전화통화를 하면서 감정상의 소통을 유지했다. 회사의 대인관계는 매우 복잡하여 동북 지역처럼 멀리 떨어져 있는 곳에서는 한 달에 한 번 있는 월례회에만 의존하다 보니 교류가 충분하지 못했다. 때문에 하루아침에 바람이 불어 풀이 흔들리기 시작하면 한꺼번에 무수한 화살을 맞을 수 있었다. 펀팡의 바람은 장차 기회를 잡아 베이징으로 옮겨 가는 것이었다. 베이징은 훨씬 거대한 시장인데다 리둥과 함께 지낼 수도 있기 때문이었다. 펀팡은 매달 나흘의 휴가를 한데 모아 비행기로 베이징으로 가서 리둥과 함께 지냈다. 두 사람의 연애는 처음부터 돈이 많이 들었지만 이런 낭만은 사람들의 부러움을 사기에 충분했다. 가끔은 리둥이 동북으로 오기도 했다. 한번은 펀팡이 내게 전화를 걸어 리둥과 통화하게 한 적도 있었다.

알고 보니 누군가 리둥을 초청하여 잡지 디자인을 맡겼던 것이다. 그는 내게 비용 상황에 관해 물었다. 우리는 몇 마디 얘기를 나누었고, 나는 그의 목소리에서 최대한 그의 이미지를 유추해내느라 애썼다. 하지만 생각대로 되지 않았다. 생각하자마자 한 무리의 미술 전공자들이 우르르 몰려가는 모습이 떠올랐다. 리둥은 말을 할 때 펀팡과 마찬가지로 어투가 무척 부드럽고 예의가 있었다.

약 한 달이 지나 하루는 펀팡이 나를 찾아와 함께 식사를 하게 되었다. 방금 베이징에서 돌아왔는지 정장 차림에 화이트칼라 분위기가 물씬 풍겼다. 펀팡은 내게 간행물 발행 상황에 관해 묻고 싶어 했다. 이 또한 리둥이 일하고 있는 잡지를 위한 것이었다. 그 잡지사는 리둥이 일하는 회사와 같은 오피스텔 안에 있었다. 펀팡은 낮에 회사에 가서 리둥과 함께 있었다. 리둥이 디자인을 하는 동안 그녀는 잡지사 주간과 한담을 주고받았다. 이를 통해 그들이 동북 지역에서는 이상적인 발행 네트워크를 갖추지 못하고 있다는 것을 알 수 있었다. 펀팡은 이 분야에서 뭔가 새로운 시도가 있어야 한다는 생각을 했다. 내가 말했다.

"네가 뭘 한다고 그래? 지금 있는 일만으로도 너무 바빠 꼼짝 못하면서?"

그녀는 자신이 잘 아는 광고회사에서 두 명을 골라 시장에 진입해 봐야겠다고 했다. 그녀가 할 수 있는 일은 전체적인 국면을 조정하는 것뿐이었다.

내가 리위와 차오양의 사건을 잊지 말라고 당부하자 그녀는 잘 알아서 조종할 수 있으니 걱정 말라고 했다. 내가 겉으로는 얌전해 보이는 여자가 왜 그렇게 야심이 크냐고 힐문하자 펀팡은 습관적인 웃음을 보였다. 부드럽고 장난기 넘치는 웃음이었다.

며칠 지나지 않아 나는 일을 처리하면서 펀팡의 회사 앞을 지나게 되어 내친김에 잠시 올라가 그녀를 만났다. 그녀는 휴일도 평일처럼 정상적으로 출근하여 회사에서 시간을 보냈다. 할 일이 없을 때면 짬을 내서 외국어를 공부했다. 우리는 몇 마디 얘기를 나누지도 못하고 누군가의 방해를 받았다. 아주 소박해 보이는 두 여자였다. 내가 작별인사를 하고 나오려 하자 펀팡이 낮은 목소리로 한마디 했다. 두 여자가 자신이 광고회사에서 선발해 온 발행 전문인원이라는 것이었다. 내가 이미 결정된 일이냐고 묻자 펀팡은 거의 그렇다고 말했다.

엘리베이터 안에서 나는 언젠가는 펀팡이 수십 층짜리 오피스텔 빌딩 앞에서 그 건물이 자신의 것이라고 말할 날이 올 거라는 생각을 했다.

어느 날 저녁 펀팡이 내게 전화를 걸어 대출을 받아 큰언니에게 집을 사주고 싶다고 말했다. 펀팡이 아직 누군가에게 의지하고 있다면 그건 아마도 큰언니일 거라고 생각했다. 나는 그녀에게 방산증(房産証 : 부동산의 합법적인 소유권을 정부가 인정하는 증서)이 있는 오래된 집을 사라고 권했다. 큰언니의 현재 경제상황으로는 매달 이천 위안의 대출금을 갚는 것이 큰 부담일 수 있기 때문이었다. 펀팡은 빙긋이 웃으며 다시 잘 생각해보겠다고 했다. 이어서 그녀는 우리가 만난 지 얼마나 되었느냐고 물었다. 나는 한 달쯤 되지 않았겠느냐며 조만간 날을 잡아 한번 만나자고 했다. 가을이 금세 지나고 이미 겨울이 되었으니 다시 만나면 함께 훠궈를 먹자고 했다.

이틀 뒤, 밤중에 펀팡 큰언니로부터 전화를 받았다. 내게 아는 사람 중에 뇌 전문 외과의사가 없느냐고 물었다. 나는 란치의 남편이 뇌 전문 외과의사이니 란치를 찾아가보라고 말했다. 그러면서 란치의 전화번호를 알려주었다. 그녀가 고맙다고 하자 나는 고마울 게 뭐가 있냐고 말했다. 전화를 끊고 얼핏 시계를 보니 이미 새벽 두 시였다.

나와 처음 알게 된 뒤로 펀팡은 내게 줄곧 남을 돕기 좋아하는 그런 이미지로 남아 있었다. 그녀는 거미처럼 사람의 그물을 짜 놓고 수시로 곤경에 빠진 친구들을 도와주곤 했다.

다음 날 아침 일찍 란치가 내게 전화를 걸어 병원에서 만나자고 했다. 내가 까닭 없이 왜 병원에서 만나자는 거냐고 묻자 그녀는 이상하다는 듯이 내게 되물었다.

"펀팡이 머리가 깨진 것도 몰라?"

문득 어젯밤의 전화가 생각났다. 설마 펀팡의 머리가 깨진 거냐고 묻자 란치가 말했다.

"그럼 누구겠어? 어젯밤에 펀팡의 큰언니가 전화를 걸어 반쯤 얘기하다가 울음을 터뜨리더라고. 창쟝은 마침 어젯밤 야간당직이었어. 이 사람은 항상 이 모양이야. 일이 생겨도 도움을 기대할 수 있는 사람이 못 되지."

나는 빨리 가보자고 했다. 우리가 병원 입구에서 만났을 때는 란치와 창쟝 외에 야오나(姚那)도 와 있었다. 야오나는 몇 년 전에 내려와 의약업체 대표로 일하고 있는 터라 병원 사람들과 아주 친했다. 우리가 신경외과를 찾아가려다 저지당하자 야오나가 배시시 웃으며 의사 두 명의 이름을 대면서 그들과 업무를 상의하러 왔다고 둘러댔다. 경비원은 우리를 위아래로 한번 훑어보더니 이내 들여보내주었다.

신경외과의 복도는 엉망진창이었다. 남자 하나가 들것에 누워 있었다. 인사불성이었다. 란치와 야오나는 내게 잠시 기다리라고 해놓고 눈 깜짝할 사이에 사라졌다. 가장 먼저 들어온 창쟝도 모습이 보이지 않았다. 나만 외롭게 복도에 서서 어느 병실로 가야 할지 몰라 망연자실해 있었다. 두 명의 간호사가 들것 옆으로 와서 남자의 머리를 깎아주었다. 수술에 들어가려는 모양이었다. 가족들이 곁에 있고 길을 가는 사람들은 아무 일 없는 듯이 어깨를 스치고 지나갔다.

나는 머리가 약간 어지러웠다. 병원 안의 혼탁한 공기와 냄새에 구토가 날 것 같았다. 창쟝이 갑자기 나타나 나를 창가로 데려갔다. 겨울인데도 창문이 열려 있었다. 그는 내 안색이 별로 좋지 않다고 말했다.

차가운 바람은 무척 청량했다. 하지만 불편한 것은 여전했다. 란치와 야오나가 의사 사무실에서 나와 나를 향해 걸어왔다. 내가 펀팡의 병실이 어디냐고 묻자 란치가 이름 하나를 말했지만 나는 잘 알아듣지 못했다. 그녀는 내게 중환자실이라고 설명했다.

내가 다시 물을 틈도 없이 그녀가 먼저 펀팡이 어째서 중환자실에 들어가게 되었냐고, 그냥 넘어진 것뿐이라고 하지 않았냐고 물었다.

병실에 들어서자 펀팡의 큰언니가 다가와 나를 꼭 안았다.

"세상에. 펀팡에게 뜻밖의 변고가 생기면 나는 어떡하지?"

펀팡의 큰언니가 내 품 안에서 울면서 말했다. 병상에 가까이 다가가 보니 펀팡은 누워 있고 예닐곱 가지 계기가 관으로 그녀의 몸에 연결되어 있었다. 호흡도 없었다. 입에 산소호흡기 관이 삽입되어 있어 가슴의 기복이 전부 이 관에 의지하고 있었다.

의사는 이미 증상이 위급하다는 통지를 내리면서 우리에게 뒷일을 준비하라고 했다. 나는 어쩌면 좋으냐고, 펀팡이 없이 어떻게 사느냐고 물었다. 펀팡의 큰언니는 펀팡의 몸이 이상하다고, 수시로 경련을 일으키는 것 같다고 말했다.

란치가 펀팡의 명함을 꺼내들고는 창쟝을 데리고 밖으로 나갔다. 야오나도 잘 아는 의사를 찾아가 자세한 상황을 알아보았다. 당직 의사가 펀팡의 큰언니를 불렀다. 한순간에 나 혼자 남게 되었다. 병상에 누워 있는 사람을 바라보았다. 틀림없는 펀팡이었지만 또 어찌 보면 펀팡이 아닌 것 같기도 했다. 내 인상 속에는 펀팡이 감기를 앓는 모습조차 남아 있지 않았다. 그녀는 친구들 앞에서 병들고 피곤한 모습을 한 번도 드러내지 않았던 것이다.

전날 저녁, 펀팡은 동창 몇 명과 함께 식사를 했다. 유명한 훠

귀 음식점에서였다. 일행은 열두 시까지 술을 마셨고 펀팡은 또 다른 남자와 함께 마지막으로 술집을 나왔다. 종업원들이 없었기 때문에 그들은 복도의 다른 방향을 따라 직원들만 사용하는 계단을 걸어 내려왔다. 건물을 내려오면서 높이가 삼 미터 정도 되는 테라스를 지나게 되었다. 조명도 없고 그들을 안내해 줄 사람도 없다 보니 두 사람은 함께 발을 헛디디고 말았다. 펀팡의 동창은 살갗이 약간 벗겨진 것으로 그쳤지만 펀팡은 완전히 지각을 상실한 상태였다. 삼십분 뒤 그녀는 근처 병원으로 이송되었다. 한쪽 눈의 동공이 이미 확대되어 있었다. 의사는 그녀에게 인공호흡기를 끼워준 다음 수술을 시작했다. 펀팡이 부상당한 부위는 뇌간으로 일반 신경외과에서는 수술할 수 없는 구역이었다.

펀팡의 큰언니가 돌아와 내 손을 잡으면서 말했다.

"어제 오후에 내가 전문매장에 있는데 펀팡이 찾아와 저녁에 동창들과 함께 식사하기로 했다고 하더라고. 그럼 갔다가 일찍 돌아오라고 했지. 알았다고 하면서 나가다가 문가에서 갑자기 고개를 돌리더니 나를 향해 웃더라고. 집에 돌아왔는데 왠지 가슴속이 허전하더군. 이전에도 펀팡이 혼자 하루 종일 여기저기 돌아다니면서 나 혼자 집에 남겨놓았지만 난 한 번도 집이 텅 비어 있다고 느낀 적이 없었어. 하지만 어젯밤에는 어찌된 일인지 마음이 견딜 수 없이 허전하더라고. 펀팡에게 전화를 했더니 전화요금을 안내서 핸드폰이 정지되었더라고. 난 그냥 기다리는 수밖에 없었지. 기다릴수록 마음이 혼란스럽더니 밤 한 시가 넘었을까, 마침내 펀팡의 동창에게서 전화가 걸려오더군. 펀팡이 넘어져서 지금 병원에 있다는 거였어. 서둘러 병원으로 달려갔더니 그들이 내게 미안하다고 하더라고. 복도 쪽을 바라보다가, 세상에, 난 그 자리에서 혼절하고 말았지."

펀팡의 큰언니는 입술을 꼭 깨문 채 몸을 떨고 있었다. 내가 그녀를 안아주었다. 그녀는 언제든지 또 혼절할 수 있었다.

나는 혈압계의 수치를 살펴보았다. 펀팡은 고압이 이삼십밖에 되지 않았다. 나는 그런 숫자의 변화에 대해 아무런 느낌이 없었다. 숫자는 펀팡과 아무런 관계도 없는 것 같았다. 펀팡 회사의 상사가 옆에서 펀팡 큰언니가 하는 말을 듣고 있다가 말했다.

"저는 어제 저녁에 기분이 몹시 안 좋았어요. 아무 이유 없이 짜증이 났지요. 화를 발산하기 위해 물건을 마구 부수고 싶었어요. 왜 그랬는지 도무지 알 수가 없더라고요. 나를 화나게 한 사람이나 일이 전혀 없었는데도 말이에요. 그러다가 전화를 받았어요. 펀팡에게 일이 터졌다고 하더라고요."

"그런 얘기 좀 안 하면 안 되겠어요?"

내가 두 사람에게 말했다. 두 사람이 하는 말들이 혈압계의 수치나 펀팡의 입에 삽입되어 있는 산소호흡기 관보다 더 나를 두렵게 만들었다.

란치가 눈짓을 보내 나를 복도로 불러냈다. 창장과 야오나도 그 자리에 있었다. 세 사람 모두 의학을 공부했고 의사 경력이 있는 터라 뜻밖의 변고에도 놀라지 않는 것 같았다.

"방법이 없어."

창장이 말했다.

"손상된 신경을 이을 방법이 없다는 건가요?"

내가 물었다. 창장은 한숨을 내쉬며 뇌간은 두부와 같고 신경은 두부 위에 뿌린 후추 가루와 같아서 선처럼 동서를 이어 연결할 수 있는 것이 아니라고 말했다. 나는 한참을 멍한 표정으로 서 있다가 어쩌면 기적이 일어날지도 모른다고 말했다. 펀팡은 줄곧 의지력이 강했기 때문에 우리들 가운데 누군가 기적을 만들어낼 수 있다면, 그건 틀림없이 펀팡일 것이라고 했다. 세 사람이 나를 바라보았다. 그들의 눈빛은 한결 같았다. 의사가 환자 가족을 바라보는 그런 눈빛이었다. 나는 재빨리 입을 다물었다. 지금 내가 무슨 말을 하든지 멍청한 소리로 들릴 것이 뻔했다.

펀팡의 큰언니가 나와 나를 찾았다. 의사가 서둘러 뒷일을 준비하라고 했다는 것이었다.

우리는 펀팡에게 입힐 옷을 사기로 했다. 수의점에서 파는 옷이 아니라 그녀가 좋아하는 옷을 사기로 했다. 펀팡의 큰언니는 말을 하면서 눈물을 흘렸다. 나는 란치를 불러 함께 가자고 했다. 펀팡의 큰언니에게 무슨 일이 생기면 그녀가 도울 수 있게 하려는 의도에서였다. 상가를 돌아다니는 동안 펀팡의 큰언니는 계속 눈물을 흘렸다. 그녀의 그런 모습에 많은 사람들이 고개를 돌려 쳐다보았다. 옷걸이에 걸린 옷들은 대단히 이상해 보였다. 우리가 옷을 사러 온 것이 아니라 몇 가지 옷들이 특별히 그곳에서 우리가 골라주기를 기다리고 있는 것 같았다. 내가 몇 가지 옷을 가리키자 펀팡의 큰언니는 고개를 가로저으며 아니라고 말했다. 스타일과 재질, 품 등 다양한 조건에서 우리 모두 무척 까다로운 사람들로 변해 있었다. 내가 옅은 미색 윈드재킷을 발견하고는 펀팡의 큰언니에게 한번 보라고 했다. 뜻밖에도 단번에 마음에 들어 했다. 란치가 계산을 하는 동안 나는 펀팡의 큰언니를 부축하여 고객들을 위해 마련된 소파 위에 앉아 쉬면서 옷에 달린 상표를 확인했다. '스판(思凡)'이었다. 마음속으로 견디기 힘든 절망감이 몰려왔다.

첫 번째 옷을 사고 나니 그다음부터는 일이 쉬워졌다. 우리는 정장 몇 벌을 사고 순면 내의를 두 벌 샀다. 양모 바지와 스웨터는 사야 할지 말아야 할지 알 수 없었다. 의류를 분별하는데도 민간에는 여러 가지 견해들이 있었다. 신발을 살 때쯤 란치의 핸드폰이 울렸다. 의사에게서 걸려온 전화였다. 전화를 받는 란치의 눈에서 눈물이 솟구쳤다. 펀팡의 큰언니가 다가가 펀팡에게 일이 생긴 거냐고 물었다. 란치는 아니라고, 펀팡의 혈압이 올랐다고 말했다. 그녀는 너무 기뻐서 운 것이었다. 펀팡의 큰언니는 그녀의 말을 믿지 못하겠는지 그 자리에 주저앉고 말았다. 그녀가 말했다.

"날 위로하려고 하지 마. 그런 마음은 알겠지만 그렇다고 날 이렇게 속여선 안 돼. 펀팡에게 가봐야겠어."

그녀는 갑자기 일어서더니 밖으로 뛰어나갔다. 내가 얼른 쫓아가 그녀를 붙잡고는 란치가 거짓말을 할 이유가 없다고 말했다. 십 분이면 병원에 가서 확인할 수 있는데 왜 거짓말을 하겠냐고 했다. 하지만 펀팡의 큰언니는 이미 내 품 안에서 혼절해 있었다. 란치가 한 무더기의 쇼핑백을 들고 우리는 펀팡의 큰언니를 부축하여 차에 올라탔다. 병원에 도착하자 펀팡의 큰언니는 우리를 그대로 놔두고 건물 위로 뛰어올라갔다. 나는 계단에 서서 잠시 현기증을 느꼈다. 몇 시간 동안 내가 펀팡의 큰언니를 부축한 것이 아니라 펀팡의 큰언니가 날 부축하고 있었던 것 같았다. 란치가 내 팔을 잡아당기며 괜찮으냐고 물었다. 나는 괜찮다고 말했다. 우리는 한 층 더 올라가 또 멈춰 섰다. 내가 란치에게 물었다.

"우리를 속이고 있는 것 아니지? 정말로 펀팡의 혈압이 오른 거 맞지?"

란치는 그렇다고, 전화에서 그렇게 말했다고 대답했다.

혈압은 정말로 상승하여 현재 고압이 칠팔십에 달했다. 나도 한순간 눈물이 솟구쳐 올라 란치의 손을 잡으며 말했다.

"내가 기적이 일어날 거라고 그랬잖아? 내가 말했잖아?"

란치도 눈도 빨개져 고개를 끄덕이며 말했다.

"맞아, 그랬어. 나도 기적이 일어날 거라고 믿었어."

펀팡의 상태가 다소 안정되면서 우리는 집으로 돌아갔다가 저녁에 다시 모여 함께 식사를 했다. 우리는 모두 음식을 입에 넣지 못하고 멍하니 바라보기만 했다. 어째서 이렇게 된 것일까? 아화이가 쉴 새 없이 질문을 했지만 누구도 대답을 하지 못했다.

식사를 마치고 우리는 병원으로 갔다. 리둥도 이미 달려와 있었다. 그는 침대 맡에 앉아 펀팡의 손을 잡고 있었다. 내 인상에는 그에 관한 기억이 전혀 없었지만 그가 리둥이라는 사실은 한눈에 알아볼 수 있었다. 나는 그에게 내가 누구인지 말해주었다. 그는 뭔가를 알겠다는 듯한 표정으로 나를 바라보았다. 나는 우리가 서로 만날 수 있는 기회가 아주 많았지만 한 번도 만나지 못했다고 말했다. 만나게 되리라고는 생각지도 못했는데 결국 이런 자리에서 만나게 되었다. 리둥는 줄곧 눈이 젖어 있었다. 그가 말했다.

“어젯밤에 아주 웃기는 얘기를 듣게 되었어요. 너무나 웃기는 얘기라 펀팡에게 들려주고 싶어 여러 차례 전화를 했는데 핸드폰이 꺼져 있어 통화도 안 되고 밤이 늦었는데도 집에도 돌아오지 않더라고요. 새벽 두 시가 다 돼서 잠을 자야겠다고 생각했는데 도무지 잠이 오지 않는 거예요. 아예 일어나 음악을 틀었지요. 날이 밝을 무렵이 되어서야 큰언니의 전화를 받았어요. 펀팡이 쓰러졌다고 하더군요. 얼른 비행기를 예약한 다음 나머지 세 시간 동안 집 안팎을 정리했지요. 펀팡을 베이징으로 데려올 생각이었어요. 집 안에 들어설 때 펀팡이 나를 칭찬해주길 바랐지요.”

리둥은 나를 향해 웃었다. 눈물이 흘러내렸지만 손을 올려 닦지는 않았다.

잠시 후 아화이는 복도로 가서 멍하니 서 있었다. 그는 우리들 중에 신체조건이 가장 좋았지만 몸에 문제가 생겨 주사를 놓을 때면 바늘 끝을 보고 기절하기도 했다. 창장이 링거를 확인하다가 간호사가 병 하나를 잘못 걸어 놓는 것을 보고는 황급히 당직 의사를 찾았다. 그와 란치는 펀팡의 한쪽 팔이 골절된 것을 발견했다.

우리는 두 시간 동안 멍하니 앉아 있었고 수시로 펀팡을 돌보는 사람이 소식을 전해 왔다. 떠나면서 리둥은 창장에게 기적이 일어날 수 있겠느냐고 물었다. 창장은 당연히 기적이 일어날 거라고 말했다. 우리가 믿음의 끈을 놓지 않은 한 기적은 반드시 일어날 거라고 했다. 리둥은 절대 희망을 포기하지 않을 것이라고 말했다. 창장이 야간근무를 맡은 간호사에게 주의 사항을 전달하자 우리는 곧 병원을 떠났다. 택시 안에서 내가 창장에게 펀팡의 몸에 일어날 수 있는 기적이 어떤 것이냐고 물었다. 창장은 과거의 상황으로 미루어 보건대 가장 좋은 결과는 식물인간이 되는 것이라고 말했다.

다음 날 출근하기 전에 먼저 병원에 들렀다. 계단을 오르면서 마음이 공허해지는 것을 느꼈다. 란치를 비롯한 친구들이 주위에 없어서인지 상상하지 못한 결과가 나오면 어떻게 대응할 수 있을지 알 수 없었다.

펀팡의 상태는 안정적이었다. 혈압은 칠팔십 정도였다. 나는 긴 안도의 한숨을 내쉬었다. 펀팡의 가족들도 전부 와 있었다. 노인네들의 슬픔은 이루 말할 수 없었다. 리둥의 집에서도 여러 사람이 와서 그녀의 병상 앞에 간병하는 사람들이 쉴 수 있도록 접이용 침대를 설치해놓았다.

나는 서둘러 출근을 했다. 직장 사람들은 내 안색이 좋지 못한 것을 보고는 무슨 일이 있느냐고 물었다. 나는 잠시 주저하다가 펀팡의 일을 얘기해주었다. '설파(說破)'라는 말이 있지 않던가? 말을 다 해버림으로써 안 좋은 기운을 '깨뜨려 버리고' 싶었다.

퇴근하고 곧장 병원으로 가서 펀팡의 아버지를 만났다. 펀팡은 이전에도 항상 내게 아버지 얘기를 하곤 했다. 부녀 사이의 감정이 대단히 친밀하고 좋은 편이었다. 아버지는 펀팡이 말한 것처럼 아주 강인하고 식견이 높은 분이었다. 한 번도 여러 사람들 앞에서 본래의 태도를 잃지 않았다. 하지만 가장 슬픈 사람이 그라는 것을 모르지 않았다.

나는 달려가 혈압계부터 살폈다. 혈압계는 내가 볼 수 있는 유일한 계기였다. 혈압이 백이십 좌우로 올라가 있었다. 너무나 기뻤다. 펀팡의 아버지도 몹시 기뻐했다. 끊임없이 사람들이 찾아오는 통에 나는 먼저 병실을 나왔다. 밖에서 펀팡의 큰언니와 란치를 만났다. 내가 웃으면서 물었다.

"혈압 상승한 거 봤지?"

펀팡의 큰언니는 내 손을 잡고 울음을 터뜨렸다. 내가 란치에게 어떻게 된 일이냐고 묻자 란치가 한숨을 내쉬면서 의사가 뇌사를 선언했다고 말했다. 내가 방금 펀팡의 좋아진 모습과 오른

혈압을 확인하고 나왔는데 어떻게 이럴 수가 있단 말인가? 란치가 또 의사 같은 눈빛으로 나를 쳐다보았다. 나는 입을 다물었다. 야오나도 와 있었다.

"우리 펀팡 아버님이랑 얘기 좀 해야 되지 않을까?"

병원에서 나오면서 란치와 야오나가 내게 말했다.

"계속 이대로 가는 건 별 의미가 없어. 매일 수천 위안씩 돈만 깨진다고. 물을 흘려보내는 것이나 마찬가지야."

나는 그 얘긴 하지 말자고 했다. 적어도 지금은 얘기할 때가 아니었다. 나는 희망이 없다는 말을 믿지 않았다. 그녀들이 한 말과 내가 본 것 사이에는 확실히 차이가 있었다.

"기적이 있을까?"

택시 뒷자리에 타서 내가 다시 물었다. 그녀들도 어쩌면 있을 것이라고 말했다.

잠자기 전에 나는 아화이와 얘기를 나눴다. 내가 말했다.

"펀팡은 줄곧 열심히 살았는데, 인생이 이런 건 줄 진즉에 알았다면 그렇게 일에 목숨을 걸지 말 걸 그랬어."

아화이가 말을 받았다.

"그렇게 생각하면 안 돼."

나도 내가 어리석다는 걸 알면서도 이런 생각을 피할 수 없었다. 순간적인 변화란 무엇이고 조석으로 바뀌는 인간의 화복이란 또 무엇이란 말인가? 수많은 일들이 정말로 눈앞에 닥치기 전까지는 아무도 알 수 없는 것 같았다.

내가 아화이에게 물었다.

"펀팡에게 일이 생겼을 때 나는 왜 전혀 감지하지 못했을까? 심지어 펀팡의 큰언니가 전화를 했을 때도 왜 일이 터진 걸 전혀 생각하지 못했던 거지? 사고를 당한 사람이 펀팡이었기 때문일까?"

아화이는 너무나 뜻밖의 사고이기 때문일 거라고 했다.

잠시 침묵이 흘렀다. 나는 아화이에게 불을 끄고 그만 자자고 했다. 어둠이 내리자 갑자기 슬픔을 억제할 수 없었다. 방금 보낸 이틀이 악몽처럼 느껴졌다. 이제야 무슨 일이 일어난 건지 실감할 수 있을 것 같았다. 나는 가볍게 입술을 깨물고 최대한 아무 소리도 내지 않았다. 아화이는 이미 내 울음을 감지하고는 손을 뻗어 내 얼굴을 어루만지면서 울고 싶으면 맘껏 울라고 말했다.

나는 일어나 앉아 머리를 송두리째 이불 속에 파묻은 채 목을 놓아 울었다. 펀팡이 떠났고 다시는 돌아올 수 없다는 것을 알았다.

해가 뜨면서 희망도 함께 돌아왔다. 나는 란치와 함께 병원에 가보기로 했다. 펀팡은 그 모습 그대로였지만 악화되지도 않았다.

그녀의 병상 앞에 검은 외투를 입은 여자아이가 하나 서 있었다. 고상하면서도 오만해 보였다. 눈은 펀팡 한 사람만 바라보고 있었다. 나중에 한 남자가 들어와 그녀를 찾았다. 그녀는 펀팡의 아버지에게 잠시 후에 다시 오겠다고 말하고는 자리를 떴다. 리둥이 내게 그녀가 바로 샤오차이라고 알려주었다. 나는 고개를 끄덕였다. 전에 펀팡을 찾는 그녀의 전화를 몇 번 받은 적이 있었다. 그녀는 목소리도 오만했다.

우리는 병실을 나왔다. 날이 하루가 다르게 추워지고 있었다. 일 년 중에 사람들을 가장 처량하게 만드는 계절이었다. 나는 란치와 함께 길을 걷고 있었다. 방금 의사를 찾아가 펀팡의 골절을 치료해달라고 부탁했다. 의사는 나의 부탁이 우습다고 느끼는 것 같았다.

"사람이 저 모양인데 골절은 치료해서 뭐해?"

란치의 말에 내가 되물었다.

"너도 의사로 일할 때 환자들을 그렇게 대했니?"

"그건 아니지만 아무리 강조해서 얘기해도 이치는 한 가지야. 이런 치료는 아무 의미도 없다고."

"펀팡이 식물인간이 된 건지는 모르지만 지금 펀팡의 혈압은 대단히 안정적이야."

란치는 펀팡이 줄곧 약물을 투여 받고 있기 때문이라고 했다. 그녀의 뇌간은 손상을 입었지만 몸은 건강했다. 하지만 아무리 좋은 결과가 나온다 해도 펀팡이 식물인간이 되었는데 뭘 어쩐단 말인가? 식물인간 상태를 유지하는 데는 비용도 적지 않았다. 나는 란치를 쳐다보았다. 그녀의 말이 틀리지 않다는 것을 알지만 나는 그래도 그녀가 식물인간으로 남기를 원했다. 이런 소망은 펀팡을 위해서라기보다는 나 자신의 감정을 위한 것이었다.

다시 병원을 찾았을 때, 편팡의 큰언니가 내게 몰래 의사에게 촌지를 찔러주었기 때문에 오늘부터 좋은 약을 쓰게 될 것이라고 말했다. 리둥은 편팡의 귀에 대고 노래를 불러주면서 그녀를 깨워보려고 시도했다. 그는 음악 감각이 무척 좋아 새로운 노래도 아주 잘 불렀다. 어떤 노래들은 부르기 전에 먼저 편팡에게 몇 마디 설명을 하기도 했다. 예컨대 "이 노래는 네가 가장 좋아하던 노래야."라든가 아니면 "이 노래는 내가 네게 반쯤 가르쳐준 적이 있잖아. 지금쯤 다 배웠는지 모르겠네."라고 말했다. 그는 노래를 부르느라 내게 인사를 건네지도 않았다.

나는 편팡의 큰언니와 함께 옆에서 이런 모습을 지켜보았다. 편팡의 큰언니는 편팡이 식물인간이 되었다는 사실에 이미 적응하고 있었다. 그녀는 자신이 편팡을 돌볼 것이라고 말했다. 예전에 그녀는 편팡에게 항상 "너는 언니 곁을 떠날 수 없어. 네가 어디로 가든지 이 언니가 끝까지 따라다닐 테니까."라고 말하곤 했다. 편팡의 큰언니가 말했다.

"봐, 편팡은 이미 내 보살핌이 필요하다는 걸 의식하고 있어."

리둥이 갑자기 펄쩍 뛰더니 편팡의 얼굴을 가리키며 말했다.

"여기 좀 봐요. 편팡이 눈물을 흘리고 있어요."

우리는 일제히 다가가 편팡의 눈을 살펴보았다. 그녀는 수술을 한 뒤로 줄곧 눈이 반 정도만 뜬 상태였다. 리둥의 말에 모두들 그녀의 눈에 흐릿하게나마 물기가 있는 것 같다고 느꼈다. 모두들 흥분했고 리둥은 노래책을 집어 들더니 노래를 더 불러야겠다고 했다. 그러고는 편팡의 귀에 대고 다시 노래를 시작했다.

사고가 나던 그날부터 편팡의 가족들은 줄곧 점쟁이를 찾아가 점을 쳤다. 괘는 공괘(空卦)였다. 점쟁이는 사람이 집에 없다는 뜻이라고 설명했다. 교외에 또 다른 여자 점쟁이가 있었다. 공력이 대단하다는 소문에 가족들은 천신만고 끝에 그녀를 불렀다. 그녀는 편팡을 이리저리 살펴보더니 좀 더 일찍 자신을 찾아왔더라면 좋았을 것이라고 말했다. 그러면서 편팡의 혼이 이미 아주 멀리 가 있다고 덧붙였다. 편팡의 큰언니가 무슨 방법이 없겠느냐고 묻자 여인은 편팡이 몸을 움직일 수 있다면, 손가락이나 발가락 끝이라도 움직일 수 있다면 다시 자신을 부르라고 말했다.

나는 쓸데없는 소리라고 생각했다. 몸을 움직일 수 있다면 편팡이 지각을 회복했다는 뜻인데, 지각을 회복한 상태에서 그녀를 찾아 무얼 한단 말인가? 편팡의 큰언니는 이렇게 된 상황에서는 부처님을 찾아가 비는 수밖에 없다고 말했다. 병원에서는 진료비 결제를 재촉했다. 그녀는 그저께 방금 이만 위안을 내면서 수납 직원에게 돈이 부족한데 자신에게 통지할 시간이 없더라도 곧바로 돈을 마련할 테니 약은 끊지 말아달라고 부탁했다. 내가 어디서 그렇게 많은 돈을 마련하느냐고 묻자 그녀는 여러 친척들에게서 돈을 빌리고 이것저것 처분했다고 말했다. 그러면서 어떻게든 편팡의 목숨을 되찾아오겠다고 했다.

문을 나서자 란치가 말했다.

"펀팡 큰언니의 생각은 너무 유치해. 지금 상황으로는 집을 팔아도 닷새 정도밖에 버티지 못할 것 같아. 잡동사니들을 처분하는 것이 무슨 도움이 되겠어?"

나는 그래도 심리적인 문제는 해결할 수 있을 거라고 했다. 모든 노력을 포기하지 않고 극한까지 가다 보면 자연스럽게 결론이 날 거라고 했다.

사흘 뒤 나는 란치와 만나 함께 펀팡을 보러 가기로 했지만 오후에 갑자기 란치에게서 전화가 걸려왔다. 마음이 무거웠다. 란치는 방금 펀팡 큰언니에게서 전화를 받았는데 펀팡이 곧 떠날 것 같으니 모두들 좀 와달라고 한다는 것이었다. 내가 한참이나 말을 하지 못하자 란치가 설명을 계속했다. 펀팡이 수술을 하고 나서 꿰맨 자리가 봉합이 되지 않아 다른 장기마저 점차 괴사했다는 것이다. 실제로 그녀는 이미 세상을 떠난 몸이라 붙잡고 있는 것이 아무런 의미도 없다는 것이었다.

그날은 마침 입동 이후 첫 번째 한파가 밀려온 날이었다. 날이 말할 수 없이 추웠다. 내가 서둘러 병원으로 달려가니 펀팡은 아직 병상에 누워 있었지만 이미 우리가 산 새 옷으로 갈아입은 상태로 단정하게 이불을 덮고 있었다. 한때 그 옷들을 괜히 샀다고 생각했는데 끝내 써먹게 된 것이었다.

십육일이야. 누군가 말했다.

사건이 나고 끝나기까지 펀팡은 십육일을 병상에 누워 있었다. 우리는 펀팡이 이전에도 그랬던 것처럼 우리를 위해 기적을 만들어주길 기대했었다. 하지만 그녀는 그러지 못했다. 그녀에게도 무력한 순간이 많았지만 그녀가 우리 앞에서 눈물 한 번 흘린 적 없다 보니 우리가 이 점을 무시했던 것인지도 몰랐다. 우리는 시신안치실 문 앞에서 펀팡을 위해 지전을 태웠다. 리둥은 지전을 산더미만큼 사왔다. 그 추운 날, 그는 달랑 셔츠 한 장만 입은 채 온몸을 떨고 있었다. 누군가 그의 입에 담배를 한 개비 물려주었다. 하지만 입도 떨려 담배를 물지 못했다. 누군가 자기 점퍼를 벗어 억지로 그의 몸에 걸쳐주었다.

라오멍도 찾아와 숙연한 표정으로 사람들 뒤쪽에 서 있었다.

불씨가 비단처럼 흩날리다가 가끔씩 바람을 타고 솟아올라 사람들 위로 쏟아졌다. 펀팡은 일찌감치 우리에게 이별을 고했고, 이제는 우리가 그녀에게 이별을 고할 차례였다. 우리는 돌아가면서 펀팡에게 말했다. 아주 많은 얘기들을 했다. 펀팡은 이미 너무 멀리 가 있기 때문에 들을 수 있을지는 알 수 없었다.

'70후'를 찾아서

지금까지 우리나라에 소개된 중국 당대문학 작가들은 대부분 '50후'와 '60후'들이다. 모옌(莫言), 류전윈(劉震雲), 옌롄커(閻連科), 비페이위(畢飛宇), 왕안이(王安憶), 츠즈젠(遲子健), 팡팡(方方), 톄닝(鐵凝), 위화(余華), 아청(阿城), 한샤오궁(韓少功) 등 기라성 같은 작가들이 모두 50년대 후반에서 60년대 초반 사이에 태어난 작가들이다. 이들이 오늘의 중국 문단을 장악하는 동시에 세계문학의 무대에서 당당히 중국문학의 위상을 상징하고 있다고 해도 과언이 아니다. 옌롄커는 여기에 그럴 만한 역사적 사회적 배경이 존재한다고 지적하고 있다. 30, 40년대에 태어난 작가들은 대부분 혁명의 사유를 특별한 거부감 없이 수용했던 계층으로서 이제는 나이가 많아 오늘날 중국의 현실과 처지에 진정으로 참여하기가 어려울 뿐만 아니라 국가와 세계의 미래에 대한 관심을 반영해낼 능력도 없다는 것이 그의 생각이다. 다시 말해서 개혁개방 이후 중국 사회가 노정하고 있는 정치적, 문화적, 미학적 변화를 역동적으로 표현해내기에는 역부족인 것이다. 한편 80년대와 90년대에 출생한 작가들은 중국 산아제한 정책의 결과로 형성된 '독생자녀 세대'로서 경제적, 문화적 풍요 속에서 성장한 대신, 극단적인 혁명 이데올로기의 지배와 그 절정이었던 문화대혁명을 경험하지 못했고 사회변혁의 동기와 지향에 대해 비판적인 사유의 단계도 체험하지 못했다. 때문에 중국이 어디서부터 시작하여 오늘날의 상태로까지 발전해 온 것인지, 개혁의 중국과 보수의 중국이 장차 어디로 가게 될 것인지 인식하거나 체감하지 못할 정도로 정신이 빈곤하다. 이처럼 판이하게 다른 세대 사이에 '70후' 작가들이 존재한다. 이들은 기본적으로 문혁은 경험하지 못했지만 개혁개방 이후 현기증이 날 정도로 빠른 변화의 시대를 온몸으로 체험한 세대로서 개혁개방의 문학적 체현이 가장 잘 이루어진 세대다. 소설의 중요한 의미 가운데 하나가 사람들의 살아가는 모습과 시대와 풍경을 구체적으로 읽을 수 있게 해주는 것이라면 우리는 중국 '70후' 작가들의 작품을 치명적으로 결여하고 있는 셈이다. 작가의 지명도에 따라 책이 번역되고 출판되고 유통되는 천박한 시장논리 때문이다.

중국의 대표적인 '70후' 작가 가운데 하나인 진런순은 '글과 사람이 일치하는(文如其人, 人如其文)' 작가다. 그녀를 만나 얘기를 나누다 보면 그녀의 작품 한가운데 들어와 있는 느낌이 든다. 얼마 전에도 한중 작가회의에 참석하기 위해 한국을 찾은 그녀는 영원히 단아할 것 같은 모습이었다. 작품을 몸으로 체현하고 있는 것인지도 모른다. 소박하지만 정제된 언어와 대담한 상상력으로 다른 작가들이 도저히 흉내 낼 수 없는 정감의 세계를 만들어내고 있는 그녀의 작품을 통해 '50후', '60후'를 넘어서는 '포스트신시기' 문학의 향배를 가늠할 수 있을 것이다. 진런순의 작품을 한국에 소개하는 가장 주요한 이유가 바로 여기에 있다.

그녀는 처음부터 작품 속에 자신이 그리는 인물에 대한 일정한 거리를 유지하는 객관적인 태도를 보인다. 인물에 대해 강렬한 감정의 투사가 적은 편이고 언어에 대해서도 어떠한 기준이나 경향성이 없다. 이처럼 자신과 무관한 객관적이고 무정할 정도로 초탈한 서사가 소설의 드라마틱한 요소들을 텍스트 깊은 곳에 감추는 역할을 한다. 때문에 진런순의 평범하고 세속적인 것처럼 보이는 사랑 이야기 속에는 사실 놀라울 정도의 잔인성이 담겨 있다. 냉정하고 절제된 진런순의 작품에서는 감정의 범람과 욕망의 과잉을 찾아보기 어렵다. 그녀의 몸에는 항상 세속의 세계를 깨뜨려버리는 차가운 눈빛이 있어 삶의 기인한 허상들을 꿰뚫어보고 사랑의 허위와 인성의 변화에 대해 질의를 던진다. 그녀는 뼛속 깊이 사랑과 인성, 그리고 현실에 대한 깊은 회의와 냉담함, 불신을 갖고 있기 때문이다.

중국에서 70년대에 출생한 작가들이 집단적으로 빛을 발하던 시기도 이미 오래전에 지났다. 이 세대의 문학을 맛보지도 못한 채 우리는 '50후'와 '60후'의 세계에 갇혀 있다. 이제는 '70후'를 이해하고 넘어서 그 다음 세대까지 중국 당대문학의 긴 흐름과 그 흐름이 담고 있는 삶의 풍경과 논리를 통시적으로 받아들이고 소화해야 할 때다. 그렇다면 진런순부터 읽어야 하지 않을까?

2014. 세월호. 보궐선거. 무더위.

김태성

작가 및 번역자 소개

진런순 金仁順

진런순은 조선족 작가로 1970년에 지린(吉林)성 창바이산(長白山)에서 출생하여 1995년에 지린예술학원 연극과를 졸업하고 1996년부터 작품을 발표하기 시작했다. 저서로 중단편소설집 『사랑의 냉기류(愛情冷氣流)』와 『달빛(月光啊月光)』, 『우리 커피숍』, 『피차(彼此)』, 장편소설 『춘향(春香)』, 영화 시나리오 『녹차(綠茶)』, 『엄마의 장국집(媽媽的醬湯館)』, 산문집 『백일몽처럼(仿佛一場白日夢)』, 『미인에겐 독이 있다(美人有毒)』 등이 있다. 단편소설 「물가의 아드린느(水邊的阿狄麗娜)」로 지린문학상을 수상했고 희곡 「타인(他人)」으로 제8회 연극페스티발 레퍼터리상을 수상했으며 단편소설 「피차」로 2007년도 최우수소설상인 '춘신원창(春申原創) 문학상'을 수상했다. 2009년에는 제12회 '충칭(重慶) 문학상'을, 2012년에는 장편소설 『춘향(春香)』으로 제10회 전국소수민족문학창작상인 '준마상'을 수상했다.

김태성 金泰成

김태성은 1959년 서울에서 출생하여 한국외국어대학교 중국어과를 졸업하고 동대학원에서 타이완문학 연구로 박사학위를 받았다. 중국학 연구공동체인 한성문화연구소(漢聲文化研究所)를 운영하면서 한국외국어대학교 중국어대학에 출강하고 있으며 중국어문학 번역과 문학교류 활동에 주력하고 있다. 『노신의 마지막 10년』, 『굶주린 여자』, 『인민을 위해 복무하라』, 『목욕하는 여인들』, 『딩씨 마을의 꿈』, 『핸드폰』, 『눈에 보이는 귀신』, 『나와 아버지』, 『사망통지서』, 『타푸』, 『여름 해가 지다』, 『사람의 목소리는 빛보다 멀리 간다』, 『퐁이송』, 『문혁의 기억』 등 90여 권의 중국 저작물을 한국어로 번역했다.